D1100987

BASTEI
LÜBBE

Von Carolyn Haines sind in der Verlagsgruppe Lübbe lieferbar:

3-404-92021-X	Am Ende dieses Sommers (aus dem BLT Programm)
3-404-0893-9	Fluß des verlorenen Mondes (aus dem Gustav Lübbe Hardcover Programm)

Carolyn Haines

Wer die Toten stört

Aus dem Amerikanischen von
Dietmar Schmidt

BASTEI LÜBBE TASCHENBUCH
Band 14462

1. Auflage: Januar 2001

Vollständige Taschenbuchausgabe

Bastei Lübbe Taschenbücher ist ein Imprint
der Verlagsgruppe Lübbe

Deutsche Erstveröffentlichung
Titel der amerikanischen Originalausgabe: *Them Bones*

Umschlaggestaltung: Gisela Kullowatz
Titelfoto: Bavaria Bildagentur
Satz: KCS GmbH, Buchholz/Hamburg
Druck und Verarbeitung: Ebner Ulm
Printed in Germany
ISBN 3-404-14462-7

Schreiben ist eine einsame Betätigung, aber die Mitglieder des Deep South Writers Salon haben mich wenigstens vor dem Alleinsein bewahrt. Ihnen allen danke ich für das kundige Lesen und Redigieren, für ihre Freundschaft und den Mut, den sie mir gemacht haben. Danke, Jan Zimlich, Susan Tanner, Renee Paul, Stephanie Chisholm und Rebecca Barrett.
Dank schulde ich außerdem Neil Sheffield, der mir das Mississippi-Delta aus seiner persönlichen Sicht gezeigt und mich hinsichtlich mehrerer wichtiger Aspekte berichtigt hat, von denen zuvorderst die Eigenschaften von Vogelschrot und die vielen Varianten der Blues-Musik zu nennen wären.
Einmal mehr bewies Marian Young, wie unschätzbar wertvoll eine gute Agentin sein kann.
Und nicht zuletzt ein herzliches Dankeschön an Stephanie Kip und Kate Miciak von Bantam Books. Sie hatten mir versprochen, es werde Spaß machen, und sie haben nicht geflunkert.

1

Die Frauen in meiner Familie neigen zu Wahnsinn und geheimnisvollen »Unterleibsbeschwerden«. Ich bin mir nie darüber schlüssig geworden, ob hier eins das andere bedingt oder ob beide Gebrechen auf einen Fluch zurückzuführen sind, mit dem die weiblichen Delaneys für früher begangene Verzweiflungstaten belegt wurden – Taten, die für gewöhnlich mit einem Mann zusammenhingen, der sich der Flasche oder einer Waffe näher verbunden fühlte als seiner Frau.

Meine Gedanken jedenfalls wurden nicht vom Wahnsinn beherrscht, sondern von tiefer Melancholie, als ich durch das regenüberströmte Küchenfenster von Dahlia House auf die leere Zufahrt starrte. Ein nebliger Schleier hatte sich über die alte Plantage gelegt und verhüllte die kahlen Platanen. Das ist mein letzter Thanksgiving-Day auf unserem Land, dachte ich. Die Tradition von Dahlia House geht zu Ende – ich bin die Letzte der Delaneys, dreiunddreißig Jahre alt, unverheiratet, eine arbeitslose Versagerin.

»Sarah Booth Delaney, schieb deinen mageren weißen Hintern vom Fenster weg und hör auf, trübsinnig da rauszustieren wie deine Großtante Elizabeth – du weißt ja schließlich, was mit der passiert ist.«

Vielleicht ist an der Sache mit dem Wahnsinn doch etwas

dran, denn seit meiner Rückkehr nach Zinnia im Staate Mississippi höre ich die Stimme Jittys, des Kindermädchens meiner Großmutter – in glockenreiner Klarheit. Ich drehte mich zu ihr um und stutzte beim Anblick ihrer Schlaghose und der glänzenden Polyesterbluse: Ihr neuestes Motto lautete wohl ›zurück in die Siebziger‹. Obwohl Jitty schon 1904 in hohem Alter verstorben ist, nimmt sie irgendein Gespensterrecht in Anspruch und kehrt in der Blüte ihrer Jugend wieder. Mit anderen Worten: Eine hüftenge Hose sieht an ihr besser aus als an mir. Und das ist nur eins von vielen Dingen, mit denen sie mich in den Wahnsinn treibt.

»Lass mich bloß in Ruhe«, warnte ich sie und ging zu dem schweren Eichentisch zurück, der sich im Besitz der Familie Delaney befindet, seit Dahlia House im Jahre 1860 erbaut wurde. Eine Woche nach Thanksgiving würde er zusammen mit dem übrigen Mobiliar versteigert werden.

»Du solltest lieber aufhören, den Kopf hängen zu lassen, und ihn stattdessen anstrengen«, entgegnete Jitty, setzte sich an den Tisch und musterte mit tadelndem Blick die Bescherung, die ich darauf angerichtet hatte. »Hier in der kalten Küche zu hocken und Teekuchen zu backen, während vor deiner Tür die Wölfe heulen. Wohin sollen wir gehen, wenn die Bank uns rausgeworfen hat? Unter der Brücke müssen wir dann schlafen und die Mülltonnen deiner feinen Freunde nach was zu essen durchwühlen. Wenn du nicht bald die Kurve kriegst, geraten wir noch tiefer in den Schlamassel.«

Wie Juwelen glänzten die klein gehackten roten und schwarzen Kirschen auf dem Schneidebrett. Ich beäugte die Flasche Jack Daniel's, die daneben auf dem Tisch stand, ergriff sie mit meinen klebrigen Fingern und ließ den Whiskey in den Kuchenteig gluckern, dann setzte ich mir die Flasche an die Lippen.

»Du wirst doch wohl nicht deinem Großonkel Lyle Crabtree nachschlagen.« Jitty fixierte mich durch einen weiteren Modeartikel: eine rosa getönte Großmutterbrille. »Deine Beschwerden heilt kein Whiskey.«

Mit Jitty zu streiten war sinnlos. Das hatte ich längst versucht, und ich hatte auch probiert, sie einfach zu ignorieren. Beides zeigte keine Wirkung. Ich hob das Schneidebrett vom Tisch und strich die Kirschen in den Teig.

»In der Thanksgiving-Woche backen wir immer Teekuchen«, erinnerte ich sie. »Mein Leben ist auf dem Altar der Traditionen geopfert worden, und ich sehe überhaupt keinen Grund, ausgerechnet jetzt damit aufzuhören.«

»In einer Woche sind wir *obdachlos.*« Jitty schob ihren Stuhl zurück und erhob sich. Um ihre Worte zu betonen, stützte sie sich dabei mit den Händen auf der Tischplatte ab. »'s ist die Pflicht der Familie Delaney, für mich zu sorgen. Als ihr meine Mama dem Boden Afrikas entrissen habt, seid ihr eine Verpflichtung eingegangen, und vor der könnt ihr euch jetzt nicht so einfach drücken. Ihr gehört zu *mir.*«

»Ich habe niemanden von irgendwo fortgerissen.« Dieses Thema waren wir schon oft durchgegangen, und Jitty genoss es jedes Mal aufs Neue. Ich war es gründlich leid.

»Die Sünden der Väter«, murmelte sie dunkel. Das war eine ihrer beliebteren dunklen Andeutungen.

Mit beiden von Kirschstücken und Teig bekleckerten Händen ergriff ich ein Messer und prüfte die Schärfe der Schneide, indem ich mit dem Daumen darüber strich.

Jitty schnaubte. »Ganz gleich, wie sehr ich dich plage, mit

’nem Messer kannst du mir nichts anhaben. Ich bin schon tot.«

Ein stichhaltiges Argument, doch noch gab ich mich nicht geschlagen. Ich drehte das Messer um, sodass die Spitze auf meine Brust zeigte. »Was würde wohl mit dir geschehen, wenn mir etwas zustieße?«, fragte ich.

Ihre Augen, die mich immer an schwarze Johannisbeeren denken lassen, huschten unruhig hin und her. Endlich hatte ich sie erwischt. Ich bin die Letzte der Delaneys. Wenn ich sterbe, gibt es niemanden mehr, bei dem Jitty spuken könnte.

Sie schniefte. »Kann sein, dass ich dahin gehe, wo auch du hingehst – für alle Ewigkeit.« Sie ließ ihre albernen silbernen Armreifen gegeneinander klirren. »Am besten heiratest du diesen Bankier, hast ein paar Kinder mit ihm und vererbst mich an die nächste Generation. So ist es Tradition.« Sie musterte mich finster. »Noch jede Delaney hat ihren Mann gekriegt, wenn sie sich erst einmal auf ihn versteift hat.« Sie schwenkte ihren knochigen Finger in meine Richtung und beschrieb eine langsame Bewegung von oben nach unten. »Sieh dich nur an. Du könntest umwerfend sein – du hast den Knochenbau der Delaneys und die Figur deiner Mama, aber du siehst fürchterlich aus, Mädchen. Läufst im schlabberigen Hauskleid deiner toten Tante herum, trägst kein Mieder und schminkst dich nicht. Und dabei hat Lou-Lane doch so sehr versucht, dir alles darüber beizubringen, wie man sich kleidet und benimmt, nachdem deine Mama tot war. Für die Katz. Alles für die Katz. Kein Mann will ’ne Frau, die so tut, als wär sie ’ne Landstreicherin. Du stellst dich an, als hättest du dich schon aufgegeben, als würdest du dir nicht zutrauen, Harold Erkwell die Schlinge um den

Hals zu legen.« Sie beugte sich zu mir vor. »Als hättest du Angst, es zu versuchen.«

Vor Wut verschlug es mir die Sprache. Schon die Vorstellung, dass Jitty meine Freiheit freudig und ohne zu zögern einer rein materiellen Sicherheit geopfert hätte, brachte mein Blut zum Wallen. Ausgerechnet Harold Erkwell! Doch Jittys Worten zufolge zählte die Aufopferung der Frauen ebenso zu den Traditionen der Delaneys wie die typischen Frauenbeschwerden.

»Du gehst mir auf die Nerven. Ich werde –«

Das feierliche Läuten der Türglocke unterbrach mich mitten in der Drohung.

»Eine deiner Freundinnen, eine von den reichen«, erklärte Jitty, die im trüben Licht des frühen Abends langsam verblasste. »Einen Butler bräuchten wir, jawohl.« Geisterhaft hohl hallte ihre Stimme in der Küche wider. »Deine Großmama wusste einen Butler noch zu schätzen. Diese Frau, die hatte Klasse, und damit hat sie ihre Unterleibsbeschwerden zum großen Teil ausgleichen können. Wenn sie außer deinem Vater noch andere Kinder gehabt hätte, dann wären ich und Dahlia House jetzt nicht in diesem Zustand.« Damit verschwand sie endgültig.

Während ich zur Haustür ging, wischte ich mir die Hände an einem Tuch sauber. Zwar hatte ich nicht die Absicht zu öffnen, aber ich war neugierig.

Meine Besucherin hämmerte gegen die alte Eichentür. Dem deutlich vernehmbaren Pochen entnahm ich, dass sie zierliche kleine Fäuste haben musste.

»Sarah Booth Delaney, mach auf der Stelle auf! Ich weiß genau, dass du zu Hause bist.« Die Forderung wurde von einem stakkatohaften Kläffen untermalt.

Ich schloss die Augen. Vor meiner Tür stand Tinkie Bellcase Richmond, eine der prominentesten ›Ladys‹ von Zinnia. Ihr sechs Unzen schwerer, unerträglicher Köter Chablis begleitete sie. »Sie könnte sich schon die Beinchen brechen, wenn sie nur vom Sofa springt« – so zierlich war dieses Hundeweibchen. Nach Tinkies Maßstäben stellte Zerbrechlichkeit eine positive Eigenschaft dar. Der Höhepunkt ihres Lebens hatte darin bestanden, dass der Arzt bei ihr Blutarmut diagnostizierte und ihr ein Vitaminpräparat verschrieb. Für Tinkie war das der Beweis gewesen, zu jener Sorte Frau zu gehören, die viel Aufmerksamkeit nötig hatte und besonderer Pflege bedurfte. Ich lehnte mich an die Tür und hoffte, dass sie es bald aufgab und fortging.

»Sarah Booth, vor mir kannst du dich nicht verstecken.« Ihr Hämmern wurde lauter, und der Staubmopp zu ihren Füßen jaulte ununterbrochen.

Mir blieb keine andere Wahl, als die Tür zu öffnen. Avery Bellcase, Tinkies Vater, saß im Vorstand der Bank von Zinnia. Vielleicht begutachtete er ausgerechnet in diesem Moment meinen letzten, verzweifelten Kreditantrag. Da konnte ich es mir wirklich nicht leisten, dass Tinkie heulend nach Hause rannte und klagte, ich sei unhöflich zu ihr gewesen. In meinen Gesellschaftskreisen war es weitaus akzeptabler, bettelarm zu sein denn als unhöflich zu gelten.

Ich öffnete die Tür nur einen Spalt. »Hi, Tinkie.« Die tief stehende Sonne fing sich in den Strähnchen ihrer perfekten Frisur. »Hi, Chablis«, begrüßte ich das Hündchen, dessen Fell ebenfalls frisiert war.

»Wirst du uns irgendwann hineinbitten?«, erkundigte sich Tinkie. Die Missbilligung stand ihr deutlich ins makellos geschminkte Gesicht geschrieben.

»Ich habe gerade die Grippe hinter mir. Du solltest dich lieber nicht bei mir anstecken. Ich bin fürchterlich krank gewesen.« Geschickter konnte ich das Schlabberkleid und mein heruntergekommenes Äußeres kaum erklären und dabei gleichzeitig an Tinkies Ansicht appellieren, zu kränkeln sei ein ausgesprochener Beweis für Weiblichkeit.

Tinkie tat meine Bedenken mit einer Handbewegung ab. »Madame Tomeeka hat mir gerade geweissagt, dass ein dunkler Mann aus der Vergangenheit nach Zinnia zurückkehrt.« Sie schob sich durch die Tür. »Was soll ich jetzt bloß tun?«

Ihr Gesicht glühte vor Erregung. Ganz offensichtlich war dieser dunkle Typ aus der Vergangenheit erheblich aufregender als Oscar, ihr Ehemann. Allerdings hätte das auch jede Mumie von sich behaupten können. Oscar Richmond verfügte jedoch über Macht und Reichtum, zwei Dinge, die in Dahlia House sehr knapp bemessen waren.

»Ich brauche ein Glas Sherry und muss mich einfach hinsetzen.« Tinkie fächelte sich mit der Hand Luft zu, obwohl es in der Tür höchstens fünf Grad waren; im Haus war es noch kälter. Außer in der Küche und im Bad hatte ich die Heizung abgedreht, um die Stromrechnung zu senken.

»Tinkie«, sagte ich freundlich, »es passt mir nicht. Ich bin krank.«

Sie blickte mich an, und vorübergehend spiegelte sich Verwirrung in ihren blauen Augen. »Du musst unbedingt zum Make-up-Stand bei Dillard's gehen und schauen, ob man dort nicht eine Grundierung findet, die deinen Teint etwas munterer wirken lässt. Vielleicht solltest du dir auch das Haar färben lassen.« Sie hob eine schlaffe Strähne. »Kastanienbraun wäre gut.« Als sie einen Klumpen Kuchenteig auf meiner Schulter entdeckte, kräuselte sie einen Mundwinkel.

»Der Sherry ist mir ausgegangen«, erklärte ich in der Hoffnung, ein Mangel an Erfrischungen könnte sie wenigstens bis auf die Veranda zurückdrängen.

Sie marschierte in den Salon. Dank der schweren Vorhänge war es an diesem verregneten, nasskalten Tag beinahe stockfinster. »Wenn Oscar davon erfährt, bringt er mich um.« Sie wandte sich mir zu, und ich sah, dass ihr die Tränen in den Augen standen. »Von allen Frauen, die ich kenne, bist du die einzige, die sich nicht von dunklem Verlangen und Hormonschüben steuern lässt. Sag mir, was ich wegen Ham unternehmen soll.«

Mit ›Ham‹ bezog sich Tinkie nicht etwa auf Schinken, den Hauptbestandteil der Südstaatenküche, und so schnell würde ich sie nicht wieder loswerden. »Ich mache uns einen Kaffee«, sagte ich und seufzte resigniert.

In der Küche stellte ich eben das Milchkännchen und die Zuckerdose, beides aus Silber, auf das Tablett, als auch schon der Kaffee durchgelaufen war und Jitty sich zu einem weiteren Auftritt entschied.

»Für den Fusselball würde sie 'ne Menge Geld zahlen«, sagte Jitty und nickte bekräftigend. »Cha-blis«, flüsterte sie verächtlich. »Welcher Mensch nennt denn seinen Hund nach einem Kerl in 'nem Buch, der sich anzieht wie 'ne Frau. Cha-blis.«

»Verschwinde«, entgegnete ich, obwohl ich wusste, dass Jitty mich ignorieren würde. Bewundernd betrachtete ich die elegante Gravur auf dem Silber. Seit über hundert Jahren war es im Familienbesitz. Schon bald würde es jemand anderem gehören.

Jitty klimperte mit ihren Armreifen direkt neben meinem Ohr. »Wenn die kleine Cha-blis heute Abend Gassi geht, dann schnappst du dir den Köter und bringst ihn her. Lass ein oder zwei Tage vergehen, dann rettest du Chablis, gibst ihn Frauchen zurück und kassierst ’ne dicke Belohnung.«

»Hinweg von mir, Satan.« Jitty zitierte sehr gern die Bibel, sofern es ihren Zwecken diente. Deshalb war ich auf meine Retourkutsche besonders stolz.

»Was glaubst du denn, was sie für den Köter bezahlen würde? Fünfhundert? Vielleicht sogar tausend? Vor allem wenn sie ’nen Erpresserbrief erhält, in dem steht, dass das Hundi sonst leiden würde?«

Ich schenkte den Kaffee in Mutters Tassen aus chinesischem Knochenporzellan und hob das Tablett an. Mit einem Hüftstoß öffnete ich die Küchentür und durchquerte das Esszimmer zum Salon, der früher mein Lieblingszimmer im ganzen Haus gewesen war. Hier hatte Mutter Klavier gespielt und Vater vor dem Kaminfeuer Zeitung gelesen, hier wurde der Christbaum geschmückt, und hier häuften sich die Weihnachtsgeschenke. Aber das schien in einem anderen Leben gewesen zu sein. Nun wirkte der Raum traurig und kalt. Als ich das Tablett auf dem Tisch absetzte, erhob sich Dampf von den Tassen.

»Mit wem hast du gerade gesprochen?«, fragte Tinkie. Chablis hockte auf dem Pferdehaarbezug des Sofas und hatte die Ohren in Richtung Küchentür gespitzt.

»Mit mir selbst. Eine schlechte Angewohnheit.«

»Du weißt ja, dass deine Großtante Elizabeth in Whitfield geendet ist. Und deine Tante LouLane war zwar solch ein Schatz, aber die vielen Katzen! Wie viele waren es doch gleich, fünfunddreißig, glaube ich, stimmt das? Eigentlich war sie die Tante deines Vaters, richtig? Die Leute hielten sie für ein bisschen seltsam, aber jeder hier hat gehofft, sie würde ein wenig guten Einfluss auf dich ausüben. Nicht dass deine Mutter nicht wunderbar gewesen wäre, sie war nur … anders.« Sie blickte sich in dem Raum um, in dem ich schon lange nicht mehr Staub gewischt hatte. »Wie pflegte deine Mutter noch zu sagen? ›Gib was drum!‹ Das war ihr Schlachtruf.«

»Wer ist Ham?«, fragte ich, um sie vom Thema abzubringen, und warf einen kurzen Seitenblick auf Chablis. Das Hündchen passte in meine Innentasche.

»Ich sollte dir lieber nicht von ihm erzählen«, entgegnete Tinkie und biss sich auf die Lippe.

»Okay«, meinte ich achselzuckend. Rasch trank ich meinen Kaffee zur Hälfte aus. Es war kalt im Salon, und ich hatte Teekuchen zu backen.

»Er ist eine ganze Weile fort gewesen.« Sie schloss fest den Mund, dann saugte sie an der Unterlippe und stülpte sie schließlich wieder hervor. Ich vermochte mir sehr gut vorzustellen, wie dieser Anblick auf den geheimnisvollen Ham gewirkt haben musste. Tinkie war zwar nicht gerade eine Intelligenzbestie, doch über Schmollmündchen und Kulleraugen brauchte ihr niemand mehr etwas beizubringen.

»Aha, ein Mann aus deiner Vergangenheit!«, rief ich unbekümmert. Tinkies Tränen kamen völlig unerwartet. Ebenso unerwartet wie die kleinen Krallen, die über meine bloßen, vor Kälte zitternden Beine kratzten. Ich nahm das Hündchen auf, setzte es mir auf den Schoß und freute mich über das bisschen Wärme, das es erzeugte.

»Seit Jahren habe ich nicht mehr an Ham gedacht«, gestand Tinkie. »Aber Madame Tomeeka hat behauptet, dass er nach Zinnia zurückkehrt. Ich könnte den Gedanken nicht ertragen, ihm in die Augen zu sehen und ins Gesicht zu sagen, dass ich Oscar geheiratet habe. Damals hat Ham gemeint, dass ich genau das tun würde, und so ist es auch gekommen. Aber nur, weil Hamilton verschwunden ist. Plötzlich war er einfach …« – sie zuckte mit den schmalen Schultern – »fort.«

Also hatte Tinkie leichtfertig mit der Liebe gespielt und letztendlich die finanzielle Absicherung geheiratet. Nun, so verlangte es die Tradition von den Frauen unserer Gesellschaftsschicht. Tinkie und ich waren zusammen in die Schule gegangen, hatten an Miss Nancys Kursen in Etikette und Kotillon teilgenommen und unter den Tribünen des Footballfelds der High-School gelernt, Virginia-Slim-Zigaretten zu rauchen; dort übten wir auch das Küssen.

Im Grunde wussten wir voneinander, wie unser jeweiliges Leben verlaufen war. Wer zum Teufel also war dieser Ham?

»Vielleicht wäre es nützlich, wenn du mir mehr von ihm erzählen würdest«, schlug ich vor und zog Chablis dichter an mich. Das winzige Hündchen war wirklich wunderbar warm.

Mit leisem Klirren stellte Tinkie die Knochenporzellantasse auf der Untertasse ab. »Ich weiß, dass ich dich nicht schockieren kann, Sarah Booth«, sagte sie und wiederholte ihren Lippentrick. »Von allen Damen Zinnias bist du die erfahre... – welterfahrenste.«

Damit wollte sie sagen, dass allein ich den gesellschaftlichen Geboten für Delta Daddy's Girls getrotzt hatte. Zwar war ich wie alle zur Ole Miss gegangen, doch hatte ich dort die Traditionen der Universität missachtet und war der festgefügten Struktur der Studentinnenverbindungen ausgewichen, obwohl diese einen grundlegenden Bestandteil der Eheanbahnungsmechanismen darstellten. Ich hatte mir meine Freunde außerhalb meiner Gesellschaftsklasse gesucht und mich dadurch zur Rebellin erklärt, zu einer Frau mit gefährlichen Neigungen – und vermutlich irgendwelchen schrecklichen Unterleibsbeschwerden, die meine Denkprozesse beeinträchtigten.

»Nun komm schon, raus mit der Sprache«, bedrängte ich Tinkie.

»Hamilton ist einer von den Garretts.« Noch im Sprechen hob sie das Kinn, und endlich wurde ich wieder daran erinnert, weshalb ich mich überhaupt je mit Tinkie angefreundet hatte. Hinter ihrer hysterischen Fassade gut verborgen, besaß sie Rückgrat.

»Den Garretts von Knob Hill?« An diese Leute hatte ich schon viele Jahre nicht mehr gedacht.

»Ja«, gab sie zu und streckte das Kinn vor.

»Tinkie«, sagte ich leise. Die Garretts waren berüchtigt für alle Arten faulknerscher Laster – sie tranken, mordeten und steckten Scheunen in Brand; sie neigten zu Wahnsinn, Morbidität und verzehrender Eifersucht; sie frönten dem Inzest und anderen gefährlichen Vorlieben. Folglich unterschieden sie sich nicht wesentlich von anderen Familien unserer Kreise, aber die Garretts hatte man dabei ertappt.

»Ich dachte, die Garretts wären bis zum letzten Mann nach Europa gezogen.« Die bevorzugte Zuflucht für zur Ausschweifung neigende Südstaatler ist Paris.

»Das stimmt auch.« Mit zitternder Hand setzte Tinkie die empfindliche Tasse auf dem Couchtisch ab. »Ham kommt gelegentlich in die Staaten zurück.« Sie blickte auf ihre Knie. »Knob Hill gehört ihnen noch immer, weißt du.«

Ich wusste gar nichts davon. Soweit es mich betraf, waren die Garretts mehr örtliche Legende als Wirklichkeit. Doch meine liebe Tinkie hatte sich offenbar einmal mit dem Kronprinzen des Südstaatenskandals eingelassen.

»Und nun kommt er wieder nach Hause.« Tinkies Stimme wurde allmählich lauter. Chablis kuschelte sich enger an meine Brust. »Und ich, ich bin hingegangen und habe Oscar geheiratet! Was soll ich ihm denn nur sagen?«

»Halte einfach den Mund, Tinkie.«

»Ich hätte niemals geglaubt, dass Ham je nach Zinnia zurückkehren würde«, flüsterte sie. Weitere kristallklare Tränen rannen ihr die perfekt geschminkten Wangen hinab.

»Bist du dir sicher, dass er nach Hause kommt? Hast du Nachricht von ihm?«

»Madame Tomeeka hat's gesagt. Also wird es geschehen.«

Tinkie schaute mich gerade nicht an, also durfte ich den Blick flehentlich gen Himmel richten. Madame Tomeeka – das war eine lange Geschichte, eine, die ich nur zu gut kannte. »Ich würde mir nicht ins Hemd machen, bevor Hamilton die Main Street entlangmarschiert kommt«, sagte ich, erleichtert, dass Tinkies Problem lediglich in einem Fimmel für parapsychologische Vorhersagen bestand.

»Du glaubst nicht an Madame Tomeeka, oder?«, fragte sie.

Ich hatte Tomeeka alias Tammy Odom, wie sie amtlich hieß, recht gut gekannt, als wir noch zusammen zur Schule gingen. »Ich bin ein wenig skeptisch, was diese besondere Gabe anbelangt«, räumte ich so diplomatisch wie möglich ein.

»Sie hat immer Recht.« Tinkie besaß nun wenigstens wieder Farbe im Gesicht und atmete ruhiger.

»Nun gut, sie mag Recht haben, aber ich rate dir trotzdem, mach dir wegen Hamilton keine Gedanken, bevor er wirklich auftaucht. Bereite dir doch nicht selber mehr Sorgen als unbedingt erforderlich«, sagte ich. »Sie sprach von einem dunklen Mann. Sie hat niemanden beim Namen genannt.«

Tinkie erhob sich und nahm ihren Hund auf. »Mir geht es schon wieder viel besser, Sarah Booth. Wie wäre es, wenn wir uns im Club zum Lunch träfen? Wir vermissen dich alle.«

Einen Augenblick lang sah ich die alten Tage vor mir und hätte mich beinahe kraftlos ins Sofa zurücksinken lassen. Früher hatte ich mit meinem Kabriolett vergnügte Spritztouren unternommen und mit den anderen Mädchen im Club zu Mittag gegessen. Wir nannten uns ›Delta Daddy's Girls‹ – sozusagen Papas Töchter – und hatten alle die Tennisprofis beäugt und uns kichernd über unsere Aussichten unterhalten. Aber das lag nun gut fünfzehn Jahre zurück, und ich hatte schon zwölf Monate lang keinen Mitgliedsbeitrag mehr bezahlt.

»Lunch klingt ganz hervorragend, aber trotzdem, ein andermal.«

Sie musterte mich von Kopf bis Fuß. »Du musst unbedingt eine Typberatung machen. Süße, ich äußere mich gegenüber einer kreativen Person wie dir nur ungern kritisch, aber du siehst beschissen aus.«

»Vielen Dank, Tinkie«, sagte ich und brachte sie zur Tür.

Chablis blickte mich über ihre Schulter an und bellte mir zum Abschied einmal zu. Wenn ich je eine Einladung gehört hatte, dann jetzt.

2

»Lass ihn selbst dann nicht los, wenn er beißt«, ermahnte mich Jitty, die in der Tür schwebte. »'n kleiner Hund wie der kann gar nicht schlimm beißen. Mit den hässlichen kleinen Zähnen kommt er kaum durch das Fett.«

Sie hatte leicht reden; sie blieb zu Hause, wo die Teekuchen im warmen, trockenen Ofen buken. Ich hatte mir meine wärmste Jeans und mein wärmstes Flanellhemd angezogen. Ich schloss die Haustür hinter mir und trat in die Dunkelheit hinaus. Der strömende Nachmittagsregen hatte sich zu einem leichten Nieseln abgeschwächt, die ideale Atmosphäre für eine Frau von Delaneyschem Blute. Ich steckte mein dunkles Haar fester unter den Schlapphut. Die Nacht eignete sich mehr zum Schäkern mit Männern als zum Entführen von Hunden. Während ich den Kragen meiner Lederjacke hochschlug, dachte ich an ein knisterndes Kaminfeuer, sprudelnden Champagner, spanische Gitarrenklänge als Hintergrundmusik und Robertos goldene Haut. Bei Delaney-Frauen war die Vergangenheit meist die bessere Zeit für romantische Abenteuer als die Zukunft.

In der Realität war Roberto fort, und Chablis wartete.

Den Mercedes Roadster in dem Wäldchen aus Weidenbäumen hinter dem Haus hatte der Schuldeintreiber übersehen. Ich schlug die Tarnplane beiseite und fuhr nach Hilltop.

Einem Fremden musste Zinnia als typische Kleinstadt im Mississippi-Delta erscheinen. Wo das wuchtige Gebäude der Bank von Zinnia den Ort am flachen Mutterboden verankerte, scharte sich eine Reihe von Geschäften beiderseits um die Main Street. Ich fuhr an Millies Café vorbei, am Clotheshorse, am Eisenwarenladen, am alten Zinnia Drugstore, am Postamt, an einem Ramschladen, ein paar verstreuten Friseur- und Kosmetiksalons, an Versicherungsbüros und Ähnlichem. Ich durchquerte das Zentrum von Zinnia und passierte wie ein Phantom die einzige Ampel im Ort, welche grünes Licht zeigte. Am Sweetheart Café hielt ich an und kaufte einen einfachen Hamburger ohne alles zum Mitnehmen.

So unscheinbar und langweilig Zinnia dem Besucher auch erscheinen mag, diese Kleinstadt repräsentiert meine persönliche Vergangenheit. Mein Leben ist unlösbar mit diesem Ort verbunden. Auf den Bürgersteigen und Straßen bin ich so oft gegangen, Seil gesprungen, Fahrrad und Auto gefahren, dass sie in meinem Gedächtnis die Wege zu den Erinnerungen bilden, welche mich ausmachen. Wohin soll ich gehen, wenn Dahlia House verkauft ist?

Weder für Furcht noch für langes Nachgrübeln war es der passende Zeitpunkt. Nach weniger als drei Minuten war Zinnia nur noch ein Bild im Rückspiegel. Hilltop lag wenige Meilen voraus.

Tinkies Zufahrt wand sich den Hügel hinauf zum Haus, wo aus allen Fenstern im Untergeschoss und dem Schlafzimmer im ersten Stock Licht schien. Die Richmonds sind kinderlos. In ihrem Haus leben nur Tinkie, Oscar und Chablis. Ich parkte auf einem Weg, der zum Fluss führt, und huschte zum Haus. Als ich noch dreißig Meter entfernt war, hockte ich mich in die Azaleenbüsche und wartete.

Um zehn Uhr wurde die Haustür geöffnet, und Chablis überquerte geziert den Rasen. Die Tür schloss sich wieder und schnitt Tinkies trällerndes Lachen ab. Aus ihrer Stimme war die Not, die sie früher am Tage beherrscht hatte, völlig verschwunden, und erneut erstaunten mich die Schliche einer verzweifelten Frau. Unvermittelt trat mir eine Szene aus einer Mathematikstunde in der siebten Klasse vor Augen, und ich erkannte den exakten Moment, in dem sich Tinkie, so wie sie heute war, auskristallisiert hatte – nämlich jenen Moment, als ihren Schlichen zum allerersten Mal bei einem anderen Mann als ihrem Vater Erfolg beschieden war. Der Mathematiklehrer hatte überhaupt keine Chance gehabt. In Tinkies großen blauen Augen hatten die Tränen geglänzt, dann hatte sie ihre kleine Schmolllippe vorgestülpt und alles mit einem Lachen der Selbstmissbilligung gekrönt. Sie hatte bestanden.

Alle ›Daddy's Girls‹ waren in den Techniken der Manipulation versiert, denn alle hatten sie auf Daddys Knien erlernt, mit mir als einziger Ausnahme. Meine Mutter glaubte an logische Argumentation und vernunftbasierte Auseinandersetzungen. Erst spät im Leben, nach dem Tod meiner Eltern, erhielt ich von Tante LouLane meine Lektionen in weiblicher Strategie und Taktik.

Uns allen, den privilegierten höheren Töchtern, war beigebracht worden, dass man die Härten des Lebens mithilfe einer einfachen Formel umschiffen konnte, und diese Formel lief im Grunde auf machiavellistische Manipulationen hinaus. Sexappeal stellte das am simpelsten anzuwendende Werkzeug dar, war jedoch bei weitem nicht das einzige.

Andererseits lauerte ich nicht in Tinkies Büschen, um über Tinkies Fertigkeiten zu philosophieren. Chablis war über die Auffahrt getänzelt, hatte ihr Geschäft verrichtet und befand sich bereits auf dem Rückweg zum Haus. Ich pfiff ihr leise hinterher. Zunächst zögerte sie, und ich überlegte schon, ob ich vorstürzen und sie packen sollte. Doch stand sie in einem Lichtfleck, der aus einem Fenster fiel, und sollte Tinkie ausgerechnet in diesem Augenblick die Haustür öffnen, hätte sie mich auf frischer Tat ertappt.

Ich pfiff erneut und warf Chablis ein Stückchen vom Hamburger hin. Keine zwanzig Sekunden später saß sie in der behaglichen Wärme meiner Innentasche und verschlang das Fleisch und das Brötchen.

Die Untat war verrichtet: Ich hatte einen Diebstahl begangen. Chablis kuschelte sich an mein schwarzes Herz, während ich durch die Dunkelheit entfloh.

Ich kehrte auf Nebenstraßen nach Hause zurück. Mit dem schlafenden Hund in der Jackentasche machte ich mir nicht die Mühe, den Wagen abzudecken. In dieser bitterkalten Nacht waren nicht einmal die Schuldeintreiber unterwegs. Ich hastete ums Haus und konnte noch immer nicht recht glauben, dass ich so tief gesunken sein sollte, Tinkie Bellcase Richmond das Schoßhündchen zu stehlen.

»Dich verwöhne ich nach Strich und Faden«, versprach ich Chablis auf der Hintertreppe. Ich war genau rechtzeitig zurückgekommen: Die Teekuchen mussten aus dem Ofen genommen werden. Ich fragte mich, ob jemals eine Delaney-Frau vor mir Diebstahl und Backen miteinander kombiniert hatte. Vermutlich nicht; mehrere Dinge gleichzeitig tun zu müssen gehört zu den Marotten meiner Generation.

Darauf, dass aus dem Spierstrauch neben den Treppen ein Mann hervortreten könnte, war ich nicht vorbereitet. Seine Hand schoss vor und packte mich am Arm. »Ich habe hier fast eine Stunde lang auf dich gewartet«, beschwerte er sich.

Nur die Befürchtung, dass Chablis bellen könnte, hielt mich davon ab aufzuschreien. Ich unterdrückte meinen Schreck und erwiderte gelassen: »Nun, Harold, ich konnte schließlich nicht davon ausgehen, dass du in meinem Garten umherschleichst.« Dann schüttelte ich seine Hand ab. Ich musste unbedingt ins Haus gelangen und die kleine Chablis loswerden, bevor sie ihre Anwesenheit kundtat. Harold arbeitete bei der Bank von Zinnia, Seite an Seite mit Tinkies Vater, und hätte den kleinen Hund auf der Stelle erkannt.

»Wo bist du gewesen?«, fragte er.

»Ich muss … ins Bad.« Kein Gentleman vermochte diese Behauptung infrage zu stellen. Was im Bad vor sich ging, konnte niemals, keinesfalls zum Gegenstand einer Diskussion werden. Ich sagte Harold, er möge in der Küche auf mich warten, eilte die Treppe hinauf und brachte Chablis in mein Schlafzimmer. Jitty war selbstverständlich nicht da. Erst beredete sie mich, das Hündchen zu stehlen, und nun, da ich ihre Hilfe brauchte, machte sie sich rar.

Doch keine Zeit für gegenseitige Beschuldigungen. Harold Erkwell und die Teekuchen, hinsichtlich ihrer Intelligenz durchaus miteinander vergleichbar, erwarteten mich in der Küche. Vielleicht wäre es doch einfacher, überlegte ich, die Tradition fahren zu lassen und von Dahlia House Abschied zu nehmen.

Ich hastete die Treppe hinunter und betrat die Küche; wenigstens war es dort warm. Allzu große Hoffnungen wollte ich mir nicht machen, aber vielleicht kam Harold mit guten Neuigkeiten – zum Beispiel der, dass mein Kreditantrag bewilligt worden war. Ein Blick in sein Gesicht genügte, und ich wusste, was für eine Närrin ich war.

»Du bist ja ganz rot, Sarah Booth«, sagte er aus den Schatten neben der Spüle. Er besaß die leise, kultivierte Stimme eines Mannes, der noch niemals hatte brüllen müssen, damit man auf ihn hörte. »Darf ich zu hoffen wagen, dass du dich freust, mich zu sehen?«

Die Vornehmheit, die Harold an den Tag legte, kaschierte seine wahre Natur nur spärlich – er war und blieb ein Schmarotzer. Leider ein Schmarotzer mit Dollars. Als Hundediebin eignete ich mich im Übrigen ganz famos dazu, moralische Werturteile über meine Mitmenschen zu fällen. Harold trat einen Schritt vor, und ich musterte seinen tadellosen, maßgeschneiderten Anzug und sein makellos gepflegtes Pfeffer-und-Salz-farbenes Haar. Er machte schon eine beeindruckende Figur.

Ich umging das Geplänkel und eröffnete die Treibjagd. »Ich habe Kopfschmerzen, Harold.« Das war nicht einmal gelogen. In meinem Schädel pochte es fürchterlich – der Widerhall meines Herzklopfens. Was Straftaten anging, war ich Novizin, und die Episode hatte in mir sowohl Besorgnis als auch ein sehr eigentümliches, prickelndes Hochgefühl aufwallen lassen.

»Die Bank wird deinen Kreditantrag zurückweisen.«

Die Neuigkeit traf mich zwar nicht unvorbereitet, andererseits war der Kredit meine allerletzte Hoffnung gewesen. Obwohl ich Chablis ›gedognappt‹ hatte, konnte jedes Lösegeld, das ich von Tinkie erpresste, bestenfalls einen Finger im undichten Damm bedeuten. Ich öffnete den Backofen und nahm die Teekuchen heraus.

»Ich könnte ein gutes Wort für dich einlegen«, fuhr Harold fort und kam an den Tisch. »Vielleicht.«

Sehr bedächtig schloss ich die Backofenklappe. »Das wäre sehr freundlich von dir, Harold.« Ich drehte mich zu ihm um. Auf gewissen Ebenen und zu gewissen Zeiten ist die Konversation noch immer eine Kunstform. Jahrzehntelang stellte sie die einzige Waffe dar, die einer Frau zu führen erlaubt war. Obwohl ich viele der Fertigkeiten, die Tante LouLane mir beizubringen versuchte, mit Geringschätzung betrachtete, habe ich mich im Falle der Verbalstrategien als Meisterschülerin entpuppt. Zwischen einem Mann und einer Frau herrscht ein bestimmtes Gleichgewicht, das unbedingt aufrechterhalten werden muss, nämlich der Anschein gegenseitiger Achtung.

»Morgen früh wird der Vorstand deinen Kreditantrag besprechen.«

Er hatte eisblaue Augen. Ihre Klarheit war ein wenig getrübt von wilden Spekulationen, die ihm im Kopf umhergingen, aber ihre Schärfe hatte nicht gelitten. Er musterte mich eingehend.

»Für alles, was du zu meinen Gunsten sagst, wäre ich dir sehr verbunden«, antwortete ich. Ach, der Tanz! Keine Haremsdame beherrschte ihn mit mehr Nuancen.

»Leicht wird es nicht sein«, entgegnete Harold langsam. Seine Pupillen verengten sich, während er die Wirkung seiner Worte auf mich abschätzte.

»Ich habe oft gehört, du seist ein Meister, was schwere Fälle betrifft«, erwiderte ich. Noch ein Volltreffer für mich.

Harolds Augen schrumpften auf die Größe von Nadelspitzen. »Ich weiß nicht, weshalb ich dich begehre, Sarah Booth, aber so ist es nun einmal.«

Er hatte die Grenze überschritten. Offenheit gehörte nicht in einen solchen Austausch. Ich hätte ihm sagen können, dass sein Verlangen allein dem Bedürfnis nach einer Herausforderung entsprang, denn Herausforderungen stellten sich Harold so selten, dass sie ihn grundsätzlich faszinierten. An Abweisungen war er nicht gewöhnt.

Zeit für einen Kurswechsel. »Sobald Dahlia House verkauft ist, verlasse ich Zinnia«, sagte ich.

»Wenn ich dem Vorstand gegenüber behaupten könnte, wir wären – verlobt, würde man deinen Kreditantrag vielleicht etwas wohlwollender betrachten. Dann hätte es den Anschein, dass dir jemand – den Rücken deckt.«

Kein Zweifel. Harold war gekommen, um seine Belohnung zu kassieren, und ob ich ihm dabei den Rücken zukehrte oder nicht, war Nebensache. Er wollte seine Belohnung im Voraus. Schließlich war er kein Dummkopf.

»Du kannst ihnen sagen, was immer du für richtig hältst«, erklärte ich.

»Ich könnte unmöglich den Vorstand belügen. Das wäre unethisch.«

Was er von mir verlangte, genügte auch nicht gerade den Zehn Geboten, aber davon ließ Harold sich nicht abschrecken. Mir blieb nur eins: auf Zeit zu spielen.

»Wenn sich die Entscheidung des Vorstands doch verschieben ließe«, sagte ich. »Ich brauche Zeit zum Nachdenken.«

»Du denkst bereits seit Monaten nach.«

»Was spielt dann eine Woche noch für eine Rolle?«, fragte

ich, und dabei stockte mir, ohne dass ich es zu künsteln brauchte, der Atem. »Solche Dinge sollte man nicht überstürzen. Es handelt sich schließlich um die Erfüllung der weiblichen Rolle in unserer Gesellschaft, Harold. Ich will mir sicher sein, mein ganzes ... Selbst hineinlegen zu können.«

»Du gibst mir zu Thanksgiving eine Antwort?«, fragte er.

»Eine Antwort für uns beide«, entgegnete ich und borgte mir Tinkies Unterlippentrick aus. Ihren Hund hatte ich schon gestohlen, welche Rolle spielte da noch ein Manierismus?

»Sarah Booth«, sagte Harold drängend und trat einen Schritt vor. Seine Augen klebten an meiner feuchten Lippe. Ich wiederholte den Trick mit solcher Kraft, dass sie mit deutlich vernehmbarem Geräusch aus meinem Mund schnalzte. Harold kam keuchend noch einen Schritt näher.

Ich reichte hinter mich, ergriff eins der heißen Teeküchlein und drückte es ihm in beide Hände. »Nimm das und denk an mich«, sagte ich.

Er jonglierte das heiße Backwerk.

Ich bedeckte mein Gesicht mit den Händen. »Ich kann diese Folter nicht mehr ertragen«, stöhnte ich. »Ich muss mich hinlegen.« Plötzlich war mir eingefallen, dass meine hochhackigen italienischen Schuhe noch neben dem Bett standen, und wenn Chablis ein normaler Hund war, drohte meinem letzten guten Paar Schuhe die völlige Vernichtung.

»Wir sehen uns an Thanksgiving«, sagte Harold, der noch immer den Kuchen von einer Hand in die andere schob.

Fluchtartig verließ ich die Küche. Sollte Harold allein

herausfinden. Während ich die Treppe erstieg, vernahm ich einen deutlichen Laut der Missbilligung.

»Halt den Mund«, warnte ich Jitty. Ich war nicht in Stimmung, mir ihr Urteil über die Küchenszene anzuhören.

»So schlimm ist er doch gar nicht«, sagte sie, während sie mir die Treppe hinauf folgte. »Schließlich bittet er dich doch nicht um deine Hand. Er möchte nur ein bisschen weibliche Gesellschaft. Einmal die Woche vielleicht. Oder höchstens zweimal. Wenn er den ganzen Tag hinterm Schreibtisch sitzt und sein Geld zählt, bringt er's öfter nicht zustande.«

»Jitty!«, stieß ich hervor. »Es reicht!«

Ich öffnete die Schlafzimmertür und fand Chablis auf meinem Kissen hockend vor. Besser gesagt auf den spärlichen Überresten des Kissens. Eine letzte Feder segelte gerade zu Boden.

Jitty schielte um die Türecke. »Ich sag dir, schneid dem Köter ein Ohr ab und schick es Tinkie mit der ersten Lösegeldforderung. Dann weiß sie wenigstens, dass du's ernst meinst.«

Ein letztes Mal überflog ich den Brief. Die Buchstaben hatte ich aus der Lokalzeitung ausgeschnitten, wobei ich Latexhandschuhe trug, und sie mit einer Heißklebepistole zusammengepappt. Es war schon erstaunlich; alles was man zum Terrorisieren anderer benötigte, fand sich im örtlichen Eisenwarengeschäft.

›Wenn Sie Ihren Hund jemals lebend wieder sehen wollen, brauchen Sie $ 5000.‹ Ich legte ein paar Schnipsel von Chablis' getöntem Haar hinzu, um jeden Zweifel auszuräumen, ob ich die Geisel wirklich hatte.

Fünftausend Dollar bedeuteten für mich eine Menge Geld, doch Tinkie hatte genug davon, um im Winter damit zu heizen. Fünftausend Dollar waren der Mindestbetrag, den ich aufbringen musste, um die Zwangsvollstreckung meiner Schulden aufzuschieben. Fünftausend Dollar konnten mir die Zeit erkaufen, die ich brauchte, um Dahlia House auf legalem Wege zu retten – eine Möglichkeit zu finden, meine im Augenblick noch intakten weiblichen Organe nicht zu gefährden.

Den Briefumschlag zu adressieren erwies sich als schwieriger, doch im Anzeigenteil fand ich genügend Buchstaben, die ich ausschnitt und zusammenklebte. Während Chablis gewürfeltes weißes Hähnchenfleisch von Swanson verdrückte, warf ich das Kuvert in den Briefkasten mitten in der Stadt. Tinkie würde ihn gegen elf Uhr erhalten. Ich tröstete mich mit dem Gedanken, so wisse sie wenigstens, dass Chablis noch lebte.

Mir blieb keine Zeit, mich auf meinen Lorbeeren auszuruhen. Die nächste Nachricht musste vorbereitet werden. Sollte Tinkie sich gegen das Zahlen sträuben, so würde der zweite Brief sie davon kurieren.

3

Wenn du so weitermachst und nicht mit dem Gehopse auf dem Plastikding aufhörst, ohne dass du 'n richtiges Mieder trägst, dann hängen dir die Brüste bald bis zum Bauchnabel runter.«

Ich würdigte Jitty keiner Antwort und machte der Videolehrerin die Tangoschritte nach, die sie auf der Aerobicbank vollführte. Aufmerksam betrachtete ich ihre Brüste. Sie waren groß, doch weder hüpften noch sprangen sie. Ihr Sport-BH war viel knapper als meiner. Selbstverständlich schwitzte sie auch nicht, und keine einzige Haarsträhne war woanders als dort, wo sie hingehörte. Vielleicht ist die Gentechnik viel älter, als wir alle glauben.

»Wozu willst du dir Muskeln antrainieren? Frauen müssen zierlich sein. Sie brauchen diese hässlichen Beulen nicht. Das ist was für Männer.« Jitty lachte unartig.

Ich ließ mich zu Boden fallen, um mir ein Zwei-Pfund-Gewicht ans Bein zu schnallen, und blickte sie an. Jitty flegelte sich auf dem Pferdehaarsofa, Chablis neben sich. Die kleine Hündin betrachtete mich mit einer Eindringlichkeit, die an Liebe grenzte. Wir hatten eine Bindung zueinander aufgebaut. Meine Aufmerksamkeit richtete sich wieder auf Jitty, die heute Hotpants aus türkisem Manchester und eine weiße Satinbluse trug. Ich musste zugeben, dass sie für eine Zweihundertjährige gar nicht schlecht aussah.

Ein wenig hinter der Vorturnerin zurück, beeilte ich mich, auf Hände und Knie zu kommen und mit jener Beinbewegung zu beginnen, die sehr an einen Hund erinnert, der sich eines Hydranten bedient. Chablis erkannte die Körpersprache und begann zu bellen.

»Wenn du Harold ein wenig Spaß haben lässt, erreichst du das Gleiche«, erklärte Jitty mir grummelnd. »Und gleichzeitig würdest du Dahlia House retten. Warum stöhnst, keuchst und schwitzt du den ganzen Boden voll, wenn es dir nichts einbringt? Mein Wort drauf, im Vergleich mit dir ist deine Großtante Elizabeth richtig vernünftig gewesen.«

»Ich stärke mich, damit ich hier ausziehen kann«, entgegnete ich müde und einzig von dem Wunsch beseelt, ihr einige Sticheleien heimzuzahlen. Plötzlich kläffte Chablis aufgeregt.

»Oje.« Jitty zeigte auf die Tür. »Du bekommst Gesellschaft. Versteck lieber den Hund.«

Ich nahm Chablis auf, und als es klingelte, hetzte ich bereits die Treppe nach oben. Kaum stand ich am Absatz, begann das Hämmern. Kleine zierliche Fäuste. Tinkie Bellcase Richmond stand wieder auf meiner Veranda. Ob sie am Ende herausbekommen hatte, dass Chablis bei mir war?

Auf dem Weg die Treppe hinunter stählte ich meine Nerven und blickte auf die Uhr. Es war halb zwölf. Tinkie hatte den Brief erhalten.

Tinkie war so sehr in Panik, dass sie weder meinen Aufzug noch den Schweiß bemerkte, der mir am ganzen Körper klebte. Heulend segelte sie durch die Tür herein. »Jemand hat Chablis gekidnappt!«

Meine spontane Reaktion bestand aus einem tiefen Schuldgefühl, das ich überwand und durch geheuchelte Besorgnis ersetzte.

»Ach du meine Güte, setz dich doch erst mal«, sagte ich und geleitete sie zu dem üppig gepolsterten Ohrensessel, dem Lieblingsplatz meiner Großmutter. Ich legte ihre Füße auf den Polsterschemel und reichte ihr einen Pappfächer aus O'Keefes Beerdigungsinstitut. Zwar war es in meinem Haus noch immer so kalt wie in einer Gruft, doch Tinkies Gesicht hatte einen hellrosa Farbton angenommen. Tränen nässten ihr Seidenjackett, und ganz kurz tat mir aufrichtig leid, was ich ihr angetan hatte.

»Oscar besteht darauf, dass wir kein Lösegeld zahlen. Er sagt, er ruft die Polizei.«

Meine Nerven erhielten nun ein wesentlich härteres Konditionstraining als mein Körper je durch das Video bekommen hatte. Meine Reue wurde von Furcht plattgewalzt wie mit einem Bulldozer. Zwar hatte ich mir mit dem Brief Mühe gegeben und war vorsichtig gewesen, aber selbst in Zinnia ist die Polizei erheblich raffinierter geworden, als sie es früher war.

»Von was für einem Brief sprichst du? Erzähl mir alles von Anfang an«, forderte ich sie auf. Ich erhaschte einen Blick auf Jitty, die am oberen Treppenabsatz saß und lauschte. Sie hob den Finger an die Lippen, um mich zu warnen. Für wie dämlich hielt sie mich? Als ob ich vorhätte, Tinkie zu verraten, dass uns das Gespenst beobachtete – ebenjenes Gespenst, das die Schandtat ausgeheckt und mich zu der Hundeentführung angestiftet hatte!

»Chablis ging gestern Abend nach draußen, um ... auszuscheiden, und verschwand. Die ganze Nacht habe ich mir schreckliche Sorgen gemacht, aber Oscar versicherte mir, sie hätte nur einen kleinen Hundefreund gefunden und käme heute wieder nach Hause.« Tinkie entglitten regelrecht die Gesichtszüge: Ihr Mund wurde schlaff, und die Stirn sank ihr auf die Wangenknochen. Ein Schluchzen entrang sich ihr. »Jemand ganz Gemeines und Böses und Grausames hat mir mein Baby gestohlen. Und sie wollen Geld.«

Ich räusperte mich. »Wie viel?«

»Fünftausend«, stieß Tinkie hervor.

Ich schluckte und musste mir größte Mühe geben, die Nerven nicht zu verlieren. »So viel Geld ist das nicht.«

Damit hatte ich genau das Falsche gesagt. Tinkie heulte wieder auf. »Oscar sagt, so viel würde er niemals für einen Hund bezahlen!«

Einmal, als ich am Flussufer im Wald spielte, trat ich in Treibsand. Das Gefühl zu versinken, langsam immer tiefer in den Schlamm zu sacken, gehört zu dem Schrecklichsten, das ich je durchlitten habe. Nun hatte ich ein Déjà-vu-Erlebnis! Nur versank ich diesmal in meinem höchst privaten Sumpf aus schwärzester Verzweiflung. Oscar, der in seinem ganzen Leben noch keinen selbstständigen Gedanken gefasst hatte, kehrte wegen fünf Riesen den Geizhals heraus! So viel Geld warf der Kerl sonst für eine einzige Partie Golf mit seinen Kumpels aus dem Fenster!

»Oscar will nicht zahlen?«, krächzte ich.

»›Keinen roten Heller‹, sagt er.« Tinkie wandte mir ihr vom Weinen geschwollenes Gesicht zu. »Er sagt, er lasse sich nicht erpressen, und außerdem hasse er Chablis. Er sei hoch erfreut, dass sie fort ist. Du musst mir einfach helfen.«

Das konnte nichts anderes sein als Karma; ich hatte es nicht besser verdient. Jede einzelne Sekunde meiner Qual musste ich mir selbst zuschreiben. Ich hatte meine Geldschwierigkeiten vor den Daddy's Girls und so gut wie vor jedem anderen in Zinnia verborgen gehalten. Nun war Tinkie gekommen, um mich anzupumpen. Hochmut kommt vor dem Fall – und ich war pleite. »Tinkie, ich besitze keinen Penny mehr.«

Sie riss die Augen auf. »Ich will auch kein Geld«, entgegnete sie.

»Was dann?«

»Ich habe eigenes Geld. Ich bin kein kompletter Hohlkopf; ich weiß es besser, als mich der Willkür eines Mannes auszuliefern, deshalb habe ich ständig Geld auf mein Privatkonto geschoben. Geld ist überhaupt kein Problem.« Sie streckte die Hand aus und berührte mich am Knie. »Ich möchte dich bitten, die Geldübergabe zu übernehmen. Wenn sie mir die Anweisungen schicken, dann nimmst du bitte das Geld und rettest meine arme kleine Chablis. Du bist so mutig, Sarah Booth, du hast die vielen Jahre unverheiratet durchgehalten und lebst ganz allein hier in diesem großen alten Haus, du bewahrst dir deine Unabhängigkeit und alles. Du kannst so etwas. Ich würde einen Herzanfall bekommen und auf der Stelle sterben.«

Das Karma ist ein tückisches Biest. Aber irgendwo auf dem Weg musste ich mir eine Verschnaufpause verdient haben. »Natürlich tue ich das für dich, Tinkie«, sagte ich, langte hinüber und tätschelte ihr das Knie.

»Für Heuchler gibt es eine eigene Hölle.« Diesmal war es die Stimme meiner Mutter, die mich abkanzelte, dabei war sie kein Gespenst und sprach auch nicht aus dem Grabe. Diesen Satz hörte ich nur in meinem Kopf. Gewiss hatte ich mir die ewige Verdammnis an der heißesten Stelle des Hades verdient, indem ich meiner Freundin den Hund stahl und dann die beherzte, wagemutige Retterin in der Not spielte. Aber was zum Teufel sollte ich sonst tun? Fünf Riesen waren fünf Riesen, und weder Chablis noch Tinkie würden von meiner kleinen Intrige einen Dauerschaden davontragen.

Ich schlüpfte in meine ausgebleichte Jeans und die schwarze Lederjacke und steckte die Autoschlüssel ein. Den zweiten Brief hatte ich bereits geschickt und darin den Ort und die Bedingungen der Übergabe genannt; nachdem ich nun beide Hauptrollen in unserem kleinen Drama übernommen hatte, war beides wirklich nicht mehr sonderlich wichtig.

»Sei brav«, murmelte ich in die niedlichen kleinen Haarbüschel auf Chablis' Köpfchen. Ich würde den verdammten Köter vermissen. Wie einsam ich in dem großen alten Haus war, hatte ich nie bemerkt, bevor die kleine Chablis mir Gesellschaft leistete. Ich würde darunter leiden, dass sie wieder fort war – vermutlich eine Art ausgleichende Gerechtigkeit.

Ich eilte aus dem Haus und fuhr zu Tinkie, um meine Beute in Empfang zu nehmen. Sie kam mir schon am Straßenende der Zufahrt entgegen. Wie in den Anweisungen gefordert, die ich geschrieben hatte, steckte das Geld in einer Papiertüte.

»Sorge dafür, dass sie ihr nichts zuleide tun.« Tinkie blinzelte Tränen fort.

Innerlich krümmte ich mich vor Schuldgefühl zusammen, trotzdem nahm ich das Geld an. »Ich lasse nicht zu, dass Chablis irgendetwas zustößt«, versprach ich.

Kurze Zeit später kutschierte ich unbehindert durch die Nacht davon. Ich fuhr nach Dahlia House, versteckte das Geld und holte das Hündchen.

Den ganzen Rückweg nach Hilltop drückte ich Chablis in meiner Jackentasche an mich und spürte den bevorstehenden Trennungsschmerz. Nie hätte ich damit gerechnet, dass der Flaumball nach nur zwei Nächten mein Herz erobern könnte. Vielleicht hatten meine katzentolle Tante LouLane und ich mehr gemeinsam, als ich zugeben wollte.

Meine Scheinwerfer beleuchteten Tinkies Auto – sie erwartete mich wie abgesprochen am Sweetheart Café. Genauer gesagt schritt sie neben ihrem Wagen unruhig auf und ab. Als sie meinen Roadster erblickte, leuchtete ihr Gesicht mit genügend Kilowatt auf, um einen Spannungsstoß durch ganz Zinnia zu jagen. Sie eilte mir entgegen, und als sie den Hund nicht sah, sank sie in sich zusammen – bis ich Chablis aus der Jacke zog.

»Mein Schätzchen!«

Ich bekam nicht einmal Gelegenheit, mich von Chablis zu verabschieden. Das Hündchen versank in Tinkies Armen, und ich blieb mit kaltem Bargeld und einer leeren Stelle in meinem Herzen zurück.

»Ich danke dir, Sarah Booth, ich danke dir so sehr«, sagte Tinkie und beugte sich zum Autofenster hinab. »Ich habe niemals jemanden gekannt, der so tapfer ist wie du. Du hast mir mein geliebtes kleines Baby zurück nach Hause gebracht.«

Beschämung ist ein ganz auserlesenes Gefühl. Ich blinzelte, damit mir nicht die Tränen aus den Augen liefen, was Tinkie als Mitgefühl auffasste. Sollte sie doch Geld und Sicherheit geheiratet haben und ihre Tage untätig mit Prassen und eitlem Klatsch verbringen, sie dachte noch immer das Beste von mir, wo ich es am wenigsten verdiente. Hätte ich das Geld dabeigehabt, so wäre ich versucht gewesen, es ihr zurückzugeben.

»Ich muss gehen«, sagte ich und brachte den Motor auf Touren.

»Warte noch einen Moment«, rief Tinkie und küsste Chablis auf den Kopf. Das Hündchen blickte mich an – verlangend, das kann ich beschwören –, und ich empfand einen weiteren, tiefergehenden Stich in meiner bereits wunden Brust.

»Tinkie, ich ...«

»Während ich darauf wartete, dass du mir mein Baby nach Hause bringst, habe ich überlegt, ob du mir vielleicht in einer anderen Angelegenheit ebenfalls helfen könntest.«

Ich hatte genug von der Rolle der treu helfenden Freundin. Wenn ich ehrlich war, besaß ich noch längst nicht genügend Geld, um Dahlia House zu retten, aber es reichte aus, um fortzuziehen und woanders ein neues Leben zu beginnen. »Ich bezweifle, dass ich noch lange in Zinnia bleiben werde.«

»Hör mir nur zu«, sagte Tinkie und trommelte mit ihren rot lackierten Nägeln auf meine Autotür, während sie sich Chablis an den Busen drückte. »Du bist dafür genau die Richtige. Mit keiner anderen könnte ich offen darüber sprechen, du aber bist klug und vertrauenswürdig.«

Während sich meine Seele in Qualen wand, fuhr Tinkie fort:

»Ich habe nie genau erfahren, was genau hinter Hamiltons Familienproblemen gesteckt hat. Es gab so viele

Gerüchte, so viel Tratsch.« Tinkie runzelte die Stirn. »Ich möchte die Wahrheit wissen.«

Die Tragödie der Garretts hatte sich kurz nach dem Tod meiner Eltern ereignet. Damals war ich wahrlich mit anderen Dingen beschäftigt gewesen. »Ich erinnere mich nur sehr vage«, sagte ich. Man hatte die Garretts der für Südstaatler üblichen Verbrechen bezichtigt, was alles einschloss, das man einem Verwandten antun konnte, insbesondere aber Muttermord.

»Ich möchte dich engagieren, um die Wahrheit herauszufinden.«

Tinkies Eröffnung überraschte mich völlig. »Mich?«

»Du bist ideal dafür. Du kennst die Regeln unserer Klasse. Was immer du herausfindest, behältst du für dich. Und du scheinst ein Talent zu haben, schwierige Fälle zu lösen.« Wieder küsste sie das Hündchen. »Immerhin hast du Chablis heil und sicher zurückgebracht.«

»Was nutzt es dir, über Hamiltons Vergangenheit Bescheid zu wissen?«, fragte ich. »Du bist schließlich verheiratet.« Besonders schlüssig erschien dieses Argument nicht einmal mir selbst.

»Ich will einfach Gewissheit haben.« Tinkie holte tief Luft. »Alle haben wir den Gerüchten Glauben geschenkt und niemals erwogen, der Wahrheit auf den Grund zu gehen. Nun, ich möchte die Wahrheit erfahren. Wenn Hamilton nach Hause kommt, möchte ich ihm in dem Wissen ins Gesicht blicken können, ob ich die richtige oder die falsche Entscheidung getroffen habe. Ich bin es so leid, dass mein Leben auf Vermutungen und Gerüchten basiert.«

»Tinkie?« Ich hob die Hand und wollte ihre Stirn befühlen. Vermutungen und Gerüchte waren die Leitlinien ihres

Lebens – so war es bei allen Daddy's Girls außer mir. Meine Leitlinien sahen erheblich hässlicher aus – sie hießen Diebstahl und Trickbetrug.

»Es ist mir ernst damit, Sarah Booth. Das kommt davon, dass Oscar nicht Chablis' Lösegeld bezahlen wollte. Das war für mich der Tropfen, der das Fass zum Überlaufen bringt. Ich habe diesen Hund nun einmal lieb. Und wenn Oscar mich lieben würde, dann hätte er mir das Geld gegeben. Ich bin erst dreiunddreißig. Wenn ich einen Fehler begangen habe, als ich mich von Hamilton abwandte, so ist es vielleicht noch nicht zu spät, um ihn zu korrigieren. Aber wenn er das alles wirklich auf dem Gewissen hat ...« Sie verdrehte die Augen.

Mit dem, was sie über Hamilton und Oscar gesagt hatte, lag sie alles andere als falsch. Die Männer unserer Gesellschaftsschicht waren gewöhnt, alles selbst zu bestimmen und ihre Frauen mit den Konsequenzen im Stich zu lassen. Diese Konsequenz klang recht interessant.

»Du möchtest also, dass ich seine Familiengeheimnisse aufdecke?« Das klang nicht allzu schwierig. In jeder Familie gab es genug Leichen im Keller.

»Ganz genau.« Tinkie griff in die Tasche ihrer Wildlederjacke und zog einen Papierstreifen hervor, den sie mir in die Hand drückte.

Ich blickte auf einen Scheck über zehntausend Dollar.

»Ich erstatte dir alle Spesen, und wenn du die Wahrheit ans Licht bringst, zahle ich dir noch einmal zehntausend.«

Für Chablis hatte Tinkie in bar bezahlt, und nun blechte sie weitere zehn Riesen für Informationen, die ich mir dadurch verdienen konnte, dass ich ein paar Leute aufsuchte, die sich in der Stadtgeschichte auskannten. »Ich bekomme schon ein paar Antworten für dich heraus«, versprach ich.

»Die Wahrheit will ich wissen, Sarah Booth. Und beeil dich. Ich muss alles erfahren, bevor wir Weihnachten haben und Hamilton zurückkehrt. Madame Tomeeka konnte zwar nicht genau sagen, wann er anreist, aber ich bin mir sicher, dass er über die Feiertage kommt.«

4

In einer Kleinstadt hat man es nicht leicht, wenn man sich von den anderen Menschen unterscheidet. In gewisser Hinsicht aber eignet sich kein Ort so sehr zum Anderssein wie eine Kleinstadt, denn man weiß genau, wer ebenfalls anders ist. Aus diesem Grund kannte ich Cecily Dee Falcon, die Gesellschaftskolumnistin des ›Zinnia Dispatch‹, sehr gut.

Obwohl ich wegen meiner Schuldgefühle, die mich schlimmer plagten als tausend Nadeln in einem weichen Bett, schlecht geschlafen hatte, stand ich früh auf und zog mir ansprechende Wollslacks und eine Seidenbluse an. Die Zeitungsredaktion war mein dritter Halt an diesem Morgen; zuerst war ich zur Bank gefahren, um Tinkies Scheck einzulösen, welchen sie klugerweise auf das Konto ihrer Mutter ausgestellt hatte. Kaum war die Kohle eingezahlt, schlenderte ich die zwei Blocks weiter zu Cece. Auf dem Weg kaufte ich in der Bäckerei Kaffee und zwei Plunderteilchen. Cece stand auf Süßigkeiten.

Die Zeitungsredaktion war klein, überfüllt, unordentlich und so betriebsam wie ein Bienenstock. Niemand schenkte mir besondere Beachtung, als ich mich zwischen den Schreibtischen hindurchzwängte. Ceces Büro befand sich hinten, ihr gehörte das einzige abgeschlossene Büro. Die pikanten Details der örtlichen Gesellschaft erforderten mehr Abschirmung als die politischen Affären in Washington, D. C.

Ich klopfte an und trat ein; den Kaffee und die Teilchen hielt ich als Friedensangebot ausgestreckt vor mich.

»Sarah Booth«, quiekte Cece, stand auf und kam mir entgegen. Nach Küsschen auf die Wangen packte sie die Teilchentüte mit einer zierlichen Hand, der von bronzierten, zwei Zoll langen Fingernägeln besonderer Glanz verliehen wurde. Sie blickte hinein. »Käse-Sahne, meine Lieblingsfüllung.«

Der gezielte Einsatz des Gedächtnisses, um sich an Kleinigkeiten zu erinnern, stellt einen Zug feiner Lebensart dar, mit dem man es weit bringen kann.

Cece schloss mit einem Schwung ihrer schmalen Hüften die Tür, biss in das erste Teilchen und ging an den Schreibtisch zurück. »Was führt dich zur Presse?«

Ihre Frage klang beiläufig, aber ihre Augen verrieten das Gegenteil. Sie musste gehört haben, dass Dahlia House in Schwierigkeiten steckte, und obwohl sie meine Freundin war, war sie doch gleichzeitig auch Journalistin.

»Ich brauche deine Hilfe«, sagte ich.

»Willst du versuchen, Spenden zu sammeln?«

Keine schlechte Idee. Ich merkte sie mir für die Zukunft, falls sich Tinkies Auftrag nicht zu meiner Zufriedenheit entwickeln sollte. »Nein, eigentlich bin ich mehr an der Vergangenheit interessiert. Auf diskrete Weise natürlich.«

»Erzähl mir mehr davon, Liebes.« Widerstrebend legte sie das Teilchen auf eine Papierserviette, leckte sich die Finger ab und suchte nach einem Kugelschreiber.

»Wie du sicherlich weißt, ist Dahlia House in finanzieller Hinsicht … etwas baufällig.« Das konnte ihr nicht neu sein, aber nun besaß ich ihre Aufmerksamkeit. Der Fall des Hauses Delaney würde im ganzen Delta für Schlagzeilen sorgen. »Ich habe beschlossen, ein Buch zu schreiben, um etwas Geld zu beschaffen.« Autorinnen waren ihre Schwäche.

»Was für ein Buch?«

»Nun, einen Roman.« Ich zog eine Schulter hoch. »Aber als Grundlage brauche ich einen guten, saftigen Skandal. Ich dachte an den Doppelmord des Ziegenmanns drüben in Natchez.«

»Nein, Liebes, das ist schon verwendet worden!« Cece brach sich ein Stückchen Plunderteilchen ab und warf es sich in den Mund. Sie hatte ein kräftiges weißes Gebiss.

»Was wäre mit der Crawford-Dreiecksgeschichte?«, schlug ich vor. »Sie hat mit beiden Brüdern geschlafen.«

Cece winkte ab. »Passé.«

»Ich brauche aber etwas Gehaltvolles. Etwas, das dem Leser einen Kitzel vermittelt.« Ich verstummte und runzelte angestrengt die Stirn.

»Wie wär's mit den Nelsons?«, schlug sie vor. »Dein Daddy hat bei dem Fall den Vorsitz geführt, bevor …«

»Keine Gerichtsthriller«, wehrte ich rasch ab. »Zu viel Konkurrenz in diesem Bundesstaat.«

»Hm-hmh«, machte Cece, und ihr Gesicht leuchtete auf. »Denk mal an etwas Griechisches.«

Meine erste Reaktion bestand aus Enttäuschung. Griechisch implizierte, dass ihr Vorschlag irgendwie mit einer Studentenverbindung zusammenhing, die sich allesamt durch drei griechische Buchstaben benannten, und ich wollte mich keinesfalls mit irgendeiner einfältigen Verbindungssache abgeben. Cece sah es mir am Gesicht an.

»Etwas E-lek-tri-sierendes«, stocherte sie.

Mir traten eine Brennschere und versengtes Haar vor Augen, nicht gerade das, worauf ich abzielte. »Und ich dachte, du wolltest mir helfen«, murrte ich.

»Tragödie«, sagte sie.

»Was Tragisches ist immer gut«, stimmte ich ihr zu.

»Die Griechen sind die Meister der Tragödie gewesen, und jeder Autor, angefangen mit Shakespeare, hat bei ihnen die großen Themen abgekupfert.«

Cece hatte magna cum laude an der Ole Miss graduiert, mit Literatur und Journalistik im Hauptfach.

»Also jedenfalls etwas Griechisches«, nickte ich. Am liebsten hätte ich vor Ungeduld mit dem Fuß aufgestampft.

»Obwohl die großen Tragödien auf Tatsachen basieren, gründet sich ein Reißer, wie er dir vorschwebt, auf Mutmaßungen«, sagte sie ebenfalls nickend. »Auf Vermutungen.«

Genau dahin wollte ich. »Zum Beispiel?«

»Erinnerst du dich noch an die Garretts?«

Aha – Köder geschluckt, Falle zu! »Sitzen die nicht alle im Gefängnis?«, fragte ich höchst verwirrt. Ich hatte an der Ole Miss übrigens im Nebenfach Dramatik studiert.

»Ein sehr, sehr großes Haus namens Knob Hill. Landbesitz, Reichtum, heißes Blut. Mr. Garrett wurde beim Taubenschießen getötet. Ein Jagdunfall.« In ihrer Stimme lag ein spekulativer Unterton.

»Gab es da nicht einen Sohn in unserem Alter?«, stieß ich weiter vor.

»Hamilton Garrett Numero fünf.« Cece schob das Plunderteilchen fort und legte unbewusst die Hände auf die Hüften. »Er ist etwas älter als wir, aber ich erinnere mich noch sehr genau an ihn.« Ihre Pupillen verengten sich. »Es war während des Weihnachtsumzugs 1979, kurz nach Mr. Garretts tragischem Tod. Hamilton fuhr das weiße Cadillac-Kabrio seines Vaters, und Treena Lassiter war die Heimgekehrte Königin. Der ganze Umzug, mit allem Pipapo – den Kapellen und Festwagen und dem Weihnachtsmann –, kam die Main Street entlang. Treena saß in Hamiltons Auto und winkte allen zu. Ich betrachtete sie und stellte mir vor, wie wunderbar es wohl wäre, diejenige zu sein, die man aussuchte, um den weißen Wintermantel und die Tiara zu tragen und zu winken und zu lächeln. Dann sah ich ihn. Hamilton den Fünften. Er war umwerfend.« Sie lächelte. »Da begriff ich, dass ich kein normaler kleiner Junge war.« Sie verschob ihren Büstenhalter, um ihr Dekolleté zu vergrößern und die feinen Knochen zu betonen, die elegant geschwungen unter ihrer Kehle entsprangen. »Kurz danach ging Hamilton fort.«

Ich kannte und akzeptierte Cecil schon so lange als Cecily, dass ich ihre Reise nach Schweden und das Zusammenschrumpfen des Falcon-Erbes aufgrund hoher Arztrechnungen manchmal völlig vergaß. Cece gab eine gut aussehende Frau ab, und sie war die beste Gesellschaftskolumnistin, die Zinnia je gehabt hatte. Sie lebte und atmete für Seide, Brüsseler Spitze, Guccischuhe und Versace-Designs. Cece brachte den Hauch des Exotischen nach Zinnia, und die Leser der Lokalzeitung hatten sich an sie gewöhnt und schätzten sie sehr.

Die Geschlechtsumwandlung hatte sich allerdings sehr zu ihren Ungunsten ausgewirkt, als sie sich beim ›Commercial Appeal‹ bewarb. Zwar hatte man ihr das nicht offen ins Gesicht gesagt, aber angestellt hatte man sie auch nicht. Das Gleiche war ihr in Atlanta und sonst wo passiert. Ihre medizinische Vorgeschichte überschattete ihr berufliches Können. Deshalb war sie wieder nach Zinnia zurückgekehrt. Zu Hause ist man da, wo die anderen einen nehmen müssen, wie man ist.

»Hamilton hat dir dein erstes Herzklopfen verschafft?«, fragte ich und rechnete nach. 1979 war ich dreizehn gewesen, Hamilton hingegen schon alt genug, um Auto zu fahren, also fünfzehn oder sechzehn. Wenn ich ihn auf diesem Weihnachtsumzug gesehen hatte, so war dieses Bild jedenfalls vom Tod meiner Eltern ausgelöscht worden. Sie waren im November gestorben, als ein Betrunkener sie auf der Rückfahrt von Memphis in einen Autounfall verwickelte. Meine Welt war damals in Scherben gefallen, kein Wunder also, dass ich aus dieser Zeit nur wenig Erinnerungen an Weihnachtsumzüge oder gut aussehende Jungen besaß.

»Hamilton war ein toller, stattlicher Mann.«

Angesichts der Melancholie in Ceces Stimme formulierte ich meinen nächsten Satz sehr behutsam. »Ich erinnere mich nur, dass Hamiltons Abreise sehr … unauffällig vonstatten ging.«

»Man hat ihn in einen Flieger gesetzt, und noch bevor seine Mutter unter der Erde lag, war er schon in Europa. Sylvia, seine Schwester, wurde in eine Anstalt eingewiesen.« Cece leckte sich einen Krümel von der Unterlippe. »Samt und sonders sehr interessante Einzelheiten.« Ganz offensichtlich hatte sie ihre melancholischen Sekunden hinter sich gelassen und befand sich nun in voller Super-Tratsch-Stimmung.

»Ich wusste gar nicht, dass er eine Schwester hat.« Das stimmte sogar – ich hatte Sylvias Namen noch nie gehört.

»Sie war dem Orest die Elektra.«

Im Gegensatz zu Cece, die den Kopf voller Fakten und Ideen hatte, als sie das College abschloss, hatte ich eine eher experimentelle Bildung genossen und eingehende Kenntnis von Augenblicken, Männerbekanntschaften und Fehlern erlangt, die ich nicht zu wiederholen gedachte. »Elektra?«, fragte ich daher. In mir regte sich der Gedanke, ob es sich dabei nicht doch um eine Delta-Chi-Schwester handeln mochte.

»Das Motiv heißt Rache«, sagte Cece. »Dem Gerücht zufolge hat Hamilton der Fünfte auf Geheiß seiner Schwester seine Mutter ermordet.«

»Im Ernst?«, erwiderte ich. Das klang nun wieder eher nach den Südstaaten als nach Griechenland. »Warum sollte er denn seine Mutter ermorden?«

»Aus Rache!« Cece beugte sich zu mir vor. »Hamiltons Vater, Hamilton der Vierte, ist bei diesem Taubenschießen getötet worden. Eine grausige Schusswunde. Man befand zwar auf Unfalltod, aber die Gerüchte innerhalb der Stadt behaupteten, dass Hamilton der Vierte tatsächlich von seiner eigenen Frau, Veronica Hampton Garrett, ermordet worden sei. Irgendwie hat die Tochter, Sylvia, das Komplott aufgedeckt und Hamilton den Fünften für die Vergeltungsaktion rekrutiert. Anscheinend sind Sylvia und ihre Mutter nie sehr gut miteinander ausgekommen.«

Wenn die Geschichte auch nur ein Fünkchen Wahrheit enthielt, handelte es sich um eine in der Tat sehr finstere Tragödie. Bei Cece wie bei den Daddy's Girls gab es nur ein Problem: Erfundenes war für sie gleichrangig mit harten Fakten – sogar besser, wenn die Geschichte dadurch mehr Pep erhielt. »Und deshalb sitzt Sylvia jetzt im Irrenhaus, und Hamilton ist nach Europa ins Exil gegangen.« Schwer war es nicht zu erkennen, welches Geschwisterteil das bessere Los gezogen hatte. Selbst bei der Rache sind es immer die Frauen, die übers Ohr gehauen werden.

»Sie befindet sich in einem Privatsanatorium. In Glen Oaks, drüben bei Friars Point am Fluss. Wenn ich recht verstanden habe, hat sie sich selbst eingeliefert, aber irgendetwas an der Sache stinkt.« Cece zog die Augenbrauen hoch, die sie kunstvoll mit Gel stachlig aufgestellt hatte. »Die meisten Leute glauben, Sylvia sei für den Tod ihrer Mutter verantwortlich, aber es ist nie Anklage gegen sie erhoben worden. Gewiss hat dir dein Vater erzählt –« Sie schlug sich die Hand vor den Mund, als sie begriff, dass ich zu der Zeit, da die Garretts zum Gegenstand des Tratsches wurden, bereits eine Waise gewesen war.

»Schon okay«, sagte ich und bedrängte sie weiter: »Aber wieso wurde Hamilton der Vierte überhaupt ermordet?«

»Weil Mrs. Hamilton die Vierte, Veronica Hampton Garrett, einen Geliebten hatte. Sie wollte sich von ihrem Ehemann befreien.«

Ich nahm einen Schluck vom mittlerweile kalten Kaffee. Genau dazu entwickelten sich auch meine eigenen Angelegenheiten: zu einer einzigen schäbigen Bescherung. Und weil ich eine Delaney war, würde sich noch eine Unterleibsgeschichte hinzugesellen. »Wer war dieser Geliebte?«

Diese Frage war nicht mehr als logisch, doch sie rief ein nachdenkliches Stirnrunzeln auf Ceces hübsches Gesicht. »Das hat noch niemand herausgefunden. Sylvia will nicht darüber sprechen – nach allem, was mir zu Ohren kommt, möchte sie über gar nichts sprechen. Hamilton ist vom Angesicht der Erde verschwunden, und Veronica ist tot.«

»Wie tot eigentlich?«

»Sehr tot. Autounfall, 1980, nur ein paar Monate, nachdem ihr Mann erschossen wurde.«

»Und weder gegen Hamilton noch gegen Sylvia wurde je Anklage erhoben?«

Cece bedachte mich mit einem Blick, der ihr ganzes Mitleid für meine chronische Begriffsstutzigkeit zum Ausdruck brachte. »Es gab keinerlei Beweise. Nur jede Menge Tratsch und Innuendo.«

»Ein Mord ohne Beweise?« Ein prächtiges Kunststück.

»Veronica und eine der Garrett-Eichen lernten sich sehr intim kennen. Ich war noch ein Kind, aber an das Gerede kann ich mich trotzdem erinnern. Von Veronica blieb nur noch Hackepeter übrig. Sie flog durch die Windschutzscheibe, und an eine Trauerfeier mit offenem Sarg war nicht zu denken.«

Ceces Bildersprache war so lebhaft wie ihr Geschreibsel. »Dann war es doch ein Unfall?«

»Nur wenn man außer Betracht lässt, dass die Bremsleitung durchtrennt worden war.«

Cece besaß ein unglaubliches Talent, eine ganz simple Geschichte herzunehmen und sie so zu zerpflücken und zu verbiegen, dass man völlig erschöpft war, wenn sie endlich zum Clou kam. Auf diese Weise bewirkte sie, dass man selbst ihre Berichte über Begräbnisse noch mit Vergnügen las.

»Also doch ein greifbarer Beweis, dass etwas faul war.«

»Möglicherweise. Den Gerüchten zufolge soll nämlich der Sheriff die peinliche Geschichte vertuscht haben. Du weißt ja, dass die Garretts die prominenteste Familie ringsum waren.« Cece ergriff das zweite Plunderteilchen und biss ein großes Stück ab. »Man kauft sich eben das

Urteil, das man sich gerade noch leisten kann.« Sie leckte sich einen Krümel von der Lippe. »Eine gute Geschichte ist immer appetitanregend. Wie soll das Buch heißen?«, wollte sie wissen.

Fast hätte ich meinen eigenen Vorwand vergessen. »Da bin ich mir noch nicht ganz sicher«, antwortete ich schließlich.

»Ein kleines Vögelchen hat mir was Interessantes über dich zugeflüstert«, sagte Cece und schob sich geziert den letzten Happen Gebäck in den Mund. »Wie ich höre, errettest du im Dunkeln bedrohte Hundchen aus der Bedrängnis.« Sie schob mir eine Zeitung zu.

Ich blickte auf die Schlagzeile. DRAUFGÄNGERISCHE DELANEY BIRGT BELLO! Weiter zu lesen brauchte ich nicht. Tinkies Bedürfnis zu tratschen überwog offenbar ihren gesunden Menschenverstand. Ich war davon ausgegangen, dass die Auslösung Chablis' unter uns bliebe.

»Hattest du keine Angst? Hast du die Hundeentführer gesehen? Tinkie kannte kein anderes Thema mehr als deinen Mut.« Cece beugte sich so weit über ihren Schreibtisch vor, dass ich ihre falschen Wimpern erkennen konnte.

»Ach, das war nichts«, wiegelte ich ab und zog mich zur Tür zurück. Ich wollte kein öffentliches Lob für etwas, wofür ich öffentliche Schande verdient hatte.

»Kann ich in meiner Kolumne schreiben, dass du an einem Buch arbeitest?«, fragte sie.

»Warte damit, bis ich einen Titel habe«, bat ich, obwohl ich wusste, dass dieser Tag niemals kommen würde. »Danke, Cece, du hast mir eine Menge Ideen verschafft.«

»Kommst du übrigens zum Mittagsbankett bei Kincaid?

Sie sagt, sie habe dir eine Einladung geschickt. Das wird *das* Wohltätigkeitsereignis der Saison.«

Da hatte sie Recht – fünfhundert Dollar pro Gedeck zuzüglich Geboten auf die Kleider, die von den Zinnia Blossoms entworfen worden waren, einem Haufen magersüchtiger Mittzwanziger, die gern Daddy's Girls gewesen wären, jedoch in der falschen Generation aufgewachsen waren.

»Ich glaube, da arbeite ich lieber an meinem Buch.«

»Kincaid war Hamiltons Freundin«, sagte Cece und schnippte ein bisschen Zuckerguss unter einem Fingernagel hervor.

Auch wenn an mir kein Mathegenie verloren gegangen war, so wusste ich doch, dass Kincaid und ich etwa gleich alt sein mussten. Also war sie etwa dreizehn gewesen, als Hamilton sich nach Europa verzog. Tinkie mochte auf ihn fixiert sein, hatte jedoch nie behauptet, es habe eine Liaison zwischen ihnen gegeben. Kincaid genoss den Ruf, zur schnellen Truppe zu gehören, aber selbst sie konnte nicht als Dreizehnjährige mit Hamilton zusammen gewesen sein.

Cece las mir meine Zweifel am Gesicht ab. »Kincaid hat einen Sommer in Europa verbracht, Liebes. Ich kann nicht glauben, dass du diesen Skandal vergessen haben willst. Man hat sie mit Gewalt nach Hause geschafft und gezwungen, Chas Maxwell zu heiraten. Es heißt, sie habe völlig in Hamiltons Bann gestanden. Einige behaupten sogar, sie sei verhext worden.«

Obwohl ich nicht an die Geschichten über die dunklen Kräfte der Garretts glaubte, ließ es sich nicht abstreiten, dass Kincaid nach ihrer Rückkehr aus Europa zu einem anderen Menschen geworden war. Ich hatte immer angenommen, dass dies auf ihre Ehe zurückzuführen sei – dass sie jene

Aspekte ihrer Persönlichkeit abgestreift hätte, die es unerträglich machten, mit einem Tropf wie ihrem Mann Tandem zu fahren. Selbstverstümmlung gehörte durchaus zu den Dingen, die eine Frau meiner Klasse als Preis für eine gesicherte Existenz zu zahlen hatte. »Kincaid hat geheiratet.«

Cece wölbte eine fein nachgezeichnete Augenbraue. »Ich glaube, sie war von ihm sexuell besessen. Es gibt Männer, die diese Macht besitzen.« Mit der Spitze ihres Zeigefingers pickte sie nach Plunderkrümeln und steckte sie sich in den Mund. »Männer, die eine Frau bis an einen Punkt befriedigen können, an dem sie vom Leben nichts heißer ersehnt, als nur noch einmal von ihm berührt zu werden.«

»Was liest du eigentlich so in letzter Zeit?«, erkundigte ich mich.

»Du hast dich nie mit Kincaid unterhalten. Ich hingegen schon. Ich habe über die Hochzeit geschrieben, weißt du noch?«

Da hatte Cece mich kalt erwischt. Zwar war ich in die Kirche gekommen, hatte mich aber in die hinterste Reihe gesetzt und an nichts anderes denken können, als zu fliehen, bevor die zahlreich erschienenen wunderschönen jungen Matronen mich bemitleiden konnten, weil es mir noch immer nicht gelungen war, einen Ehemann einzufangen. Kincaid war sehr bleich gewesen und hatte abgezehrt gewirkt. Und sehr leblos, wenn ich mich recht erinnerte.

»Sie wirkte wie ein Zombie«, sagte Cece. »Ihre Mutter hat die Hochzeit geplant und Kincaid hindurchgetrieben. Ein einziges Mal habe ich Hamiltons Namen fallen lassen, und Kincaid errötete, als hätte sie einen Fieberanfall. Sie war völlig verzehrt vom Verlangen nach ihm.«

Das Mittagsbankett klang immer verlockender. Ich hatte

zehn Riesen auf der Bank und weitere fünf unter der Matratze. Also konnte ich mir durchaus einen Platz an Kincaids Tisch leisten. Besonders wenn ich die Chance erhielt, mit ihr zu sprechen. »Was hat Kincaid dir denn über Hamilton erzählt?«

Cece lächelte – und ihr schmales, gezwungenes Lächeln verriet mir, dass sie diesen Wall mehr als einmal bestürmt hatte. »Kein einziges Wort. Keine Silbe. Erwähne heute Hamiltons Namen, und vor ihr Gesicht schiebt sich ein nackter, blanker Vorhang.«

Plötzlich erschien mir das Bankett wieder sehr teuer. Vielleicht konnte ich Kincaid im Supermarkt abpassen. »Weiß denn irgendjemand, wo er sich aufhält?«

Cece hob eine Schulter, eine Bewegung, die ihr Schlüsselbein entblößte und die dreifarbige Goldkette, die im Licht aufblitzte. »Er reist umher. Es heißt auch, dass er spielt.«

»Und das Vermögen der Garretts existiert noch?«

»Es lebt noch, und es geht ihm gut. Mittlerweile ist noch europäischer Besitz hinzugekommen. Weitläufiger Besitz.«

»Ob Hamilton jemals wieder nach Hause zurückkehrt?«

Cece lachte laut auf. »Wer kann das wissen? Die Frage solltest du Madame Tomeeka stellen.«

»Das mache ich, wenn ich sie das nächste Mal sehe.« Was in nicht allzu ferner Zukunft lag. Ich warf den Kaffeebecher in den Mülleimer, und mein Blick fiel nicht zum ersten Mal auf die verzierte Spiegelvitrine, in der mehrere kleine Statuen funkelten. Cece hatte eine Reihe von Journalistenpreisen eingeheimst. Ob sie noch immer davon träumte, bei einer der großen Tageszeitungen zu arbeiten?

»Was wird aus Dahlia House?«, fragte sie, nun wieder ganz die Spinne, die ihr Netz zum Vibrieren bringt. »Ich habe gerüchteweise gehört, du würdest es zum Verkauf anbieten.«

»Diese Woche aber nicht mehr.« Ich schwenkte die Hand durch die Luft und hoffte, Cece damit begreiflich zu machen, dass ich einen Anfall von Kreativität hatte. »Meine Muse murmelt. Ich muss mich an die Schreibmaschine setzen.«

»Ich bekomme doch als allererste Fahnenabzüge von deinem Buch?«, vergewisserte sie sich.

»Auf jeden Fall«, gelobte ich und verzog mich in den Sonnenschein auf den Straßen von Zinnia. Morgen war der vierte Donnerstag im November, der Thanksgiving-Day, und ich musste noch den Truthahn besorgen.

5

In Zinnia gibt es nur zwei Lebensmittelmärkte, den älteren Piggly Wiggly und den neueren Winn Dixie. Winn Dixie hat zwar das modernere Sortiment, in den Regalreihen von Piggly – dem Schweinchen – finde ich mich dafür auch mit verbundenen Augen zurecht. Mit Wanda, Peggy und Lucy, den Kassiererinnen, und Arlene, die den Bäckerei- und Delikatessenstand unter sich hat, stehe ich auf Du und Du. Obwohl Piggly ein wenig weiter von der Bank von Zinnia entfernt ist, war ich der festen Überzeugung, die Tradition verlange von mir, meinen Vogel dort zu kaufen, wo die Delaneys seit zwanzig Jahren ihre Truthähne erstehen.

Dabei hielt ich aufmerksam nach Harold Ausschau. Ich war mir sicher, dass er mittlerweile von meiner großen Einzahlung gehört hatte. Er würde von mir wissen wollen, woher ich die zehn Riesen hatte. Noch war mir keine Lüge eingefallen, die mich restlos zufrieden stellte. Während ich meinen Einkaufswagen über den abgenutzten Fliesenboden schob, überlegte ich krampfhaft, was ich Harold erzählen sollte. Es würde mir jedenfalls reichlich schwer fallen, nicht selbstgefällig zu reagieren. Ich packte zwei Dosen grüne Bohnen in den Wagen und ging geistig das Rezept für das Schmorgericht durch. Ich brauchte noch Süßkartoffeln, braunen Zucker und Marshmallows. Die Artikel, die ich schon im Einkaufswagen hatte, waren unverschämt köstlich. An Thanksgiving gab es in Dahlia House weder Tofu noch Endiviensalat.

Der Berg aus frischen Preiselbeeren mitten in der Gemüseabteilung ließ mich auf dem Fleck verharren. Wie ein Axthieb traf mich die Erinnerung an meine Mutter, wie sie eine Schüssel aus Bleikristall auf den Tisch stellte. Auf dem rubinroten Inhalt tanzte das Kerzenlicht. Das war das Letzte, was noch zum Festtagsmahl fehlte, das Zeichen, dass wir unsere Servietten entfalten und zu essen beginnen konnten. Deutlich sah ich die Wonne auf dem Gesicht meines Vaters und den Glanz des Delaneyschen Silbers im Kerzenschein.

Die Erinnerung war so real, dass sie mir den Atem verschlug. Ich rief mir ins Bewusstsein, wie lange das schon her war. Traditionen vermögen zwar die Vergangenheit nachzuahmen, aber Wirklichkeit werden lassen sie sie nicht. Ich hob eine Tüte auf und befühlte die leichten, festen Beeren.

»Sie haben den Hund meiner Frau gerettet, wie ich höre.«

Nach Harold hatte ich Ausschau gehalten, nicht nach Oscar Richmond. Ich packte die Preiselbeeren, als handele es sich um die Perlen eines Rosenkranzes, dann drehte ich mich zu ihm um. »Hallo, Oscar«, sagte ich geistreich.

»Ich gebe Ihnen weitere fünftausend Dollar, wenn Sie diesen kläffenden Flohzirkus ein für allemal verschwinden lassen.«

Ich hätte nicht gedacht, dass Oscar genügend Humor besaß, um einen Witz zu machen. »Ha, ha«, lachte ich. »Tinkie würde das wohl kaum amüsant finden.«

»Es ist mir ernst damit.« Aha, dann war alles klar. Oscar nahm eine Bohnenkonserve aus meinem Wagen und wog sie prüfend in der Hand. »Ein paar davon in einen Sack, dann packen Sie sich den Köter und bringen alles zum Tibbeyama. Lange dauern wird es nicht.«

»Es ist Ihnen wirklich ernst damit!« Chablis hätte wirklich einen besseren Daddy verdient gehabt.

»Ich hasse das Vieh.« In seinen Augen funkelte es. »Tinkie erwähnte, dass Sie nun für ihre Mutter arbeiten.«

Mir war klar gewesen, dass die Machthaber in der Bank von dem Scheck auf Mrs. Bellcases Konto wissen würden, aber mit einem Frontalangriff von Oscar hatte ich nicht gerechnet. »Stimmt«, sagte ich.

»Was machen Sie denn Schönes für Mutter Bellcase?«

»Das müssen Sie sie schon selber fragen.« Was hatte Tinkie ihm noch alles erzählt? »Nach Thanksgiving komme ich in die Bank und kümmere mich um einige meiner ausstehenden Verbindlichkeiten«, verkündete ich und schob den Einkaufswagen zur Seite, um einen Ausfall zu machen.

»Zehn Riesen sind nur ein Tropfen auf den heißen Stein, bei dem, was Sie uns schulden«, entgegnete Oscar und seufzte. »Einen oder zwei Monate hätten Sie dann Ruhe, aber wenn Sie Dahlia House behalten wollen, brauchen Sie erheblich mehr Geld, das wissen Sie.«

Stimmte ebenfalls. Selbst wenn ich weitere zehntausend Dollar von Tinkie bekam, wäre ich dadurch nicht gerettet, sondern hätte nur einen Aufschub erreicht.

»Erwägen Sie einmal in Ruhe, den Besitz zu veräußern, Sarah Booth.« Oscar stellte die Konservendose wieder in meinen Wagen. »Sie brauchen dieses große alte Haus gar nicht. Mit einem Apartment wäre Ihnen doch viel besser gedient. Wir haben einen Käufer, der gern Ihr Land erwerben würde, jemand, der sich nicht um den Zustand des Hauses schert. Das Grundstück ist das Interessante daran.«

Ich ließ die misshandelten Preiselbeeren in den Einkaufswagen fallen und umklammerte den Handgriff. »Wenn dieser Käufer Dahlia House nicht will, was will er dann mit dem Grundstück? Keiner, der seine fünf Sinne beisammenhat, betreibt heutzutage noch Landwirtschaft.«

»Man betrachtet Ihr Land als idealen Platz für ein Einkaufszentrum. Und dem kann ich nur zustimmen. Zinnia muss entweder wachsen oder sterben, und so sehr es mir persönlich auch widerstrebt, Einkaufszentren liegen nun einmal im Trend. Die Bank überlegt sogar, dort eine Filiale zu eröffnen.«

Einen Moment lang trat mir vor Augen, wie Dahlia House niedergerissen wurde und an seiner Stelle ein Ladenkomplex entstand. Ich glaubte, diese Vision müsse mir permanent das Augenlicht rauben. Oscar verwechselte mein gelähmtes Schweigen mit Interesse.

»Eigentlich hätte ich Ihnen nichts davon sagen dürfen, aber ich finde, Sie sollten Bescheid wissen. Sie könnten einen guten Gewinn herausschlagen, Ihre Schulden begleichen und einen Neuanfang wagen. Ich habe Gerüchte gehört, dass Sie an einem Buch arbeiten. Nicht gerade das, was ich tun würde, um voranzukommen, aber Sie sind ja noch nie die Sorte Mädchen gewesen, die den leichten Weg nimmt. Ihr Delaneys erklettert immer den Berg, wo es einfacher wäre, mit dem Auto die Straße hinaufzufahren.«

Obwohl ich Oscar um seine Gerüchtequellen beneidete, brachte ich es nicht fertig, auch nur eine Minute länger mit ihm in der Gemüseabteilung zu stehen. »Ich muss weiter.«

»Ich sage Ihnen das nur aus einem einzigen Grund: weil

ich glaube, Sie sollten das Geld behalten, das Sie gerade eingezahlt haben. Stottern Sie damit nur nicht Ihre Schulden ab. Wir können beim Verkauf von Dahlia House arrangieren, dass der Käufer die Hypotheken übernimmt.«

Auf seine eigene kranke Weise versuchte er mir einen Gefallen zu erweisen. »Danke, Oscar. Ich werde darüber nachdenken.«

Ich hastete in die Abteilung, wo die Truthähne ihres Thanksgiving-Schicksals harrten. Den Ehrgeiz, etwas zu kochen, hatte ich jäh verloren, doch die Erfordernisse des Feiertags hielten mich in Gang. War ich vorher besorgt gewesen, so reichte dieser Begriff längst nicht mehr aus, um zu beschreiben, was ich nun empfand. Die Bank hatte einen interessierten Käufer an der Hand. Damit konnte ich alle Hoffnung auf Nachsicht begraben.

Ich blickte auf die kalten, in Kunststoff eingeschweißten Leiber der toten Truthähne, aber vor mir sah ich Dahlia House, wie es unter der Abrissbirne einstürzte. Ich sah die lange Ahnenreihe der Delaneys unter den blattlosen Ästen der Platanen stehen und zusehen, wie das Heim ihrer Familie dem Erdboden gleichgemacht wurde. Sie verurteilten mich nicht. Sie hatten den Bürgerkrieg und die schweren Jahre danach überlebt, hatten gewonnen und verloren, hatten geliebt, Nachkommen zur Welt gebracht und waren gestorben. Aber ich war die Letzte. Dahlia House war mein Erbe, und ich würde es nicht verlieren, solange noch ein Tropfen Blut durch meine Adern rann.

Ich ließ einen zwanzigpfündigen Truthahn in den Einkaufswagen fallen, mein Akt der Auflehnung. »Ich werde nie wieder hungern«, schwor ich mir und bemerkte zu spät, dass Arlene mich vom Bäckereistand mitleidig beobachtete.

Ich ließ den Truthahn auf dem Abtropfbrett der Spüle liegen, und Jitty murmelte Beschwörungsformeln gegen Salmonellen und Ebola, was ich nicht beachtete. Seit wir Delaneys gefrorene Truthähne nach Hause brachten, tauten wir sie auf dem Abtropfbrett auf. Ich hatte keine fünf Tage Zeit, um den Vogel allmählich auf Raumtemperatur zu erwärmen.

»Zwanzig Pfund! Du wirst in den nächsten sechs Monaten nichts anderes als Truthahn essen.« Jitty bedachte den Vogel mit einem finsteren Blick und trommelte sich mit den Fingern gegen ihre baumelnden Ohrringe. »Martha Stewart sagt –«

»Martha Stewart soll der Teufel holen«, entgegnete ich. Jitty verehrte Martha Stewart geradezu. Sie ließ sich keine einzige Wiederholung dieser antiquierten Hausfrauensendung entgehen und bejammerte, dass ich keinen Kranz aus den Muscadinia-Ranken gemacht hatte, obwohl doch gleich vor meiner Nasenspitze in der Laube hinter dem Haus welche wuchsen. Ferner sei ich völlig blind gegenüber den dekorativen Möglichkeiten von Magnolienblättern. Ich brächte keinerlei Fantasie auf, beklagte sich Jitty, um mir die Köpfchen der Platanen zunutze zu machen oder die Beeren des Feuerdorns oder getrocknete Hortensien, die man besprühen könne, um einen wunderbaren Effekt zu erzielen – ich sei in dekorativer Hinsicht behindert.

Ich verließ Jitty, die mir gerade eine erschöpfende Auflistung aller Dekorationsvorschläge vorlegte, die Martha Stewart für den Truthahn-Tag gemacht hatte, und fuhr ohne Umwege zu der schmalen, schlecht gepflasterten Straße, die vom Weißen ins Schwarze Viertel führte.

Obwohl die Moderne auch in Zinnia Einzug gehalten

hatte, bestand noch immer ein kultureller Unterschied zum Wohngebiet der Schwarzen, dem ›Grove‹. Ich überquerte die Eisenbahngleise, die sozusagen als inoffizielle Demarkationslinie dienten. Viele der Teerpappe-Baracken im Grove waren seit den Jugendjahren meiner Mutter durch Ziegelhäuser ersetzt worden. Wie in den Wohngegenden der Weißen gab es städtische Kanalisation und Straßenbeleuchtung. Der augenfälligste Unterschied bestand darin, dass hier in den Vorgärten Kinder spielten. Vor vielen der älteren Häuser mit Veranda standen Stühle, und auf diesen Stühlen saßen Menschen und redeten miteinander. Als ich die Straße entlanggefahren kam, hielten sie inne und beobachteten mich; vermutlich dachten sie, dass da schon wieder eine Weiße mit mehr Geld als Verstand Tammy Odom alias Madame Tomeeka besuchen kam. Nicht zum ersten Mal fragte ich mich, was Tammys Nachbarn wohl von ihr hielten. Ob auch sie zu ihr gingen, um sich in Geld- und Herzensangelegenheiten Rat zu holen?

Ich bog in den kahlen Vorgarten ab und parkte unter der großen Eiche, von der das kleine Holzhäuschen beschirmt wurde. Was Tammy wohl mit dem vielen Geld anstellte? Dem Geld, das sie nicht nur den Daddy's Girls abknöpfte, sondern auch der nachfolgenden Generation weißer junger Frauen, die noch nicht ganz begriffen hatten, dass es überhaupt keinen Sinn hatte, sich über die Zukunft Gedanken zu machen – weil ihr Schicksal bereits bei ihrer Geburt besiegelt worden war.

Außer meinem Wagen stand kein anderes Auto in Tammys Vorgarten. Gut. Wenigstens brauchte ich nicht zu warten. Ich stieg die Stufen hinauf und klopfte an die Fliegenfenstertür. Heute hatten wir mildes Wetter, und ich hörte aus dem hinteren Teil des Hauses ein Radio, aus dem Johnny Mathis schmachtete.

Gleich darauf sah ich Tammy näher kommen. Sie hielt die Hände erhoben wie eine Chirurgin. Um zu sehen, was an ihnen klebte, war es zu dunkel, aber ich begriff dennoch, dass ich sie beim Kochen gestört hatte.

»Hast du einen Augenblick Zeit?«

»Komm rein.« Sie verschwand außer Sicht, und ich folgte ihr. Das Hausinnere bestand aus mehreren Durchgangszimmern, die Küche war der letzte Raum ganz hinten. Tammy bereitete gerade Maisbrotteig.

»Erwartest du die ganze Familie?«, fragte ich. Sie hatte eine Tochter namens Claire, eine wahre Schönheit, die nicht mehr in Zinnia wohnte.

»Möglich.« Sie zog eine heiße schwarze Kasserolle aus dem Backofen hervor und goss den Maisbrotteig hinein. Ich hörte das Zischen und roch den Duft von Teig, der auf ausgelassenes Speckfett trifft. Tammy schob die Kasserolle wieder in den Ofen zurück und schloss die Klappe.

»Wie geht es Claire?« Tammy hatte ihre Tochter zur Entbindung nach Mount Bayou geschickt. Zwischen ihnen gab es Streit, doch worüber, das konnte ich nur raten. Teenagerschwangerschaften sind in Zinnia epidemisch und, wie Tammy aus eigener Erfahrung wusste, alles andere als leicht.

»Gut. Ein kleines Mädchen.« Tammys Gesicht gab rein gar nichts preis.

»Wie hat Claire sie genannt?«

»Dahlia«, antwortete Tammy, und nun sah man den ersten Anflug eines Lächelns. »Claire denkt gern an die Zeit zurück, die sie bei dir verbracht hat, Sarah.«

»Ja, ich auch«, sagte ich und erwiderte das Lächeln.

»Du bist aber nicht gekommen, um dich nach Claires Gesundheit zu erkundigen«, stellte Tammy fest und nahm ein Messer zur Hand. Sie begann, Zwiebeln und Staudensellerie mit solcher Geschwindigkeit zu zerhacken, dass ihre Hände vor meinen Augen verschwammen.

»Nein. Ich brauche deine Hilfe.«

Tammys Hände hielten nicht inne. »Du glaubst doch gar nicht daran, dass ich in die Zukunft blicken kann. Deswegen bist du nicht hergekommen.«

»Aber Tinkie Richmond glaubt daran.«

»Hm-hm«, machte sie und streifte das gehackte Gemüse mit dem Messer in eine Pfanne, die auf dem Herd stand. Dann wandte sie sich einer Paprikaschote zu.

»Du hast ihr gesagt, dass jemand aus der Vergangenheit zurückkehren würde. Jemand Dunkles.«

»Ich weiß genau, was ich gesagt habe.« Tammy verlangsamte ihr Gemüseschneiden kein bisschen.

»Tinkie hat eine … Ader, alles Mögliche zu ihrer Zufriedenheit zu interpretieren. Ich möchte die Sache gern klarstellen.«

»Dann bitte, dann frag doch, was du willst.«

»Weißt du, ob Hamilton Garrett plant, nach Sunflower County zurückzukehren?«

Tammys wohlkoordinierte Bewegungen gerieten ins Stocken. Das Messer ritzte sie an der Fingerspitze, und Blut quoll aufs Schneidebrett. Ich setzte an, nach einem Handtuch zu greifen, doch Tammy kehrte mir den Rücken zu und trat an die Spüle, wo sie die Wunde unter fließendes kaltes Wasser hielt und so eine rosa Kaskade durch das weiße Porzellanbecken schickte.

»Kaum zu glauben, dass ich plötzlich so ungeschickt

bin«, schimpfte sie und tupfte die Wunde mit einem sauberen Geschirrtuch ab. Dann wühlte sie mit der anderen Hand in einer Schublade und förderte Heftpflaster zutage.

Zwar konnte ich nur ihr Profil sehen, doch das genügte mir. »Worin besteht deine Verbindung zu Hamilton Garrett?«, fragte ich, als sie sich das Pflaster auf den Finger klebte.

Tammy wandte sich mir wieder zu, und in ihren dunklen Augen stand eine deutliche Warnung. »Ich habe Tinkie Bellcase gesagt, was ich in den Karten gelesen habe. Ein dunkler Mann kehrt zurück. Hamilton Garrett habe ich mit keinem Wort erwähnt.« Ihr Blick drohte mir, es nur ja nicht zu wagen, das Thema weiter zu vertiefen.

»Tinkie nimmt an, dass damit Hamilton gemeint ist.«

»Tinkie nimmt eine Menge an. Ich könnte dir eine Liste ihrer Annahmen machen. Aber nicht alles dreht sich um Tinkie Bellcase und ihre albernen Fantasien. Wenn ich einen dunklen Mann sehe, dann heißt dunkel nicht unbedingt hoch gewachsen, dunkler Teint und stattlich. Dunkel kann auch böse heißen, schlecht.« Sie drückte sich den verletzten Finger fester.

Bisher hatte ich nicht gewusst, dass Tammy Tinkie von ganzem Herzen verabscheute. Tammys Verbitterung über die Daddy's Girls war gewiss verständlich, aber Tinkie war nicht schlimmer als die anderen. »Sie hat mich engagiert, um die Wahrheit über die Familie Garrett herauszufinden.«

Diese Worte trafen Tammy völlig unvorbereitet. »Ohne den Job wärst du besser dran, Sarah.«

»Ich brauche das Geld. Wenn ich den Job nicht mache, verliere ich nächste Woche Dahlia House.«

Über Finanzprobleme brauchte ich Tammy nichts zu

erzählen. Verzweiflung war ihr ebenfalls ein guter Bekannter. Ich dachte an die Zeit zurück, als sie schwanger wurde. Sie war einige Jahre älter als ich, ein intelligentes Mädchen und gute Sportlerin mit realistischen Aussichten auf ein College-Stipendium. Claire hatte alldem ein Ende gesetzt.

Tammy nahm wieder das Messer in die Hand. Sie starrte einen Moment darauf, dann fuhr sie fort, das Gemüse zu schneiden. »Ich kann dir nicht helfen, Sarah.«

»Lassen wir Tinkie einmal beiseite. Erinnerst du dich an irgendetwas über die Garretts?«

»Sie hatten die schlechte Angewohnheit, unerwartet zu sterben.«

»Und davon abgesehen?«

Sie warf die geschnittene Paprika in die Bratpfanne und stellte den Herd an. Kurz darauf stieg der anregende Geruch nach sautierten Zwiebeln und Knoblauch auf. »Die Familie hat gelitten«, erklärte Tammy. »Sie waren verflucht.«

Ich war mir niemals sicher gewesen, wie viel Tammy von dem glaubte, was sie den Leuten erzählte, die zu ihr kamen, doch es konnte kein Zweifel bestehen, dass sie einiges davon durchaus ernst nahm. »Die ganze Familie?«, fragte ich. »Als wäre der Fluch etwas Erbliches?«

»Alle von ihnen, ja. Sie hatten es im Blut. Sie sind mit Macht über andere und rücksichtsloser Hemmungslosigkeit gestraft. Diese Mischung bringt nie etwas anderes als Schmerz hervor. Und ganz besonders Hamilton: Er trug das Zeichen des Fluchs in der Hand«, sagte Tammy. Sie hob das Gesicht zur Decke, und ich fragte mich, ob sie wohl betete. »Ich hab's da gesehen und sofort gewusst, dass er dem Fluch nicht entkommen kann.«

»Was war das für ein Zeichen?« Tammy flößte mir Unbehagen ein, aber nur ein wenig. Zu den Erbanlagen der Delaneys gehört nämlich auch gesunde Skepsis – und das von einer Frau, die mit einem Gespenst zusammenwohnt?

»Der Stern des Saturn und der Gürtel der Venus, ein kräftiger, abstehender Daumen wie bei seiner Mutter. Das Zeichen großer sexueller Kraft.«

Ich spürte, dass sich mir die Nackenhaare aufstellten. Andererseits waren Cece und Madame Tomeeka dicke Freunde. Sie hielten zusammen wie Pech und Schwefel, und es war ihnen zuzutrauen, dass sie sich gegenseitig ihre Theorien untermauerten. Angesichts meines leichtgläubigen Unterbewusstseins rollte ich mit den Augen. Offenbar war ich auch nicht besser als alle anderen.

»Meine Tanzkarte ist im Moment recht langweilig. Befindet sich diese sexuelle Kraftmaschine vielleicht auf dem Rückweg nach Zinnia?«, fragte ich.

Tammy blickte mich lange streng an. »Wenn er zurückkommt, solltest du lieber nicht mit ihm tanzen. Die Tragödie folgt ihm dicht auf den Fersen.«

»Dann kommt er also nach Hause.« Ich war entsetzt. Tatsächlich hatte ich die ganze ›Hamilton-kommt-wieder‹-Geschichte als eine Erfindung Tammys angesehen, mit der sie Tinkie das Geld aus der Tasche ziehen wollte.

Doch Tammys dunkle Augen ruhten bar jeder Regung auf mir. »Zu den Feiertagen. Da sind die Leute gern zu Hause.« Sie zuckte mit den Schultern. »Sogar die Garretts.«

Ich versuchte es mit einem Vorstoß in die Vergangenheit. »Ich habe gehört, dass Hamilton die Bremsleitung am Wagen seiner Mutter durchtrennt hätte. Würdest du ihm das zutrauen?«

»Soll ich dir ein Geheimnis verraten?«, entgegnete sie

und starrte mich mit jenen toten Augen an, die selbst mir skeptischer Delaney eine Gänsehaut verursachten. Plötzlich erschien es mir zu warm in dieser Küche, und der Geruch nach bratenden Zwiebeln und Knoblauch wurde überwältigend. Ich musste unbedingt nach draußen an die frische Luft, um wieder einen klaren Kopf zu bekommen.

Tammy beugte sich über den Tisch vor, nahm meine Hand in die ihren und hob sie an. »Ich brauche keine Karten, um in deine Zukunft zu blicken, Sarah. Halt dich fern von Hamilton Garrett, seinen Angelegenheiten und all seinen Bekannten. Dein Haus willst du retten und setzt dafür deine Seele aufs Spiel. Lass die Toten ruhen.«

6

Mrs. Kepler! Bitte, Mrs. Kepler, machen Sie auf!« In der einbrechenden Dunkelheit stand ich außen vor der Bibliothek und blickte durch das Türfenster auf die ältliche Frau, die mit zackigen Bewegungen Bücher ins Regal zurückstellte. Es war kurz vor fünf und die Bibliothek offiziell bereits geschlossen. In ihrem ganzen Leben hatte Mrs. Kepler noch keine einzige Regel gebrochen. Dennoch hatte ich nicht vor, mich abweisen zu lassen und leise in der hereinbrechenden Dunkelheit zu verschwinden.

Mein Truthahn lag in der Spüle in heißem Wasser und weichte ein – Jitty zufolge definitiv ein Unding, wegen der Salmonellen. Auf der Veranda kühlte der Kürbiskuchen ab, und alles war bereit für das Festessen. Ich hatte die Hände bis zu den Ellbogen in den Innereien, als mir einfiel, dass in der Stadtbibliothek alle zurückliegenden Ausgaben des ›Zinnia Dispatch‹ aufbewahrt wurden.

»Mrs. Kepler, bitte! Es handelt sich um einen Notfall!« Ich klopfte lauter. Ich konnte sehen, dass ich ihr allmählich auf die Nerven ging. Ihr Gesicht lief rosa an, und sie kehrte mir die Schulter zu. »Lassen Sie mich bitte rein!« Ich hämmerte mit den Fäusten gegen die Tür, bis ich glaubte, dass meine Fingerknochen beim nächsten Mal bersten müssten.

Mrs. Kepler legte die Bücher auf die Theke und kam zur Tür. Ihr Gesicht spiegelte die angemessene Mischung aus Geringschätzung, Gereiztheit und einer Spur Traurigkeit wider.

Sie öffnete die Tür einen Spaltbreit. »Sarah Booth, was soll das denn?«, fragte sie. »Dein Verhalten ist ungeheuerlich.« Sie kannte mich, seit ich klein war, und alte Leute duzen einen selbst dann noch ungefragt, wenn man selber Großmutter geworden ist.

»Ich muss unbedingt die alten Ausgaben des ›Dispatch‹ einsehen.« Ich versuchte, mich an ihr vorbeizudrängen, doch das gestattete sie mir nicht. Sie war alt, aber das bedeutete noch lange nicht, dass sie sich einschüchtern ließ.

»Wir haben Mittwoch; am Mittwoch schließt die Bibliothek immer mittags. Und außerdem ist heute ein Feiertag. Wenn wir nicht so sehr im Rückstand lägen, wäre ich gar nicht hier. Und da ich schon Überstunden mache, kann ich Unterbrechungen überhaupt nicht brauchen.« Sie streckte die Hand aus und befühlte meine Stirn. »Deine Mutter wäre entsetzt über dein Verhalten. Bist du krank?«

»Krank vor Verzweiflung bin ich«, erklärte ich. Das war die einzige Möglichkeit. Ich musste mich ihrer Gnade unterwerfen. »Bitte, ich muss noch heute Abend unbedingt etwas herausfinden.«

»Komm am Freitag zurück«, sagte sie milde. »Ich räume nur noch auf, dann gehe ich nach Hause.«

»Bitte, Mrs. Kepler«, bettelte ich. »Bitte, es ist wirklich sehr wichtig. Es dauert nicht länger als eine halbe Stunde.«

»Aber Sarah Booth«, sagte sie stirnrunzelnd. »Regeln sind Regeln, das weißt du doch. Obwohl Elizabeth Marie ein wenig unorthodox gewesen sein mag, wusste doch wenigstens deine Tante LouLane, wie wichtig es ist, sich ordnungsgemäß zu verhalten.«

»Ich weiß nur eins: Wenn Sie mich diese Zeitungen nicht einsehen lassen, dann treiben Sie mich zu einer Verzweiflungstat.«

»Sarah!« Sie fasste sich an den Hals. »Was redest du denn da!«

Tatsächlich meinte ich damit, dass ich sie beiseite stoßen würde, doch sie missverstand mich. Ich zog mir die Handkante über die Gurgel und verzog das Gesicht. »Für mich geht es um Leben oder Tod«, wisperte ich bedeutungsvoll.

Das Wispern war es, was den Ausschlag gab. Mrs. Kepler trat zur Seite. »Du kannst lesen, bis ich aufbreche.«

»Danke«, sagte ich, »tausend Dank«, und sprang hinein. Bevor sie es sich noch einmal anders überlegen konnte, war ich bereits in der Handbibliothek und zog den gebundenen Zeitungsjahrgang von 1979 hervor.

Ich wusste bereits, dass Hamilton der Vierte auf der Taubenjagd getötet worden war, und die Taubensaison begann im September, den ich folgerichtig zum Anfangspunkt machte. Der Artikel musste auf der Titelseite stehen, was die Suche weiter vereinfachte. Ich fand den Bericht in Rekordzeit.

Hamilton der Vierte war am 23. Oktober 1979 während der zweiten Taubensaison tot in einem Maisfeld aufgefunden worden, das Delo Wiley gehörte. Mr. Wiley war aufs Feld gegangen, um ihn zu suchen, nachdem er am Abend nicht wie die anderen Jäger zurückgekehrt war.

Coroner Fel Harper, der amtliche Leichenbeschauer, hatte auf Tod durch Unfall befunden. Eine Autopsie war nicht durchgeführt worden, eine Ermittlung unnötig erschienen. Der Zeitungsbericht erwähnte nicht gerade besonders viele Einzelheiten, doch ging klar daraus hervor, dass Hamilton dem Vierten aus kurzer Entfernung in die Kehle geschossen worden war. Beim Lesen des Berichtes erschienen mir nur zwei Möglichkeiten plausibel: Mord oder Selbstmord. Sheriff Pasco Walters hingegen hatte auf Unfalltod befunden.

Nach dem Kodex des Südstaaten-Gentlemans gehörte ein Jagdunfall zu den edlen Todesarten. Es bestand keinerlei Notwendigkeit, seinen Jagdgefährten irgendwelche Schuld zuzuweisen, wenn sie einen in die ewigen Jagdgründe beförderten. Und es musste nicht so weit kommen, dass ein guter Name mit der Schande eines Selbstmords befleckt wurde, wenn die Familie vermögend genug war, um sich Schweigen zu erkaufen.

Trotzdem überschritt es ein wenig die Grenzen des Annehmbaren, wenn der Sheriff, die Hilfssheriffs, der Coroner, die Angehörigen und die Freunde allesamt konspirierten, um den Fall unter den Teppich zu kehren, obwohl es durchaus im Rahmen des Möglichen lag, dass einer der prominentesten Bürger von Sunflower County ermordet worden war.

Es sei denn natürlich, Hamilton der Fünfte hatte den Finger am Abzug gehabt. Diese Möglichkeit ließ den Fall wiederum in einem völlig anderen Licht erscheinen. Cece hatte Recht. Mit genügend Geld konnte man sich jedes Urteil erkaufen und jede Ermittlung einstellen lassen.

Fel Harper war noch immer der Coroner des Bezirks. Wenn er tatsächlich in eine Vertuschungsaffäre verwickelt war, würde er mir wohl kaum die Wahrheit sagen.

Ich blätterte die Zeitungen vor und kämpfte den morbiden Drang nieder, die Berichte über den Tod meiner Eltern herauszusuchen. Hier ging es weder um mich noch um meine Vergangenheit. Ich hatte einen Job zu erledigen.

Ich überflog den Januar und fand den gesuchten Artikel schließlich in der Ausgabe vom 10. Februar. Auch der Tod von Veronica Hampton Garrett stand auf der Titelseite, diesmal mit Fotos: den Überresten eines teuren Sportwagens und einem älteren Bild von ihr, das aus der Gesellschaftskolumne stammte. Sie sah darauf aus wie ein Filmstar. Ihr Haar war mit glitzernden Kämmen aufgesteckt, und um den Hals trug sie ein Diamantkollier. Blond und wunderschön war sie gewesen.

Ich betrachtete das Autowrack. Es sah ganz so aus, als wäre es bereits in der Schrottpresse gewesen. Diesen Aufprall konnte niemand überlebt haben. Auch der Baum wirkte nicht mehr allzu gesund.

In dem Artikel las ich, dass Veronica Garrett auf der Knob Hill Road nach Hause unterwegs war, wobei sie mit überhöhter Geschwindigkeit fuhr, die Gewalt über den Wagen verlor und in vollem Tempo gegen den Baum raste.

Der Unfall blieb mehrere Stunden lang unentdeckt. Hamilton der Fünfte hatte die Leiche seiner Mutter gefunden, als er auf dem Heimweg von einer Verabredung an der Unfallstelle vorbeikam. Er rief einen Krankenwagen, doch seine Mutter war bereits tot.

›... das Urteil, das man sich gerade noch leisten kann‹ – schon wieder kamen mir Ceces Worte in den Sinn.

»Sarah Booth! Wir müssen nun gehen.« Mrs. Kepler hielt bereits ihre Handtasche im Arm und wartete an der Tür.

Ich klappte die Bände zu und stellte sie zurück. Verdammt! Ich hatte nichts Konkretes gefunden und mir dafür meine makellosen Hände an der Bibliothekstür grün und blau geschlagen. Da traf es mich. Ich hatte durchaus etwas entdeckt: Zwei gewaltsame Tode waren für Unfälle befunden worden. Zwei Prominente aus der gleichen Familie waren innerhalb eines Zeitraums von nur vier Monaten eines unnatürlichen Todes gestorben, und beide Male wurde auf Unfall entschieden.

Irgendjemand im Büro des Sheriffs leistete keine gute Arbeit.

Nach einer langen und ruhelosen Nacht war ich entschlossen, den Fall erst mal ruhen zu lassen und einen gemütlichen Thanksgiving-Day zu erleben. Ich zog mir eine festliche neue schwarze Jeans und eine elegante rostbraune Veloursbluse an. Auf dem Tisch im Esszimmer funkelte das Silber im Kerzenschein. Ich hatte für zwei gedeckt, obwohl ich nicht wusste, ob Jitty mit mir essen würde. Ich war mir nicht einmal sicher, ob sie überhaupt je aß. Meistens beschwerte sie sich grummelnd über irgendetwas. Doch heute war ein Feiertag, und sie war das Nächste zu einer Familie, das ich besaß.

Der Truthahn war ein goldenes Meisterwerk, und ich schleppte ihn als Pièce de Résistance des Mahls ins Esszimmer. Die Süßkartoffel-Kasserolle dampfte, daneben standen die grünen Bohnen und die Sauce. Alles war perfekt, und ich hob das Weinglas.

»Auf die Zukunft. Nun sieht es ganz so aus, als hätten wir eine.« Ich fühlte mich aufgekratzt – einmal wegen meiner Entdeckung in der Bibliothek, zum anderen, weil ich es hatte vermeiden können, Harold zum Festessen einzuladen.

»Wenn du jetzt anfängst, dich aufzuführen wie Sam Spade nach der Geschlechtsumwandlung, dann wird's dir gehen wie dem Esel auf dem Eis: Mit dem Hintern zuerst brichst du ein!« Jitty hatte am Tisch Platz genommen, aber sie wirkte nicht sonderlich beeindruckt von den vor ihr ausgebreiteten Köstlichkeiten.

»Ich schaffe das schon, Jitty. Außerdem ist es recht aufregend.«

»O ja, dieser Kerl aus Austin war ja auch so aufregend. Was sagte der Gefängnispsychologe doch gleich über ihn? Soziopath mit Neigung zum Verfolgungswahn? Wenn du mit ›aufregend‹ anfängst, dann ahne ich nichts Gutes.«

Das Üble an meiner Familie ist, dass man sich an jeden kleinen Fehler erinnert und glaubt, das Recht zu haben, ihn einem jederzeit vorwerfen zu dürfen. »Das hier ist etwas anderes. Es geht um einen Job, nicht um einen Mann.«

»Es ist ein Job, bei dem es um einen Mann geht – um einen Mann, der möglicherweise seine Mama auf dem Gewissen hat. Ich mag diesen Hamilton Garrett nicht. Nein, Ma'am, für mich klingt der ganz wie Mr. Texas.«

»Er hieß Felix«, knurrte ich. »Felix Manson.«

Jittys Gehör ist ausgezeichnet und selektiv. Der Tod hat ihr das Gegenstück zu Fledermausohren verliehen: Sie hört genau das, was sie hören will.

»Und das hat dir nicht zu denken gegeben, was?«, fragte sie.

»Es war sowieso nicht sein richtiger Name.«

»Aha«, sagte sie und schürzte die Lippen in der Weise, die ich so verabscheue. »Er hat sich den Namen Manson also ausgesucht. Mir sagt das eine ganze Menge. Und dir würde es auch verdammt viel mitteilen, wenn du nur ein Fünkchen gesunden Menschenverstand hättest. Aber du warst ja zu sehr damit beschäftigt, *aufgeregt* zu sein, um solchen kleinen Einzelheiten Beachtung zu schenken.«

Allmählich wurde es Zeit für einen Themenwechsel. Jitty verdarb mir mit ihren Erinnerungen noch den Appetit. Felix Manson war gewiss ein Fehler gewesen, aber ich gönnte ihr nicht die Befriedigung, ihr in diesem Punkt zuzustimmen.

»Ich muss irgendetwas tun, um innerhalb kurzer Zeit sehr viel Geld zu verdienen, und diese Gelegenheit hat sich ganz von selbst ergeben. Iss nun dein Abendessen und hör auf, an allem herumzumäkeln, was ich tue.«

»Oje, wir bekommen Gesellschaft.« Bevor ich noch ein Wort sagen konnte, war sie verschwunden.

Es klingelte an der Tür, und ich schaute aus dem Fenster. Zu meinem Erstaunen erblickte ich eine junge Schwarze, die einen Säugling auf dem Arm trug. Nachfahren von Jitty? Mir war nicht einmal bekannt, dass sie Kinder gehabt hätte.

Erst als ich die Türe öffnete, erkannte ich Tammys Tochter und das Baby, das nach meinem Haus getauft worden war.

»Claire!«, rief ich, riss die Tür weit auf und breitete die Arme aus.

Sie lächelte mich an und kam herein. »Miss Sarah«, sagte sie und zog auf ihre gewohnt schüchterne Art den Kopf ein. »Das ist Dahlia«, erklärte sie und hielt mir den Säugling hin.

Besonders interessiere ich mich nicht für Babys, trotzdem nahm ich Dahlia in die Arme und war überrascht, als sie mich anlächelte. »Komm herein, Claire. Ich war gerade beim Dinner. Iss mit mir.«

»Mama hat uns schon voll gestopft«, sagte Claire, »aber wir haben Thanksgiving. Da hat man immer Platz für noch ein wenig mehr.«

Jemand mit großer Verwandtschaft kann an den hohen Feiertagen durchaus acht bis zehn Mahlzeiten erhalten. Und obwohl die meisten Leute das traditionelle Gericht servieren, gibt es genügend leichte Unterschiede, um Kostproben zu den vergnüglicheren Freuden des Lebens zu machen.

Claire blieb am Tisch stehen und stellte fest, dass für zwei gedeckt war. »Erwarten Sie etwa Besuch?«, fragte sie.

»Ich hatte die leise Ahnung, dass vielleicht jemand vorbeischauen würde«, antwortete ich und lud Claire durch eine Handbewegung ein, sich auf den anderen Stuhl zu setzen, nahm ihr die Kleine ab und bediente sie.

Wir plauderten ein wenig über das Baby und Claires Schule, die, wie sie mir versicherte, nicht unter ihrer Mutterschaft litt. Ich betrachtete Claire näher. Sie erschien mir viel zu dünn. Die Geburt hatte sie einiges gekostet, doch unbestreitbar liebte sie ihr Kind. Ich fragte sie nicht nach Dahlias Vater. Wenn es über ihn etwas zu sagen gab, würde Claire schon von selbst darauf zu sprechen kommen.

»Ich nehme an, Sie fragen sich, weshalb ich zu Ihnen komme«, sagte sie schließlich und schob ihren leeren Teller fort.

»Du brauchst doch keinen Grund, mich zu besuchen«, entgegnete ich.

»Aber ich habe einen.« Sittsam hob sie das Hemd, um dem Säugling, der angefangen hatte, unruhig zu werden, die Brust zu geben. »Es ist wegen Mama. Sie macht sich Ihretwegen Sorgen.« Claires sanfte braune Augen suchten meinen Blick. »Sie glaubt, dass Sie in Gefahr schweben, weil sie davon geträumt hat.«

»Was für ein Traum war das?« Eigentlich hatte ich erwidern wollen, es sei albern, Träumen solche Bedeutung zuzumessen, doch meine Neugierde behielt die Oberhand. Ich wollte wissen, was Claire zu sagen hatte.

Sie verlagerte das Baby ein Stückchen. »Sie sagte, Sie täten etwas Gefährliches.« Claire atmete durch. »Miss Sarah, Sie sind von jeher abenteuerlustig gewesen, aber was Sie jetzt tun, es regt Mama fürchterlich auf, was immer es ist.« Wieder holte sie tief Luft. »Und ich bereite ihr schon genug Sorgen.«

»Ich werde mit ihr reden«, versprach ich.

»Was tun Sie denn eigentlich?«

»Nichts Gefährliches, das schwöre ich dir.«

Mit ihren großen Augen blickte sie mich durchdringend an.

»Ich ermittle einen lange zurückliegenden Skandal. Zwanzig Jahre ist das alles her. Außer für die Dame, die mich bezahlt, spielt nichts davon heute noch eine Rolle. Und ich brauche das Geld. Aber gefährlich ist die Sache nicht. Jeder, der damit zu tun hatte, ist entweder tot oder fortgezogen.«

»Was vergraben ist, stinkt oft, wenn man es ausgräbt«, entgegnete Claire.

»Ich habe schließlich nicht vor, damit zur Zeitung zu gehen. Ich arbeite für eine private Klientin.« Das klang gut, fand ich.

»Und Sie haben sich entschlossen, richtig?« Claire war die Resignation anzumerken.

»Ich brauche das Geld wirklich, Claire. Wenn ich nicht bald Geld verdiene, dann verliere ich Dahlia House.«

Sie blickte sich um. Vielleicht dachte sie an die Monate, die sie hier gewohnt hatte, während sich Tammy mit ihren eigenen Problemen herumschlug.

»Dieses Haus gehört doch Ihrer Familie, seit es erbaut wurde. Seit über hundert Jahren.«

»Stimmt.« Es freute mich, dass sie sich doch an einiges von dem erinnerte, was ich ihr erzählt hatte.

Ihr Lächeln war sanft und wirkte für eine Sechzehnjährige erstaunlich weise. »Mama glaubt, ich wäre ein Opfer ihrer Vergangenheit«, sagte sie leise. »Sie möchte nicht mit ansehen, wie auch Sie ein Opfer Ihrer Vorgeschichte werden.«

»Wir alle sind Opfer unserer Vergangenheit«, entgegnete ich. Eine harte Weltsicht, doch sie entsprach der Wahrheit. Vorgeschichte, Erbanlagen, Umwelt – dem guten alten Prinzip der freien Entfaltung des Willens ließen sie nicht sonderlich viel Spielraum.

»Bitte, Miss Sarah, Sie dürfen nicht zulassen, dass dieses alte Haus Ihnen den Tod bringt!«

»Hat deine Mutter dir aufgetragen, mir das zu sagen?« Ich lächelte, damit Claire wusste, dass ich nicht ärgerlich auf sie war.

»Nein, nicht ganz.« Sie zog die Decke enger um die kleine Dahlia und schüttelte den Kopf. »Mir hat sie gesagt, ich soll Sie in Ruhe lassen. Wenn ich auf Sie einrede, sagte sie, bestärke ich Sie nur in Ihrem Trotz.« Mit der Andeutung eines Lächelns auf den Lippen erwartete sie meine Reaktion. »Ich bin gekommen, weil ich Sie wiedersehen wollte, und damit Sie Dahlia sehen können. Zum Teil komme ich natürlich wegen Mama, aber auch aus eigenem Antrieb.«

»Und bist du nun beruhigt?« Ich schnitt den Kürbiskuchen an und legte ein Stück auf einen mit einem Wappen versehenen Delaney-Teller.

»Nein, ich bin alles andere als beruhigt. Im Gegenteil, ich mache mir noch mehr Sorgen als vorher. Dieser Mann, über den Sie ermitteln, dieser Hamilton Garrett. Seinetwegen sollten Sie noch einmal mit Mama reden. Sie hat Ihnen nämlich nicht alles verraten, was sie über ihn weiß.«

»Tammy verrät niemals alles, was sie weiß.« Ich stellte Claire den Kuchenteller hin. »Kürbiskuchen ist die beste bekannte Nahrungsgrundlage für Muttermilch. Iss alles auf.«

Damit hatte ich sie überrascht und erhielt ein breites Lächeln zur Belohnung. Mit Claire zu diskutieren war schon immer ein Vergnügen gewesen, und ich sah nun, dass sie sich zu einer sehr schönen Frau entwickeln würde.

Sie hob die Gabel und wirkte selbst mit dem Säugling im Arm noch grazil. Noch immer lächelnd sagte sie: »Also haben Sie nicht nur den Detektivberuf ergriffen, sondern gleichzeitig auch noch eine Zweigstelle der ›La Leche Organization‹ in Zinnia gegründet. Sie sind eine viel beschäftigte Frau.«

»Ich gebe mir Mühe.« Wie froh ich war, dass sich das Thema von Finsternis und Not abgewandt hatte. Da gaben selbst Babys und Verbände zur Förderung der Brustsäugung mit Muttermilch noch einen besseren Gesprächsstoff her.

»Miss Sarah, wissen Sie, wer mein Vater ist?«

Auf mich übte diese Frage die gleiche Wirkung aus wie der Tritt eines Maultiers. Tammy hatte mir nie auch nur mit einem einzigen Wort angedeutet, wer ihr Kind gezeugt hatte. Offenbar war es Claire nicht anders ergangen, doch genau hier lag, wie ich plötzlich begriff, der wahre Grund für diesen Feiertagsbesuch.

»Tammy behält ihre Geheimnisse für sich«, sagte ich. Wenn sie meinen Zwecken diente, ging mir die Wahrheit sehr leicht von der Zunge. »Sie hat deinen Vater niemals mit auch nur einem Sterbenswörtchen erwähnt.«

»Könnten Sie das für mich herausfinden?«

Ganz bestimmt würde ich selbst für Claire Odom Tammys Vergangenheit nicht ausspionieren. »Ich fürchte nein, Claire. Ich habe schon eine Klientin, und ich stehe erst ganz am Anfang meiner Arbeit. Ich weiß noch gar nicht, ob ich überhaupt damit zurechtkomme.«

»Gewissermaßen hängt es mit dem zusammen, was Sie sowieso schon untersuchen«, entgegnete Claire und blickte dabei den Säugling an, der fest in ihren Armen schlief. »Tun Sie es für Dahlia, damit sie weiß, von wem sie abstammt.«

»Welche Verbindung besteht denn zu meiner laufenden Ermittlung?« Wie auch immer ich Claires Bemerkung drehte und wendete, sie wollte mir nicht im Geringsten gefallen.

»Ich glaube, dass Hamilton Garrett mein Vater ist.« Claire hob den Kopf und schaute mich an. »Ich glaube, dass Mama sich deswegen so aufregt. Und ich glaube, deshalb träumt sie von blutigen weißen Laken.«

7

Als ich mich von meiner Bestürzung so weit erholt hatte, um das Gesagte analysieren zu können, waren Claire und Dahlia bereits fort. Es bestand kein Zweifel, dass irgendwann in der Ahnenreihe der Odoms Schwarz und Weiß das Tier mit den zwei Rücken gespielt hatten. Claire war nicht nur bezaubernd, sondern zudem exotisch. Doch das Gleiche galt für Tammy.

Beinahe ebenso interessant wie Claires Abstammung erschien mir meine eigene Beschränktheit und Gefühlskälte. Kaum war mir jemals in den Sinn gekommen, auch nur einen Gedanken an Claires Vater zu verschwenden. Aus meiner Sicht hatte Tammy nie mit irgendeinem Mann in Verbindung gestanden. Für mich war sie immer ein Mädchen gewesen, das wie viele andere, die ich kannte, eine Tochter zur Welt brachte und zu dem Mann, der dazu einige Millionen Spermien beigesteuert hatte, keine Verbindung mehr besaß. Weshalb hatte ich mir diese Frage nie gestellt?

Ich gestand mir ein, die Antwort schon seit langem zu wissen und verdrängt zu haben: Stillschweigend war ich davon ausgegangen, dass mir der Name des Vaters auch dann nichts gesagt hätte, wenn Tammy ihn mir genannt hätte.

Wer also war der Vater ihres Kindes?

Hamilton Garrett der Fünfte erschien mir die falsche Antwort, denn ihn hatte man nach Europa geschafft. Trotzdem wäre eine Liaison zwischen Tammy und Hamilton nicht unmöglich gewesen – Hamilton konnte schließlich vorübergehend nach Sunflower County zurückgekehrt sein. Doch wo sollte er Tammy kennen gelernt haben? Das erschien mir ein wenig zu weit hergeholt.

Zum allerersten Mal dachte ich darüber nach, wie einsam sich Tammy damals gefühlt haben musste – eine schwangere High-School-Schülerin, die wusste, dass ihr Leben sich durch das Kind, das in ihrem Schoß heranwuchs, grundlegend verändert hatte. Tammy hatte bei ihrer gebrechlichen Großmutter gewohnt, die mehr eine zusätzliche Last bedeutete als Schutz.

Bevor Tammy schwanger wurde, war sie die beste Basketballstürmerin gewesen, die die Zinnia Panthers aufs Feld stellen konnten. Sie hatte sich Hoffnung auf ein College-Stipendium gemacht und sogar eine reelle Chance besessen, in der Basketball-Olympiamannschaft zu spielen. Ihre sportlichen Leistungen hatten ihre einzige Möglichkeit dargestellt, Zinnia hinter sich zu lassen, und durch Claire war ihr diese Fahrkarte verloren gegangen. Diesen Verlust hatte Tammy mit einem Stoizismus hingenommen, der mich nun, im Nachhinein, wo jeder brillant sein kann, sehr erstaunte.

Ich erwog flüchtig, Tammy einen weiteren Besuch abzustatten, schob den Gedanken jedoch rasch beiseite. Wenn sie überhaupt vorhatte, jemandem ihre Vergangenheit zu enthüllen, dann Claire, nicht aber mir oder gar meiner Klientin Tinkie.

Wer war Claires Vater?

Im Lichte von Claires Mutmaßung musste ich mir zwei Fragen stellen: Hatte Tammy etwas Konkretes gehört, was Hamiltons Rückkehr nach Sunflower County betraf, und basierten Tammys Vorhersagen für Tinkie auf Tatsachen oder handelte es sich dabei um eine Art Teufelei?

Die Daddy's Girls gingen nie freundlich mit jenen um, die nicht zu ihrer Clique gehörten. Als Tammys Schwangerschaft offenbar wurde, war sie zum Ziel zahlreicher Bemerkungen und Witzeleien geworden, doch im Grunde hatte sie die Welt, in der die Daddy's Girls lebten, nicht einmal an der Oberfläche berührt. Einige der Mädchen waren gehässig gewesen, sogar grausam, doch Tinkie hatte sich dabei nicht hervorgetan. Dennoch kann auch Gleichgültigkeit für jene, die außen vor bleiben müssen, eine Folter sein.

»Nicht mehr lange, und du hast Hände wie 'ne Scheuerfrau. Wenn du sie noch länger im heißen Wasser lässt, dann wird's nur noch schlimmer.«

Jitty war unbemerkt in die Küche geschlüpft. »Ich nehme nicht an, dass du gekommen bist, um mir beim Saubermachen zu helfen?«, fragte ich.

»Lass die Vergangenheit ruhen, Sarah Booth. Nichts, was du tun kannst, vermag sie noch zu ändern.«

»Ich habe gerade darüber nachgedacht, wie sich die Vergangenheit von selbst ändert«, entgegnete ich. »Wenn man sie erlebt, ist sie so und so, und wenn man sich später daran erinnert, völlig anders.«

»Denken ist eine gefährliche Beschäftigung für Frauen deiner Familie. Sie führt zu dieser tiefen, bedrückenden, unwiderstehlichen Furcht, und du weißt selber, wohin so was eine Frau treiben kann.« Jitty ging zum Küchenfenster und blickte in den klaren Nachmittag hinaus. Jenseits der

Platanen erhob sich eine Gruppe Zedern. Dort befand sich der Familienfriedhof der Delaneys.

Über meine tote Verwandtschaft mochte ich nun nicht nachdenken, deshalb fragte ich Jitty: »Was glaubst du, wer Claires Vater ist?« Jitty wusste darüber so viel wie ich. Möglicherweise sogar mehr.

»Ein stattlicher Mann. Claire ist sehr hübsch.«

Das ließ sich zwar nicht von der Hand weisen, war mir jedoch zu unspezifisch.

»Ich entsinne mich nicht, jemals gesehen zu haben, wie Tammy mit einem Jungen auch nur redete.« Soweit ich wusste, war sie jeden Tag nach der Schule sofort nach Hause gegangen, um sich um ihre Großmutter zu kümmern. In Wahrheit hätte Tammy es mit Brad Pitt treiben können, ohne dass es mir auch nur im Geringsten aufgefallen wäre. Unsere Freundschaft beschränkte sich auf den Schultag. Ich war stets davon ausgegangen, dass sie die Abende in der Gesellschaft ihrer Granny verbrachte.

»So wie ich es sehe«, sagte Jitty, »spielt es überhaupt keine Rolle, wer Claires Vater ist. Das braucht dich gar nicht zu kümmern. Tinkie will von dir wissen, was mit seiner weißhäutigen Familie los ist. An dem farbigen Zweig, wenn's denn einen gibt, wird sie wohl kaum interessiert sein.«

»Nur weil sie nicht weiß, dass er existiert«, erwiderte ich betont.

»Warum eine simple Arbeit unnötig verkomplizieren?« Jitty nickte leicht, als sie in meinen Augen Zustimmung erblickte. »Schließlich musst du Tinkie nicht alles erzählen, was du zutage förderst. Ich glaube, du solltest einen Ausflug nach Knob Hill machen.«

»Das Haus steht leer.«

»Du könntest die Dienstboten befragen. Ganz sicher hatten die Garretts Leute, die für sie arbeiteten. Gärtner, Hausmädchen, schwarze Kinderfrauen. Leute mit so viel Geld haben immer irgendjemanden, der ihnen die Hausarbeit abnimmt.«

Eine gute Idee, aber mir widerstrebte es zutiefst, sie Jitty gutzuschreiben. Sie benahm sich ohnedies schon, als wäre sie mein Boss. Ich blickte auf die Armbanduhr. Fünfzehn Uhr vorbei, eine gute Zeit für einen Besuch. Das Tryptamin aus dem Truthahn musste seine Wirkung mittlerweile entfaltet haben, und die Leute wären dem forschenden Besuch einer Fremden gegenüber aufgeschlossener.

»Ich glaube, ich fahre ein wenig umher«, sagte ich, nahm die Autoschlüssel und schlenderte zur Tür.

»Geh jetzt nicht durch die Tür!«

Jitty verlangte ihren Tribut – ich sollte zugeben, dass ich ihren Vorschlag befolgte. In der Absicht, ihr die kalte Schulter zu zeigen, riss ich die Tür weit auf. Harold Erkwell versperrte mir den Weg.

»Sarah Booth«, begrüßte er mich mit weicher, kultivierter Stimme. »Ich habe mich gefragt, ob du vielleicht Lust hättest, ein wenig frische Luft zu schnappen. Ich dachte, wir fahren ein bisschen durch die Gegend.«

Harold. Ich war für heute mit ihm verabredet. Plötzlich kam mir eine alte Geschichte über einen Mann namens Daniel Webster in den Sinn. Diese Geschichte nahm kein gutes Ende.

Die Atempause, was meine Geldsorgen betraf, war höchstens vorübergehender Natur. Auf keinen Fall durfte ich es mir mit Harold verderben; das konnte ich mir nicht leisten. Jede intelligente Frau weiß, dass es sich bei der Behandlung männlicher Wesen um eine hohe Kunstform handelt, aber verdammt noch mal, Manipulation ist eine zeitraubende Angelegenheit, und ich hatte Wichtiges zu erledigen.

»Das klingt wunderbar«, sagte ich lächelnd. Wie Tante LouLane immer betonte: ›Mit Zuckerwasser fängt ein Mädchen mehr Fliegen als mit Essig‹ – und wenn man sie einmal gefangen hat, kann man sie mit Leichtigkeit erschlagen.

Harold bot mir seinen Arm, und ich zog hinter mir die Tür zu. Jittys schadenfrohes Grinsen würdigte ich keines Blickes.

Harold fuhr einen Sportwagen vom Typ Lexus. Er öffnete die Beifahrertür und half mir in den Sitz. Seine untadeligen Manieren musste ich einfach bewundern. Ich war mit Mädchen aufs College gegangen, die Höflichkeit verabscheuten. Solche Närrinnen! Eine gute Kinderstube ist ein Kokon, der die Reise von der Jugend zum Erwachsensein erleichtert. Wie viele schlimme Augenblicke sich mit dem Balsam der guten Umgangsformen lindern lassen. Wenn ich an Harold sonst nichts Schätzenswertes fand, so doch wenigstens seine feine Lebensart.

Ich fragte nicht, wohin er zu fahren gedachte. Man soll den Männern niemals die Illusion rauben, Herr der Lage zu sein. Für einen Mann, der über Macht verfügt, gibt es nichts Aufregenderes als eine fügsame Frau, eine FF, und nichts Schlimmeres als eine eigenwillige Frau, oder EF.

Während der Zeiten, als Frauen weder Eigentum besitzen durften noch das Wahlrecht besaßen, sammelten die Männer den Großteil ihrer Macht an. Obwohl besonders bei uns in den Südstaaten die Frauen den täglichen Ablauf

auf den großen Landgütern und in den Pflanzerhäusern organisierten, waren sie nicht mehr als Besitz der Männer.

Im alten Süden der Krinolinen und der bezaubernden Blicke wurde die Weiblichkeit auf ein Podest gestellt wie niemals zuvor und seitdem nie wieder. Sanftheit und Fügsamkeit, die Kunst des Flirtens und Gefallens wurden die Töchter mit einem Nachdruck gelehrt, der selbst einem Marineinfanteristen noch Achtung abgenötigt hätte. Schon als Säuglinge, die auf dem Arm getragen wurden, initiierte man die Mädchen in den Illusionskult der hilflosen FF.

Doch unter dem Deckmantel der FF schlug das Herz einer EF. Die Frau war es, die herrschte, doch gleichzeitig machte sie ihren Gemahl glauben, er sei es, der die Zügel fest in der Hand hielt.

Als Ergebnis dieser fügsamen Weiblichkeit erreichte die höfliche Konduite ihren Höhepunkt – die Ritterlichkeit des Südstaatlers, sein Yang zum weiblichen Ying.

Harold war ein herausragendes Exemplar der alten Schule, und dafür bewunderte ich ihn aufrichtig. In Samthandschuhen ausgeübte Macht hat etwas Betörendes an sich, ob sie nun von einer Magnolie aus Stahl stammt oder von einem Südstaaten-Gentleman.

»Wie war dein Festtagsessen?«, fragte Harold, als wir zwischen den knochenbleichen Platanen hindurchfuhren.

»Köstlich.« Er war noch immer verletzt, dass ich mich gegen ein Mahl mit ihm entschieden hatte. Eine Einladung abzulehnen war EF, nicht FF. Männer bitten, Frauen willigen ein – vorzugsweise verschlug es ihnen dabei vor Entzücken den Atem, wenigstens aber hatten sie zu lächeln.

Harold bog nach links auf die Straße ab, ins unbebaute Land; Zinnia lag in der anderen Richtung. Im Ort gehörte

Harold eins der weiträumigen alten Häuser, und dort gab er regelmäßig Empfänge im großen Stil. Ich war ein wenig enttäuscht, dass wir in die andere Richtung fuhren, denn ich besuchte ihn gern zu Hause. Harold besaß einen ausgezeichneten Geschmack. Seine Bibliothek war eine wahre Schatzkammer, und im ganzen Haus hingen alte Meister an den Wänden, dazu eine interessante Auswahl von Werken zeitgenössischer junger Künstler, die Harold unterstützte und für die er sich einsetzte. Weil er unverheiratet war und bei der Inneneinrichtung einen auserlesenen Geschmack bewies, hatte es Gerede über seine sexuelle Orientierung gegeben, doch dabei handelte es sich um den Tratsch abgewiesener Verehrerinnen respektive ihrer Mütter. Man betrachtete Harold als begehrenswerten Fang, und wem er vom Haken glitt, wurde schnell gehässig.

Der Nachmittag war sonnig, und wir durchquerten eine Landschaft aus braunen Feldern, übersät von Baumwollsamenkapseln, die den Pflückmaschinen entgangen waren. Der zerrupfte Anblick der Felder erschien mir fast sinnbildlich für das Mississippi-Delta, wo großer Reichtum und große Armut so eng nebeneinander existieren – ein Land der Extreme in beinahe jeder Beziehung.

»Sarah Booth, du hattest mir eine Antwort versprochen«, sagte Harold.

Erneut versuchte ich, meine Einwände gegen Harold auf den Punkt zu bringen. Er war gut aussehend, vermögend und einflussreich. Zudem behandelte er mich stets mit Achtung. Es hätte schlimmer kommen können. Dennoch brachte ich nicht die Überwindung auf, ihm nachzugeben. Aus welchem Grund? Ganz bestimmt nicht deswegen, weil mir meine Moralvorstellungen verboten, ihm gegen finanzielle Zuwendungen körperlich zu Willen zu sein. Jede Beziehung besteht auf die eine oder andere Art aus Geben und Nehmen. Nein, das wäre ein offener, ehrenwerter Handel gewesen.

»Warum begehrst du mich, Harold?« Wenn ich ihn verstand, fiel es mir möglicherweise leichter, mit ihm einverstanden zu sein.

»Das weiß ich nicht«, antwortete er und betrachtete mich leicht erstaunt. »Du bist attraktiv, doch gibt es hier genügend gut aussehende Frauen, und eigentlich bevorzuge ich Blondinen.«

Ich bedachte ihn mit einem Seitenblick. »Worauf willst du hinaus?«

»Du bist attraktiv, Sarah Booth, aber es gibt schöne Frauen, die nicht so schwierig sind. Sag mir eins: Hattest du je eine erfolgreiche Beziehung mit einem Mann?«

Zuerst erschütterte mich seine Frage, dann regte sich in mir die Verärgerung. Was verstand er denn wohl unter erfolgreich? »Willst du mich fragen, weshalb ich nicht verheiratet bin?«, konterte ich.

»Zum Teil. Beginnen wir damit.«

»Heirat macht zu viel Mühe.« Diese Antwort musste auf ihn genauso wirken, als hätte ich ihm einen Kübel Eiswasser übergegossen.

»Deine Vorstellung von einer erfolgreichen Beziehung lautet also kurzfristig und ohne viel Mühe?«

Mir gefiel seine Vorgehensweise nicht, doch bisher hatte er nur wiederholt, was ich gesagt hatte – oder wenigstens beinahe. »Mehr oder weniger«, entgegnete ich. »Worauf soll das alles hinauslaufen, Harold?«

Er lenkte den Wagen auf eine ungepflasterte Nebenstraße

und hielt am Opal Lake an. Die Strahlen der tief stehenden Sonne spiegelten sich auf dem Wasser und funkelten wie der Halbedelstein, nach dem der See benannt war. Schon lange war ich nicht mehr an den Opal Lake gefahren. Hier parkten nachts die Teenager, um im Auto zu fummeln. Aber ich war kein Teenager mehr, und wir hatten helllichten Tag.

»Ich habe dir einen Antrag zu machen«, sagte er. »Einen offiziellen.«

Ich fragte mich, ob er einen aufgesetzten Vertrag in der Brusttasche hatte. Im Grunde kannte ich die Bedingungen bereits: Ich würde ihm als Mätresse dienen und er mir dafür helfen, Dahlia House zu entschulden. Von einem unbeteiligten, praktischen Standpunkt aus war es ein Handel, der uns beiden nützte. Ich wich seinem Blick aus. »Ich kann nicht als Teil einer geschäftlichen Abmachung mit dir schlafen, Harold«, sagte ich. Leicht fiel es mir nicht; Harold war meine Trumpfkarte, mein Ass im Ärmel, und ich trennte mich gerade davon. »Ich schaffe das einfach nicht, Harold. Auf lange Sicht würde ich mich deswegen schlimmer fühlen als wegen des Verlusts von Dahlia House.«

»Wäre es für dich so schlimm, mit mir zu schlafen?«, fragte er.

»Nein«, antwortete ich ehrlich. »Schlimm wäre es, weil du mich dazu erpresst.« Aha! Hier lag der Grund für meinen Widerstand. Nötigung kam überhaupt nicht gut bei mir an. Ich hob den Blick zu seinem lächelnden Gesicht. Seine Fröhlichkeit weckte Besorgnis in mir. »Was?«

»Das ist es, was mich zu dir hinzieht: dein Trotz, deine Weigerung, dem Druck nachzugeben. Ich finde das außerordentlich aufregend.«

Und so war es wohl wirklich. Das erkannte ich an dem

Erröten seiner Wangen und seinem beschleunigten Atem. Erneut wurde ich mir der Einsamkeit des Opal Lake bewusst. Es würde noch dauern, bis die Teenager eintrafen.

»Nach einer Weile würdest du es allenfalls lästig finden«, entgegnete ich und rückte von ihm ab zur ledergepolsterten Autotür. Hinter mir rastete die Zentralverriegelung ein, als Harold den Knopf auf dem Instrumentenbrett drückte. Er lächelte breiter.

»Ach, das bezweifle ich.« Er legte den rechten Arm auf die Lehne meines Sitzes, und ich bemerkte, dass er Lederhandschuhe trug. Zwar passt Leder zu einem Mann wie Harold, doch die Handschuhe beunruhigten mich.

»Glaube mir, Harold, du würdest entdecken, dass ich sehr, sehr unvergnüglich bin. Verlass dich darauf.« Ich stellte fest, dass ich sehr, sehr besorgt war. Mein Hauptfach auf Ole Miss war Psychologie gewesen, mein Hauptinteresse hatte anomalem Verhalten gegolten. Es war gar nicht so weit hergeholt, auf einen zwanghaft Herrschsüchtigen zu treffen, der letztendlich auf die ultimative Machtausübung abzielte – auf die Gewalt über Leben und Tod.

Er bewegte die Finger seiner rechten Hand keine fünf Zentimeter von meinem Kopf entfernt in dem Lederhandschuh – ein langsames, träges Knirschen.

»Sarah Booth, ich muss zugeben, dass du mich einfach faszinierst. Trotzdem gibt es Dinge an dir, die mich mit Sorge erfüllen.«

»Da bin ich mir sicher«, entgegnete ich und schenkte ihm ein munteres Grinsen. »Mehr als du zählen kannst. Ich bin einfach nicht den Aufwand wert.«

»Mit wem sprichst du ständig?«

Diese Frage warf mich völlig aus dem Gleichgewicht.

»Mit wem ich spreche?« Ich begriff, dass er nur Jitty meinen konnte, aber wann hatte er unser Gespräch belauscht? Ich erinnerte mich daran, dass er mir im Spierstrauch aufgelauert hatte. Schlich er etwa häufiger auf meinem Grundstück umher und spionierte mir nach? Ich war ja eine schöne Detektivin! Ein Verrückter lauerte in meinem Garten, und ich bemerkte es nicht einmal.

»Jedes Mal, wenn ich an deine Tür komme, höre ich dich reden. Und deine Stimme klingt dabei so, als würdest du glauben, dass jemand dir antwortet.«

Er schob seine Hand noch etwas näher an meinen Hals. Noch enger konnte ich mich nicht an die Autotür pressen.

»Mit wem sprichst du?«

»Mit mir selbst?«, sagte ich zaghaft.

Er lächelte. »Sämtliche Delaneys liegen bei Dahlia House begraben, stimmt's?«

Ich musste schlucken. Dass er Begräbnisse und Friedhöfe erwähnte, erschien mir nicht gerade als gutes Zeichen. Ich nickte vorsichtig. »Die meisten großen alten Plantagen haben ihren eigenen Friedhof.«

»Mit welcher deiner toten Verwandten unterhältst du dich denn?«

Jitty war zwar keine Verwandte, aber sie gehörte zur Familie. »Mit einer, die mir sehr nahe steht.« Ich bemühte mich, traurig zu klingen.

»Hältst du es nicht für ein wenig merkwürdig für eine Dreiunddreißigjährige, sich mit toten Verwandten zu unterhalten? Du hast dich sehr weit von den Mädchen entfernt, unter denen du aufgewachsen bist.«

Richtig. Ich besaß nicht genügend Geld, um mir The Club leisten zu können, die Tennisspiele oder die Wohltätigkeitsveranstaltungen. »Ich habe mich in mancherlei Hinsicht verändert, Harold. Ich lebe ein anderes Leben als sie.«

»Du hast nicht das Geld, um mithalten zu können.«

Er hatte den Nagel auf den Kopf getroffen. »So kann man es sicherlich sehen. Eine andere Sicht lautet, dass ich mich von ihnen unterscheide.« Im gleichen Augenblick, in dem ich die Worte aussprach, erkannte ich, wie wahr sie waren. Die Daddy's Girls hatten geheiratet, Familien gegründet und sich dem Leben ergeben, dem ich mich entzog.

»Du könntest umkehren und wieder werden wie sie. Dazu bist du geboren und erzogen worden.«

»Könnte ich das?« Diese Frage stellte ich ebenso sehr mir selbst wie ihm.

Seine Hand zuckte vor und ergriff so plötzlich meine Schulter, dass ich aufkeuchte. Seine andere, zur Faust geballte Hand schob sich näher. Dann öffneten sich die Finger, und auf Harolds Handfläche lag eine kleine Samtschachtel.

»Für dich«, sagte er.

Meine Hand zitterte, als ich das Schächtelchen entgegennahm. Ohne dazu aufgefordert worden zu sein, öffnete ich den Deckel und sah mir den Diamanten an. Er hatte wenigstens vier Karat, wirkte jedoch in keiner Weise protzig. Unglaublich. Noch nie hatte ich ein so prächtiges Juwel erblickt. »Wunderschön«, sagte ich.

»Heirate mich, Sarah Booth. Zuerst dachte ich, dass ich nur eine beiläufige Affäre suche, doch nun weiß ich, dass ich dich zur Frau will. Ich möchte, dass du meine Kinder auf die Welt bringst und Teil meiner Zukunft bist.«

Ich hielt den Ring in der rechten Hand und blickte Harold in die Augen, die von einem helleren Blau waren als ich es je gesehen hatte. Völlig unmöglich festzustellen, welches Gefühl sich hinter ihnen verbarg – Eroberungsdrang, Liebe oder etwas anderes.

»Ich kann dich nicht heiraten«, sagte ich und gab ihm den Ring zurück.

»Kannst du nicht oder willst du nicht?« Er klang nicht erbost.

»Ich weiß, dass es verrückt klingt, aber ich habe noch nicht geheiratet, weil ich noch nie verliebt gewesen bin.« Sogar mir selbst erschien dieses Argument lächerlich. Daddy's Girls wussten von Geburt an, dass Liebe ein wankelmütiger Gefährte ist – vielmehr bildet materielle Sicherheit die Grundlage einer dauerhaften Beziehung. »Ich werde heiraten, wenn ich den Richtigen gefunden habe.«

Harolds Lächeln verbreiterte sich erneut. »Ich habe deine Antwort schon im Voraus gewusst.« Er drehte den Zündschlüssel, und der Lexus erwachte schnurrend zu neuem Leben. »Eine perfekte Antwort, Sarah Booth. Sie macht mich nur umso entschlossener.«

Großartig. Genau, was ich beabsichtigt hatte. »Harold, ich bezweifle, dass du mit Entschlossenheit bei mir weiterkommst.«

Er wendete und fuhr langsam zur Straße zurück. Wieder auf dem Asphalt zu sein, wo andere Autos vorbeifuhren, erleichterte mich gehörig.

»Gibt es einen anderen?«, fragte er.

»Nein«, antwortete ich aufrichtig.

»Gut, denn das hätte mich vielleicht zu einer Verzweiflungstat getrieben.« Er streckte die Hand aus und drückte mir sanft die Finger. »Ich betrachte es als Herausforderung. Du wirst mich heiraten, Sarah Booth, und zwar eher als du glaubst.«

8

Knob Hill bot einen fantastischen Anblick, besonders vor dem Hintergrund, vor dem ich es zum ersten Mal sah: einem klaren Sonnenuntergang über dem Delta. Hinter dem zweistöckigen Gebäude brannte der Himmel in einem feurigen Rosa, das sich zu Korallenrot, dann Mauve und, dicht am Horizont, einem hochintensiven Purpur vertiefte. Beiderseits des Hauses erstreckten sich die Baumwollfelder, die vom verlöschenden Licht in die Farbe gebrannter Umbra getaucht wurden.

Die Einzelheiten des Hauses verloren sich schon in den Schatten, als ich den gewundenen Weg hinauffuhr, der zum Gipfel des Hügels führte und an der Haustüre endete. Trotzdem konnte ich mehr als genug erkennen.

Dahlia House war wunderschön; Knob Hill stellte jedoch die Hollywood-Version der Südstaaten-Architektur dar. Das komplette Erdgeschoss umlief eine breite Veranda, eingezäunt von einer Reihe grauer Latten, die im schwindenden Licht wie frisch gestrichen wirkten. Stämmige weiße Pfosten stützten den Balkon des ersten Stockwerks. Für ein Geisterhaus war Knob Hill in ausgezeichnetem Zustand.

Ich war erstaunt, das Tor offen vorzufinden. Eigentlich hatte ich geplant, ohne Stopp am Haus vorbeizufahren und dabei einen Blick darauf zu werfen; eigentlich wollte ich zu der kleinen Gemeinde von Bunker, um dort nach Leuten zu suchen, die früher auf Knob Hill als Dienstboten tätig gewesen waren.

Doch da das Tor offen stand, beschloss ich, einen Abstecher zu machen und das Anwesen in Augenschein zu nehmen, auf dem Hamilton Garrett seine prägenden Lebensjahre verbracht hatte. Mir drängte sich die Frage auf, wie ihm wohl Europa im Vergleich zu diesem Königreich erschienen sei. Trotz der Kultur und der Pracht aller kontinentalen Städte wäre mir der Tausch jedenfalls nicht leicht gefallen.

Ich stieg aus dem Wagen, mehr aus dem Grund, dass ich mir ein wenig die Beine vertreten wollte, als dass ich einen bestimmten Zweck verfolgte. Die Neugierde führte mich indes die Treppen zur Veranda hinauf, von wo aus ich durch die Vorderfenster lugen konnte. Diese Fenster waren zweieinhalb Meter hoch und reichten bis zum Boden; in den heißen Sommern konnte man sie öffnen und die Brisen vom Delta kühlend durchs ganze Haus wehen lassen.

Trotz der Spitzengardinen konnte ich im Hausinnern einige Einzelheiten ausmachen, doch die Muster und die anbrechende Dunkelheit erschwerten es mir, irgendetwas deutlich zu erkennen.

Ich schlich auf der Vorderveranda weiter. Wenn ich ehrlich war, musste ich zugeben, lediglich meine Neugier zu befriedigen. Ich schnüffelte herum. Andererseits wurde ich genau dafür bezahlt. So schlecht gefiel mir dieser Job gar nicht. Als ich an eine der Glasscheiben zu beiden Seiten der Eingangstür gelangte, entdeckte ich zu meinem Erstaunen einen Koffer, der neben der Treppe stand. Eigentlich hätte mich diese Entdeckung zur Vorsicht mahnen sollen, doch da fiel mein Blick auf die einzigartige Skulptur drinnen am Fuß der Treppe. Sie bestand aus klarem und aus mattem Glas und stellte eine Frau dar, die sich gegen einen Sturmwind stemmte. Ihr Haar flatterte, und sie hielt sich mit der Hand an einem Baumstamm fest, um den sich Ranken wanden. Das Licht der untergehenden Sonne fing sich in der Statue, und die gläserne Haut der jungen Frau leuchtete rosa auf. Der Anblick schlug mich völlig in Bann, bis eine Bewegung auf halber Höhe der Treppe meine Aufmerksamkeit erregte. Der Mann, der auf den geschwungenen Stufen stand, schien im Gegensatz zur Statue aus Metall zu bestehen. Während sie vom Licht erfüllt wurde und es zurückstrahlte, schien er alle Helligkeit in sich aufzusaugen. Er kam langsam die Stufen herunter, und sein zwingender Blick haftete auf mir. Ich vermochte nicht die Augen von ihm abzuwenden, als fessele uns elektrischer Strom aneinander. Der Fremde beschleunigte den Schritt.

Ich hörte ihn näher kommen. Die Haustür wurde aufgerissen, und ich wandte mich um. Ich eilte bereits zum Rand der Veranda – dort konnte ich hinabspringen, ohne mich zu verletzen; sie war nur drei oder vier Fuß hoch. Flucht erschien mir als einzige sinnvolle Reaktion.

Ich kam drei Schritte weit, dann packte er mich unnachgiebig und mit großer Kraft an der Schulter. Es fühlte sich an, als bohrten sich seine Finger mir ins Fleisch und krallten sich fest um den Knochen. Ich geriet bei dem unerwarteten Schmerz ins Taumeln und verlor den Boden unter den Füßen. Ich ließ mich auf ein Knie nieder und hob den Kopf, um zu sehen, welcher Teufel mich da in seinen Klauen gefangen hielt.

Ein vor Zorn rasendes Gesicht stierte auf mich herab. Dunkles, welliges Haar umrahmte wutverzerrte Züge, grüne Augen brannten in fieberhafter Erregung. Der Mann verstärkte seinen Griff noch und entlockte mir einen Aufschrei. Ich krümmte mich zusammen und versuchte vergebens dem Schmerz zu entkommen.

»Was haben Sie hier zu suchen?«, herrschte er mich an. »Wer hat Sie geschickt?«

Dann schien er zu begreifen, dass sein Griff mir jede Antwort unmöglich machte, denn er lockerte ihn fast völlig und übte nur noch so viel Kraft aus, wie erforderlich war, um mich wieder auf die Beine zu ziehen.

Mein erster Gedanke lautete, ihm das Knie so fest ich nur konnte zwischen die Beine zu rammen. Zwar würde ich damit trotzdem nicht davonkommen, aber wenigstens hätte ich mich revanchiert. Andererseits war es mir die Rache nicht wert, das Risiko einzugehen, dass sich diese kräftigen Finger um meinen Hals schlossen. Daher begnügte ich mich damit, ihm auf die Hand zu schlagen. »Sie tun mir weh!«

Endlich ließ er mich los. »Zum letzten Mal: Wer sind Sie?«

Er sprach mit einem fremden Einschlag, den ich nicht genau benennen konnte. Ich atmete tief durch und blickte wieder zu ihm hoch. In seinem Gesicht war die Wut der Vorsicht gewichen, und der Wechsel des Ausdrucks erschien mir höchst bemerkenswert: Nun erst fiel mir auf, wie überaus gut aussehend mein Gegner war. Mir kam Tinkies Ausdruck in den Sinn: ›Ein dunkler Mann‹, hatte sie gesagt. Eine bessere Beschreibung gab es für ihn nicht – ob körperlich oder emotional. Blut, das ihm ins Gesicht gestiegen war, schattierte seinen olivenfarbenen Teint, und die vollen Lippen hatte er herausfordernd gestrafft. Mit diesem Mann legte man sich besser nicht an. Das wusste ich auf der Stelle, noch bevor ich mir seiner breiten Schultern bewusst wurde, seiner großen Hände, die er zu Fäusten geballt hatte, und der Schlankheit seiner Hüften und Schenkel, die große Körperkraft verrieten.

In seinen grünen Augen standen Ungeduld und gleichzeitig eine Warnung. Ein gefährlicher Mensch, dachte ich, und ich sollte ihm seine Fragen wohl besser beantworten. Ein herrlicher Kitzel.

»Ich heiße Sarah Booth Delaney, von Dahlia House. Und wer sind Sie?« Wie du mir, so ich dir. Ein einflussreicher Mann ist wie ein Pferd – beiden darf man niemals Furcht zeigen.

»Was haben Sie auf meinem Grund und Boden verloren?«

Mein Scharfsinn reichte aus, um nicht zu überhören, auf welchem Pronomen die Betonung lag. Das also war Hamilton Garrett der Fünfte. In Fleisch und Blut stand er vor mir. Ich musste mir eine Geschichte einfallen lassen, und zwar schnell.

»Ich hatte gehofft, Sie oder jemanden von Ihrem Personal hier anzutreffen«, sagte ich. »Cece Dee Falcon hat mich gebeten, eine Story über die großen Weihnachtspartys in dieser Gegend zu schreiben. Da Sie nach Hause zurückgekehrt sind, würde die Zeitung gern wissen, ob Sie für dieses Jahr ein Fest auf Knob Hill planen?«

Schwach, aber besser als nichts. Und Cece würde die Geschichte decken, wenn ich ihr dafür ein wenig Tratsch anbot.

Hamilton zog die linke Augenbraue hoch. »Knob Hill ist

seit siebzehn Jahren unbewohnt. Was bringt Sie auf den Gedanken, dass wir ausgerechnet dieses Jahr eine Party geben könnten?«

»Ich dachte, es könnte nicht schaden zu fragen.« Ich lächelte und wünschte, ein wenig mehr Erfahrung darin zu besitzen, die Schwache und Hilflose zu spielen. Selbst wenn mein Gegenüber bemerkte, dass ich log, hätte seine Ehre ihm verboten, eine hilflose Frau bloßzustellen. Das setzte freilich voraus, dass sich ein mutmaßlicher Mörder noch immer an den Kodex der Südstaatler gebunden fühlte.

»Delaney«, sagte er nachdenklich und ohne den Blick von mir zu nehmen. »Ich weiß, wer Sie sind.«

»Aber selbstverständlich«, entgegnete ich. »Ich erinnere mich noch an den Weihnachtsumzug von 1979, als Sie Königin Treena im Kabriolett Ihres Vaters herumfuhren.« Nun befand ich mich wieder auf sicherem Terrain. Wir tauschten bereits unsere Ahnenreihen aus. Der Moment der Gefahr war vorüber, obwohl ich noch immer zitterte, wenn ich an seine Berührung auch nur dachte.

»Mein letztes Weihnachten in Sunflower County«, sagte er, und die Kälte seiner Stimme weckte in mir den Wunsch, ich hätte eine andere Erinnerung hervorgekramt. Hamilton trat einen Schritt zurück. »Auf Knob Hill wird es keine Partys geben. Bitte belästigen Sie uns nicht noch einmal.«

»Bleiben Sie auf Dauer hier?«

Seine Miene verhärtete sich. »Mein Kommen und Gehen hat niemanden zu interessieren. Ganz besonders keine Klatschkolumnisten. Ich gebe Ihnen einen guten Rat: Halten Sie sich von meinem Grund und Boden fern, sonst haben Sie sich die Konsequenzen selber zuzuschreiben.« Er trat noch einen Schritt zurück, drehte sich um und ging wieder ins Haus. Mit einem satten Rums schlug er die Tür hinter sich zu.

Als ich zum Auto zurückging, bemerkte ich, dass meine Schulter pochte. Ich stieg ein, verriegelte die Türen und zog den Kragen meiner Bluse herunter. Auf meiner Schulter sah ich die Abdrücke seiner Finger. Mir winkten farbenfrohe Flecken, so viel stand fest.

Während ich die sanft geschwungene Zufahrt hinabkutschierte, blickte ich immer wieder in den Rückspiegel. Wie eine gewaltige schwarze Festung erhob sich Knob Hill gegen den silbrigen Abendhimmel. Ich bemerkte, dass sich im zweiten Obergeschoss ein einzelnes Fenster erhellte. Mir klapperten die Zähne, und ich schaltete die Autoheizung ein. Die einbrechende Nacht stahl die Wärme des Tages.

Und Hamilton Garrett hatte mir die meine gestohlen. Mit eisigen Fingern umklammerte ich das Lenkrad und bog nach rechts in Richtung Bunker ab. Noch immer beabsichtigte ich die Leute zu finden, die früher einmal für die Garretts gearbeitet hatten.

Eins hatte ich mit Harold Erkwell gemeinsam: eine grimmige Entschlossenheit, die nur stärker wurde, wenn sie auf Widerstand stieß. Nun hatte ich ein persönliches Interesse, die Wahrheit herauszufinden über das, was sich vor zwanzig Jahren hier ereignet hatte. Hamilton Garrett hatte mein Leben berührt und seinen Eindruck hinterlassen – hatte ihn mir ins Fleisch gegraben.

Bunker bestand aus einer Straßenkreuzung mit einer Tankstelle, an die eine Gemischtwarenhandlung angeschlossen war, einer Videothek, die auch Viehfutter verkaufte, und

Baumwollfeldern, die sich so weit erstreckten, wie das Auge reichte. Der Laden war geöffnet, und der Besitzer erzählte mir, dass Amos Henry, der sich als Gärtner um das Land von Knob Hill kümmerte, auf einer kleinen Farm zwei Meilen westlich vom Ort wohnte.

Während ich auf den Mississippi zufuhr, ertappte ich mich dabei, wie ich immer wieder Hamilton Garrett, den dunklen Herrn auf Knob Hill, vor meinem geistigen Auge Revue passieren ließ. Männer wie ihn vergisst eine Frau nicht, und ich begriff nun, was Tinkie an ihm so sehr faszinierte. Doch war Hamilton ein harter Mann, ein Mann, der verlangte, dass man ihn zufrieden stellte. Um Claires willen hoffte ich, dass er nicht ihr Vater war.

An dieser Stelle der Bezirksstraße 33 erblickte ich die Abzweigung, die ich nehmen musste. Alles, was ich im Licht der Autoscheinwerfer von der Farm der Henrys sah, wirkte überaus ordentlich und gepflegt. Das Licht, das aus dem kleinen Bauernhaus fiel, strahlte einladend, und ich empfand ein dringendes Bedürfnis, in die Wärme zu tauchen, die das Häuschen versprach.

Auf mein Klopfen hin kam eine Frau an die Tür, die vielleicht fünfzig war, vielleicht aber auch siebzig. »Wie kann ich Ihnen helfen?«, fragte sie.

Ich stellte mich vor – diesmal blieb ich bei der reinen Wahrheit –, und erklärte, dass ich Nachforschungen über die Familie Garrett anstellte. Mrs. Henry fragte nicht nach meinen Gründen, und ich verriet sie ihr nicht.

»Da müssen Sie mit Mr. Henry sprechen«, sagte sie und öffnete die Fliegengittertür, um mich eintreten zu lassen.

Im Haus war es warm, und der Geruch nach gutem Essen füllte die Luft.

»Wir haben noch etwas vom Abendessen übrig«, sagte Mrs. Henry. »Wenn es Ihnen nichts ausmacht, in der Küche zu essen ...«

Ganz gewiss nicht. Ich folgte ihr und ließ mich auf den mir angewiesenen Platz nieder, während sie am Herd einen Teller füllte, den sie mir vorsetzte. Truthahn mit Sauce, Schinken, Süßkartoffeln – wie die Tradition es verlangte, gerade mit genügend Variation zu meiner eigenen Küche zubereitet, um eine interessante Erfahrung zu bilden.

Rechts von mir saß ein älterer Mann, der mir lächelnd zunickte, aber weiteraß. Mich beschlich der Gedanke, dass er seine Prioritäten richtig setzte, und kaum hatte sich Mrs. Henry an den Tisch gesetzt, als wir alle unser Hauptaugenmerk auf das Essen richteten. Wir unterhielten uns dabei über das Wetter, das nächste Jahr, Ackerbau und den Baumwollpreis.

»Großartig«, lobte ich das Essen, als ich meinen Teller leer gegessen hatte.

»Sie möchte etwas über die Garretts erfahren«, sagte Mrs. Henry. »Sie kommt von Dahlia House. Eine der Delaneys aus Zinnia drüben.«

»Ich habe Ihren Vater gekannt«, sagte Henry. Ich glaubte, in seinen Augen einen Anflug von Traurigkeit zu bemerken, als er mich anblickte. »Ein guter Mann war er. Ein gerechter Mann. Er fürchtete sich nicht davor, anderen zu helfen.«

»Ja, so war er«, stimmte ich ihm zu.

»Sie haben also Schwierigkeiten mit den Garretts?« Er nippte an der Kaffeetasse, die seine Frau ihm hingestellt hatte. Ich erhielt ebenfalls eine Tasse, dazu Milch und Zucker und ein großes Stück Kürbiskuchen mit echter Schlagsahne. So habe ich ihn am liebsten.

»Nein.« Ich musste an meine Schulter denken und stellte fest, dass ich gelogen hatte. »Ich habe Hamilton Garrett heute erst kennen gelernt und fand ihn ziemlich – energisch. Die Informationen sammle ich jedoch für jemand anderen.«

»Sie sind Privatdetektivin?« Er runzelte die Stirn.

Ich hatte noch nicht daran gedacht, mich so zu nennen. Schließlich besaß ich keine Lizenz oder dergleichen. Doch beschrieb dieser Begriff sehr gut die Aufgabe, die Tinkie mir erteilt hatte. »Ja«, antwortete ich daher, »in gewisser Weise schon.«

»Die Garretts hatten sehr viel Kummer. Großen Kummer. Vielleicht wär's besser, schlafende Hunde nicht zu wecken.«

In seiner Stimme lag ein Unterton, den ich nicht recht einzuordnen vermochte. »Meine Klientin besitzt gute Gründe, gewisse Dinge in Erfahrung zu bringen. Sie möchte ihre eigenen ... Interessen beschützt sehen. Die Angelegenheit ist persönlicher Natur.«

Er dachte eine Weile darüber nach. Mrs. Henry nahm ihr Kaffeegedeck vom Tisch. »Ich gehe fernsehen«, sagte sie und verließ die Küche.

Als Amos Henry zu reden begann, starrte er noch immer an die Wand. »Nachdem ich fünfzig Jahre lang für die Garretts gearbeitet habe, bin ich heute Morgen gefeuert worden. Am Thanksgiving-Day. Schönes Erntedankfest«, sagte er. Er lehnte sich zurück. »Gestern hab ich noch den Garten vom Herbstlaub befreit, und heute Morgen saß ich auf der Veranda. Ich war nur rübergefahren, um mich zu vergewissern, dass ich gestern Abend den Werkzeugschuppen abgeschlossen hatte. Da kam der junge Hamilton mit dem Auto an. Er ließ den Motor laufen und kam auf die Veranda. Einen Moment lang habe ich geglaubt, ich hätte eine Halluzination, so wie er vor mir stand. Er war zu einem Mann herangewachsen, aber ich habe ihn trotzdem erkannt. Ich bin aufgestanden, ein wenig langsam vielleicht, so als wäre ich benommen, und dann habe ich gelächelt. An dieses Lächeln erinnere ich mich, weil sich meine Lippen streckten und spannten, immer länger, bis es mir im Gesicht wehtat. Aber ich konnte nicht aufhören, weil ich so froh war, ihn zu sehen. Es ist schwer, an einem Haus zu arbeiten, wo kein Mensch wohnt. Es ist schwer, Blumen wachsen zu lassen, wenn es niemanden gibt, der sie sieht und sich freut, wie schön sie sind.

Ich bin grinsend wie ein alter Waschbärhund auf ihn zugegangen und streckte ihm die Hand hin. ›Sie sind zu Hause‹, sagte ich. ›Ich kann's gar nicht fassen, dass Sie endlich nach Hause gekommen sind.‹

Und er sagte, ohne auch nur auf meine Hand zu blicken: ›Jawohl, ich bin zu Hause. Ihre Dienste benötige ich nicht mehr.‹ Und er griff in die Tasche und holte ein Stück Papier heraus. Das hat er mir in die Hand gedrückt, dann ging er zurück zum Auto und fuhr davon.«

Amos Henry fasste sich in die Hemdtasche und zog ein Stück Papier hervor. Sorgfältig entfaltete er es und reichte es mir.

Es handelte sich um einen Scheck, und als ich den Betrag sah, atmete ich hörbar ein. Der Scheck war auf zwanzigtausend Dollar ausgestellt. Die Unterschrift bestand aus krakeligen, breiten schwarzen Buchstaben.

»Sind Sie für Ihre Arbeit auf Knob Hill bezahlt worden, Mr. Henry?«

»Jeden Monat hab ich meinen Scheck bekommen, pünktlicher ging's nicht.«

»Dann ist das eine Abfindung?« Ich gab ihm den Scheck zurück. Hamilton Garrett war folglich energisch, unbarmherzig und freigebig.

»So würden's manche Leute wohl nennen.« Er warf den Scheck auf den Tisch. »Ich bin in meinem ganzen Leben noch nicht gefeuert worden. Fünfzig Jahre lang bin ich dahin gegangen und hab jeden Tag gearbeitet, obwohl niemand hätte sagen können, ob ich da war oder nicht. Und jetzt werde ich einfach so entlassen.« Er schüttelte den Kopf.

»Ist Hamilton verheiratet?« Ich dachte dabei an Tinkie. Das würde sie gewiss erfahren wollen.

Er schüttelte wieder den Kopf. »Soweit ich weiß, hat keins der Kinder je geheiratet. Und meiner Meinung nach werden sie auch nie heiraten, nach allem, was da vorgefallen ist. Bis heute Morgen hatte ich kein Wort mit dem Jungen mehr gesprochen, seitdem er Knob Hill verlassen hat. Seit Mr. Guy und seine Frau tot sind, habe ich meine Anweisungen immer von Mr. Wade bekommen, dem Grundstücksverwalter.«

»Guy?« Dieser Spitzname war mir bisher nicht zu Ohren gekommen.

»So haben wir ihn genannt. Zu viele Hamiltons in der Familie. Zu einer Zeit, da lebten Mr. Guy und sein Vater und der kleine Hamilton auf Knob Hill. Man sollte glauben, dass man mit so viel Geld auch ein Buch kaufen kann, wo ein paar Babynamen drinstehen.«

Zum ersten Mal lächelte er, und ich erwiderte es freundlich. Ich mochte Amos Henry. Er verfügte über ein gerüttelt Maß an Würde.

»Erzählen Sie mir von Mr. Guy und Mrs. Veronica«, bat

ich ihn und spießte ein Stückchen Kuchen auf die Gabel. Gut ging es mir. Privatdetektivin zu sein war ein prima Job. »Waren sie glücklich miteinander?«

Wieder betrachtete Amos lange die Küchenwand. Ich merkte ihm an, dass er alte Erinnerungen wälzte, Dinge, über die er schon einmal nachgedacht hatte. »Verheiratet zu sein führt nicht immer zum Glück«, sagte er. »Manchmal macht das Geld das Leben schwieriger, egal, ob es nicht reicht oder ob man zu viel davon hat. Mrs. Veronica verbrauchte Geld. Mr. Guy hatte es. Dadurch stand immer von vornherein fest, wer das Sagen hatte. Das kann zwischen zwei Menschen zu sehr viel Unruhe führen.«

Auf diese Weise wollte er mir sagen, dass es Eheprobleme gegeben hatte. Entweder beherrschte Guy durch sein Geld seine Frau, oder seine Frau war so gierig, dass sie nie genug bekommen konnte.

»Es gibt Gerede, Mrs. Garrett hätte vielleicht einen Geliebten gehabt.« Wie sollte man hier um den heißen Brei herumreden? »Stimmt das?«

»Sie sah sehr gut aus. Und sie mochte es gern, wenn ein Mann ihr hinterhersah. Egal, welcher Mann das war. Mit der Tochter, Sylvia, gab es größere Schwierigkeiten. Sogar als sie noch ganz klein war, verkroch das Mädchen sich unter meinen Büschen. Stundenlang konnte sie dort hocken und warten; sie tat nichts anderes, als ihre Mutter zu beobachten. Sie beobachtete immer. Wenn ich ehrlich bin, war mir gar nicht wohl dabei. Die Kleine war wunderschön, aber sie lachte oder spielte nie. Sie beobachtete nur. Fast war es, als ob eine alte, eine sehr alte Frau in diesem kleinen Mädchen gefangen säße und auf etwas wartete, von dem sie wusste, dass es geschehen würde.«

Er schwieg einen Moment, als müsste er sich entscheiden, was er mir als Nächstes sagte. »Als sie neun war, schickte Mr. Garrett sie fort auf ein Internat in Tennessee. Wissen Sie, ich glaube, dass dieses Mädchen seiner Mutter Angst eingejagt hat.«

Ich vermerkte diese Bemerkung über Sylvia. Es klang danach, als wäre sie ein recht sonderbarer Kauz, doch musste ich mich auf Hamilton den Fünften konzentrieren. »Trieb sich hier denn ein bestimmter Mann herum, vielleicht jemand, der Mrs. Garrett häufig besuchen kam?«

»Nicht dass ich wüsste. Natürlich ist Mrs. Garrett auch nicht dumm gewesen. Es kamen viele Männer, und sie genoss es. Sie lebte für die Aufmerksamkeit, die man ihr schenkte. Damit nahm sie Mr. Guy nicht etwa was weg. Sie konnte ebenso wenig dagegen unternehmen wie er gegen sein vieles Geld. Ihr Aussehen verlieh ihr Macht, wissen Sie. Sie stellte schon etwas dar; ich erinnere mich an sie, wie sie draußen in der Sonne saß und sich mit ihrem kleinen bunten Schmetterlingskamm durchs Haar fuhr. Gehörte zu ihren Lieblingssachen, dieser Kamm. Eine Sonderanfertigung, hat sie mir mal erzählt, aber den Rest hab ich vergessen. Sie sagte jedenfalls, sie könnte sich mit diesem Kamm das Haar kämmen und würde sich zauberkräftig vorkommen, so hat sie es gesagt. Sie könnte damit einen Mann dazu bringen, sie auf eine Weise zu begehren, dass er alle anderen Gedanken darüber vergisst.«

Ich schluckte und fragte mich, ob auch Amos Henry die Schlinge ihrer Anziehungskraft gespürt hatte. In seiner Umgebung wies ihn alles als einen Mann aus, der zupackte und sein Leben selbst in die Hand nahm. Doch jeder Mann hat eine Schwäche, und bei vielen ist es eine bestimmte Frau.

»Also herrschte Konflikt zwischen den Eltern – durch sein Geld und ihr Aussehen.«

Amos dachte eine Weile darüber nach, bevor er antwortete. »Es gab oft Streit. Ich arbeitete draußen, ich kümmerte mich ja um den Garten, aber ich hab sie trotzdem streiten gehört. Sie waren zwei so unterschiedliche Menschen. Mr. Guy war ein Mensch, der lieber im Haus war. Er hatte seine Arbeit und seine Beteiligungen und war einfach nicht die Sorte Mann, der Tennis spielt oder schwimmt. Mrs. Veronica dagegen – ja, sie liebte den Sonnenschein.« Er lächelte. »Oft lag sie am Pool und sog einfach nur die Sonne in sich hinein. Wenn jemand ihr dann erklärte, dass ihre Haut dadurch bald alt und faltig aussehen würde, lachte sie nur. Sie würde ja gar nicht beabsichtigen, alt zu werden. Frauen wie sie, so sagte sie, waren nicht dazu geschaffen, lange zu halten, sondern sollten heiß und schnell brennen und mit einem Knall abtreten.«

Mrs. Garretts großer Knall war an einem Baum ertönt. Und sie hatte so gelebt, wie sie sagte. Vor meinen Augen flammte das Wort ›Selbstmord‹ in großen roten Versalien auf. Auch diese Möglichkeit musste ich überprüfen.

»Mr. Guy mochte es also draußen nicht besonders, aber trotzdem schoss er auf Vögel?«, fragte ich.

Amos schnaubte. »Wohl kaum!«

»Aber er starb doch bei einem Jagdunfall. So habe ich es in der Zeitung gelesen.«

Amos warf mir einen Blick zu, als meinte er, ich müsse eigentlich blond sein. »Mr. Guy ist kein Jäger gewesen.«

»Sind Sie sicher?«

»Einen Sommer kam eine große, fette Mokassinschlange an den Pool geglitten. Mrs. Veronica schrie auf und kreischte, und Hamilton war noch ein kleiner Junge. Mit großen Augen stand er nur einen Fuß vor der Schlange, wie erstarrt. Die Schlange hatte sich zusammengeringelt, so dick wie mein Arm war das Knäuel. Ich rufe nach Mr. Guy, und er kommt mit einer Pistole rausgerannt. Die reicht er mir und sagt, ich soll damit die Schlange erschießen. Da steht sein Sohn, und die Schlange ist kurz davor, zuzustoßen und seinen Jungen zu beißen, und Mr. Guy gibt seine Pistole *mir*. Kein Mann, der mit einer Waffe umgehen kann, würde so was tun.«

Damit hatte Amos Henry mich überzeugt. Was also machte Guy Henry beim Taubenschießen, wenn er gar nicht jagte? Es existierte eine schier unendliche Vielfalt von Erklärungen – und alle liefen sie auf Mord hinaus.

9

Auf dem Nachhauseweg musste ich wieder an Knob Hill vorbei. Auf die Existenz des Hauses wies nichts hin, kein Licht, jedenfalls keines, das ich von der Straße aus gesehen hätte. Die Vorstellung, dass Hamilton allein in dem riesigen alten Haus vor sich hin brütete, erfüllte mich mit Grausen. Selbst meine Großtante Elizabeth, die zur Kirche nur ihren Petticoat und sonst nichts anzog, war nicht so tief vom Wahnsinn umnachtet gewesen, dass sie einen kalten, finsteren Novemberabend allein im Dunkeln verbrachte.

Der Fall – und ich dachte mittlerweile von ihm als ›meinem‹ Fall – hatte eine neue Wendung erhalten. Hamilton hatte nicht die Sunflower County High School besucht. Wenn er nicht nach Memphis in Tennessee oder in eine der größeren Städte des Staates Mississippi geschickt worden war, hatte er wohl auf der Dorsett Military Academy seinen Abschluss gemacht, dem zivilen Internat mit militärischer Ausbildung, auf der alle blaublütigen Deltaner mit schlechten Anlagen ihre höhere Schulbildung erlangten.

Und Sylvia? Henry Amos hatte mir das lebhafte Bild eines kleinen Mädchens vermittelt, eines zwanghaft handelnden Kindes, das sein Leben in den Schatten verbrachte und andere beobachtete. Bei dem Gedanken an ein Kind, das schon auf der Grundschule andere bespitzelte, ergriff mich ein Schauder. Sylvia war schließlich nach Tennessee geschickt worden, vermutlich zur Bethany Academy.

Damit hatte Veronica tagsüber freie Bahn, während der Herr des Hauses schuftete und das Personal mit Aufgaben betraut werden konnte, die es aus dem Weg schafften.

Zwar hatte ich Mr. Henry noch Dutzende von Fragen zu stellen, aber das musste warten. Der Anstand verlangte, einen Besuch auf nicht mehr als zwei Stunden auszudehnen. Ich hatte mein Willkommen und meinen Magen aufs Äußerste beansprucht.

Zufrieden mit dem Erreichten überquerte ich die Stadtgrenze von Zinnia und beschloss aus dem Bauch heraus, auf eine Diät-Dr.-Pepper bei Millie Halt zu machen. Vor lauter Aufregungen, die ich an diesem Tag durchgestanden hatte, wusste ich schon nicht mehr, wo mir der Kopf stand, und außerdem konnte ich damit rechnen, dass bei Millie nicht viel los wäre, wenn sie denn überhaupt geöffnet hatte. Nach Martha Sue Riley im *Glitz and Glamour* war Millie die erste Quelle für Tratsch am Platze. Ganz bestimmt wusste sie einiges über die Garretts zu berichten, und ob ihre Gerüchte nun stimmten oder nicht, sie würden mir auf jeden Fall neue Möglichkeiten aufzeigen.

Das Café hatte geöffnet, und Millie saß an der Theke und las die Sensationspresse. Ich sah sie beim Vorbeifahren durchs Fenster, suchte mir einen Parkplatz und eilte ins Lokal. Der Abend wurde immer kühler, in der Nacht würde es frieren.

»Na, Sarah Booth, wie steh'n die Möpse?«, fragte Millie, als ich hereinkam. Zu einem anderen der Daddy's Girls hätte sie niemals in solch saloppem Ton gesprochen; doch andererseits aßen die anderen Daddy's Girls im Club und nicht im Hamburger-Restaurant. Schon als Teenager hatte ich die dicken weißen Kaffeetassen geliebt und die Schinken-Ei-Sandwiches, die Millie machte, während sie sich gleichzeitig mit drei oder vier Gästen am Tresen unterhielt.

»Ich bin so voll wie 'ne Zecke, aber furchtbar durstig«, sagte ich und bestellte mein Getränk, kletterte auf den Hocker neben ihr und las die Schlagzeilen in ihrer Zeitung. Roseanne war offensichtlich von einem Außerirdischen geschwängert worden. »Ich war mir nicht sicher, ob du geöffnet hast.«

»Ich habe gekocht, gegessen, den Abwasch gemacht und dann festgestellt, dass ich mich langweilte. Heute ist zwar nicht viel los, aber hin und wieder kommt doch jemand.« Sie zündete sich eine Zigarette an. »Die meisten davon haben nur Durst.«

Millie ist älter als ich, eine alleinerziehende Mutter, deren Kinder aufgewachsen und verheiratet sind und nun ihren eigenen Nachwuchs produzieren. In der Familie Roberts gibt es keine Unterleibsbeschwerden. Ich verstand durchaus, dass es dem Alleinsein zu Hause vorzuziehen war, das Café zu öffnen.

Millie stellte mir die sprudelnde Maislimonade hin und setzte sich wieder. Ich sah, dass sie eine Story las, Prinzessin Di sei in Graceland gesehen worden. Das Foto, das zu dem Artikel gehörte, zeigte eine geisterhafte Gestalt, die tatsächlich der verstorbenen Prinzessin von Wales ähnelte – und etwa zehn Millionen weiteren schlanken blonden Frauen, wenn sie durch die glamourösen Türen zu Elvis Presleys früherem Wohnhaus in Memphis spähten.

»Glaubst du, dass sie wirklich tot ist?«, fragte Millie und deutete auf Di.

Ich hatte gar nicht gewusst, dass diese Frage zur Debatte stand. »Schätze schon«, sagte ich.

»Manche sagen, dass sie und Dodi einfach nur in Ruhe leben wollten. Die glauben, dass sie auf einer Insel vor der griechischen Küste leben.«

So konnte man die Tatsachen freilich auch interpretieren. »Klingt wie das erfreuliche Ende eines unerfreulichen Lebens«, meinte ich. Ich hatte schon die Nachtigall trapsen gehört, als Dis Jungfräulichkeit zur Debatte stand, die von Charles hingegen nicht.

»So wie ich es sehe, erheben die Queen und Charles keine Einwände dagegen, weil sie Diana auf diese Weise endlich losgeworden sind. Ich meine, sie ist tot; da kann sie Charles endlich nicht mehr die Schau stehlen. Und dabei hat sie nie etwas anderes gewollt, als geliebt zu werden. Das hat sie nun bekommen, und es herrscht Friede.«

Ein sauber geschnürtes Bündel, das musste ich zugeben. »Ich hoffe, du liegst richtig.«

»Ich auch«, antwortete sie, aber aus ihrer Stimme war die Überzeugung verschwunden. Nur weil Millie für ihr Leben gern Fantasieszenarien ersann, bedeutete es noch lange nicht, dass sie dumm genug war, selbst daran zu glauben.

»Wo wir gerade bei Familientragödien sind, ich habe heute Abend Licht auf Knob Hill gesehen.« Die erste Lektion, die man im Tratschgewerbe lernt, lautet, dass man immer etwas anzubieten haben muss. Soeben hatte ich einen Hope-Diamanten brandheißer Neuigkeiten auf den Tisch des Hauses fallen lassen. Millies Gesicht leuchtete auf, als stünde sie bei Tiffany's am Ladentisch.

»Licht? Am Abend von Thanksgiving-Day?« Dann

änderte sie das Thema. »Was hast du denn auf Knob Hill gemacht?«

»Bin nur vorbeigefahren«, entgegnete ich und winkte ab, um meine Besorgung als etwas Unwesentliches abzutun. »Wenn ich mich recht erinnere, dann steht das Haus doch schon seit fast zwanzig Jahren leer.«

Millie nickte. »Hamilton der Fünfte ist ein paar Mal da gewesen, so habe ich wenigstens gehört. In Zinnia ist er nie aufgetaucht.« Ihre Stimme hatte einen vorsichtigen Unterton angenommen.

Ich nickte ebenfalls und trank. Das Sprudeln des Getränks klang sehr beruhigend. Ohne Gewissensbisse stahl ich einen Ausspruch Ceces. »Sein ganzes Leben ist wie eine griechische Tragödie verlaufen.«

Millie warf mir einen sonderbaren Blick zu, nahm ihre Zigarette aus dem Ascher und zog daran. »Jawoll, daraus könnte man bestimmt einen tollen Mehrteiler fürs Fernsehen machen. Aber erst, nachdem jemand der Sache wirklich auf den Grund gegangen ist.«

Volltreffer! »Willst du sagen, du glaubst nicht, dass es so passiert ist, wie es in –«

»Guy Garrett ist kein Jäger gewesen. Keiner Fliege konnte er was zuleide tun.« Sie erhob sich und ging hinter den Tresen. Dort nahm sie einen Packen Speisekarten auf und klopfte sie zu einem säuberlichen Stoß zusammen, legte sie fort und begann damit, Bestecke in Papierservietten einzuwickeln. Dabei kehrte sie mir den Rücken zu.

Ich addierte eins zum anderen – Millies begehrlichen Blick bei meiner Erwähnung von Knob Hill, ihren vorsichtigen Tonfall und dass sie Hamilton Garretts Spitznamen benutzt hatte.

»Als es geschehen ist, war ich ja noch ein Kind«, sagte ich beiläufig. »Wie schrecklich für Hamilton den Fünften, erst seinen Vater und dann auch noch seine Mutter zu verlieren. Ob Europa ihm gefallen hat?«

»Die große Wahl blieb ihm ja nicht.« Millie legte das Besteck hin und nahm wieder ihre Zigarette auf, die nun hauptsächlich aus einem großen, langen Stück Asche bestand. Sie klopfte es ab und drückte den Stummel aus. »Väterlicherseits gab es nicht viele Angehörige, die ihn hätten aufnehmen können, und die Verwandten seiner Mutter wollten ihn nicht haben.«

»Warum das denn nicht?«

Sie blickte mich an, als dämmere ihr langsam der wahre Grund für meine Neugierde. »Tragödien haben es an sich, die Beteiligten fürs Leben zu zeichnen«, antwortete sie langsam. »So jemanden wollen die Leute nicht bei sich im Hause haben. Es war genügend Geld da, um Hamilton weit fort zu schicken, wo er erwachsen werden konnte, ohne dass man ihn als Opfer oder als Mörder betrachtete. Er hat sich klug entschieden.«

»Mörder? Ich kann mich nicht erinnern, diesen Verdacht schon mal gehört zu haben.«

Ich sah, dass Millie die Wahrheit erfasst hatte. »Du hattest damals andere Sorgen, Sarah Booth. Ich glaube kaum, dass du dich an die Probleme anderer aus dieser Zeit erinnern würdest.« Ihre Stimme war sanfter geworden. »Außerdem hat es offiziell nie einen Mord gegeben. Es wurde keine Anklage erhoben, aber die Gerüchte haben sie verbreitet. So hält man es eben in Zinnia. Nichts Offizielles, sondern ein Verfahren durch Rufmord. Seine kleine Schwester haben sie in ein Sanatorium getrieben. Das arme Ding hatte doch nie eine Chance mit einer Mutter wie dieser, die sich nur für ihr Aussehen und ihre Sammlerstücke interessierte.« Sie stieß ein scharfes Schnauben hervor, das ihre Abscheu ausdrücken sollte. »Wenn irgendjemand verdient hatte zu sterben, dann Veronica Garrett. Und wenn irgendjemand ihr den Tod gewünscht hat, dann ich.« Sie zündete sich wieder eine Zigarette an. Als die Flamme an das Ende leckte, starrte Millie mir unvermittelt in die Augen, und ihr Blick flößte mir Furcht ein. »Veronica hat Guy so sicher ermordet, wie ich hier vor dir sitze. Was ihr geschah, das hatte sie verdient. Ich wünschte nur, ich könnte daran glauben, dass sie es tatsächlich bekommen hat.«

Offenbar fand Millie im Augenblick Frauen sehr faszinierend, die dem Tod ein Schnippchen geschlagen hatten. Zuerst Di, jetzt Veronica. Doch die Wut in ihren Augen bewegte mich dazu, mich unwillkürlich auf dem Barhocker aufzurichten. Nach zwei Jahrzehnten hasste sie Veronica Garrett noch immer mit gefährlicher Leidenschaft. »Hatte Hamilton etwas mit dem Autounfall seiner Mutter zu tun?«, fragte ich.

Millie schluckte. Ihr Mund zuckte merkwürdig, als sie darum kämpfte, ihre Gefühle zu zügeln. »Hamilton war noch ein Kind.«

Das war keine Antwort. »Wäre es möglich, dass Hamilton geglaubt hat, seine Mutter … dass er sich an Veronica gerächt hat? Man redet immer noch davon, er hätte die Bremsleitung an ihrem Wagen durchgeschnitten.«

Sie schluckte erneut. »Sarah Booth, mir geht's nicht gut. Du verstehst sicher, wenn ich abschließe und nach Hause gehe.«

O ja, das verstand ich. »Kann ich etwas für dich tun?«

Sie schnaufte leise. »Gib mir eine Chance, die Vergangenheit zu ändern. Schaffst du das?«

»Was würdest du denn ungeschehen machen?«

»Ich würde dafür sorgen, dass ich in die reiche Klasse geboren werde«, antwortete sie. »Mit einem anderen Nachnamen bräuchte ich keine meiner Entscheidungen zu ändern und stände trotzdem ganz anders da.«

Meinen Abschluss in Psychologie hatte ich aus reinem Privatvergnügen gemacht. Mir lag nichts daran, meine Tage damit zu vergeuden, mir die schäbigen Probleme von Menschen anzuhören, die ihr Leben verpfuscht hatten und nun jemanden suchten, bei dem sie sich ausheulen konnten. Ich hatte Psychologie studiert, weil das Fach mir leicht fiel und mich interessierte. Wie die meisten anderen Studenten auch hatte ich gehofft, Lösungen für meine persönlichen Probleme zu finden, ohne meine privaten Seelenqualen vor einer oder einem Fremden ausbreiten zu müssen.

Lösungen gefunden hatte ich zwar keine, aber eine ganze Reihe faszinierender Dinge über das Tier im Menschen gelernt. Eine der Fragen, mit denen ich mich während eines Kurses besonders eingehend befasst hatte, betraf die Fähigkeit von Menschen, Taten zu begehen, die sie persönlich als absolut schrecklich betrachteten. Wie im Beispiel der Frau, die jede Gewalt verabscheut, aber ohne zu zögern tötet, um ihr Kind zu beschützen. Unter allen anderen Umständen wäre diese Frau nicht einmal zur Selbstverteidigung in der Lage, doch wenn es um das Leben ihres Kindes geht, kann sie dem Angreifer aus nächster Nähe durch den Kopf schießen, dass sein Hirn an die Wand klatscht, und zuckt dabei nicht einmal mit der Wimper.

Im Kurs lautete die grundlegende These, dass jeder einzelne Mensch unter den entsprechenden Begleitumständen zu allem fähig ist. Und ich wusste, dass das stimmte. Im Laufe der vergangenen Woche hatte ich so vieles getan, was ich mir niemals zugetraut hätte. Wenn man mich in die passende Lage brachte, könnte ich vermutlich töten.

Während ich durch die Nacht fuhr, das Verdeck unten, sodass mir vor Kälte die Ohren schmerzten und mir das Wasser aus den Augen lief, versuchte ich mein neues Bild von Millie mit der Millie in Einklang zu bringen, die ich schon so lange kannte: eine freundliche, großzügige Mutter, die ihr ganzes Leben dem Wohlergehen ihrer Kinder gewidmet hatte. Heute Abend aber hatte ich einen Blick auf die Frau Millie werfen können, die einen Mann außerhalb ihrer Reichweite liebte und die Frau hasste, die ihn bekommen hatte.

Ob Millie fähig gewesen war, an Veronicas Auto die Bremsleitung durchzuschneiden? Ein Motiv besaß sie schließlich und Gelegenheit ebenfalls: Millies Bruder war der beste Automechaniker in Zinnia und arbeitete an jedermanns Wagen, vor allem an den teuren Automobilen der Reichen und Berühmten. Ich nahm mir vor, an Billies Werkstatt vorbeizufahren und zu sehen, ob es mir vielleicht gelang, einen Blick in seine Bücher zu werfen.

Als ich zu Dahlia House hinauffuhr, bedauerte ich, kein Licht angelassen zu haben. Fast konnte ich mich nicht dazu überwinden, das dunkle Haus allein zu betreten. Beinahe hätte ich eingeräumt, dass selbst die Begleitung von Harold Erkwell meinen sonderbaren Gedanken in dieser deprimierenden Nacht vorzuziehen wäre.

Ein langer Tag lag hinter mir, ein ereignisreicher Tag. Harolds Heiratsantrag hatte ich nicht etwa vergessen, sondern nur in den hintersten Winkel meines Bewusstseins verdrängt. Nun, da ich das Treppchen zur Hintertür hinaufstieg, erblickte ich das kleine Schmuckkästchen wieder. Meine erste Reaktion bestand in Ungläubigkeit; Harold konnte doch unmöglich einen vierkarätigen Diamanten auf meiner Hintertreppe liegen gelassen haben! Als Nächstes vermutete ich, dass er irgendwo in den Büschen hockte. Doch als ich das Samtkästchen aufhob, sprang keineswegs jemand aus dem Gebüsch hervor.

Ich öffnete den Deckel, und selbst im blassen Mondschein glitzerte der Diamant wie das Gestalt gewordene Versprechen von Mühelosigkeit, Wohlstand und Schönheit. Allein seine Größe symbolisierte Kaminfeuer und ein entspannendes Streichquartett von Mozart, den Geruch nach warmem Essen, das jemand anderes zubereitet hatte. In diesem Diamanten brannte die Hoffnung auf ein anregendes Gespräch beim Dinner und die Sicherheit, die ein warmer, greifbarer Leib neben mir im Bett vermittelte.

Dann schaltete sich die Delaneysche Gebärmutter ein. Mich lähmte die Erinnerung, wie ich die kleine Dahlia auf dem Arm gehalten hatte, und das gleichzeitige Druckgefühl in meinem Unterleib. *Vermehren! Vermehren!* Rhythmisch wiederholte die Delaneysche Gebärmutter immer wieder den Befehl.

Dem ich mich widersetzte, denn das Wunderbare, was ich mir gerade vorgestellt hatte, stand und fiel mit Harold Erkwell, einem Mann, den ich nicht liebte. Ich packte das Treppengeländer und sammelte mich. Meine Beine zitterten; nackter tierischer Instinkt begehrte gegen schwer erkämpfte

Intelligenz auf. Mit solcher Gewalt klappte ich den Deckel des Schmuckkästchens zu, dass das Zuschnappen so laut knallte wie ein Pistolenschuss. Am besten schmiss ich das verdammte Ding in die Büsche; ich holte aus –

»Tu bloß nichts Unüberlegtes; ich kann dir ansehen, dass du dich zum Esel machen willst.« Geisterhaft wie eine Feder berührte Jitty mich am Arm, und das genügte, um mich innehalten zu lassen. »Dieser Ring ist 'ne Menge Kohle wert. Du brauchst ihn doch nur anzunehmen. Deshalb musst du deinen Verehrer noch lange nicht heiraten. Nimm nur einfach den Ring an, sag, dass ihr verlobt wärt, und gib ihm nach einer Weile den Laufpass. Nach dem Gesetz gehört der Ring dann immer noch dir. Sobald es ernst wird, versilbern wir das Ding und bekommen dafür genug Geld, um Dahlia House noch eine ganze Weile in Schuss zu halten.«

Ich ließ den Arm sinken, und Jitty grinste. Je breiter ihr Grinsen wurde, desto stärker funkelten ihre Goldzähne im Mondlicht. »So ist's richtig, Mädchen, benutz deinen Verstand.«

Sie hatte leicht reden; ihre Gebärmutter sandte schließlich keine Paarungsrufe aus. »Danke für den Plan«, sagte ich ironisch, um die Furcht vor meinen eigenen Reaktionen zu übertünchen: Ich war versucht gewesen. Versucht! Das zeigte deutlich, wie schwach ich geworden war. »Tinkie habe ich bereits den Hund gestohlen und übers Ohr gehauen, nun soll ich Harold betrügen, damit ich seinen Verlobungsring ins Pfandhaus bringen kann!«

Jitty kniff die Augen zusammen. »Komm mir bloß nicht so hochnäsig! Du hättest dem Plan mit Cha-blis schließlich nicht zustimmen müssen.«

Wohl wahr. Ich hätte den Hundediebstahl ablehnen können, aber ich hatte mich darauf eingelassen, und deshalb steckten nun fünftausend Dollar unter meiner Matratze.

»Lass mich den Ring noch mal sehen«, bat Jitty.

Ich ging ins Haus und schaltete die Küchenlampe ein. Im Haus herrschte Grabeskälte. Ich schaltete den Backofen ein, öffnete die Klappe und setzte mich rücklings davor, dann schnappte ich den Deckel des Schmuckkästchens zur Seite und ließ Jitty sich in aller Ruhe den Ring betrachten.

»Das ist vielleicht ein Klunker«, sagte sie und nickte wohlgefällig. »Dabei dachte ich, Harold sucht nur eine Gespielin für sein Bett.«

»Das dachte ich auch. Offenbar zielt er auf eine länger anhaltende Beziehung ab.«

»Das macht die Sache um einiges komplizierter, hm?«

In Jittys Stimme lag ein Anklang von Mitgefühl, der beinahe mein Verderben gewesen wäre. Mein Leben würde sich so sehr vereinfachen, wenn ich Harolds Antrag annahm. Gut möglich, dass ich mich eines Tages sogar in ihn verlieben würde. Und wenn nicht, war das so gravierend, zum Teufel? Die meisten Daddy's Girls hatten aus einer ganzen Reihe von Gründen geheiratet, bei denen Liebe nicht im Entferntesten an oberster Stelle stand. Ihnen allen war es um eine gesicherte Existenz gegangen, während ich wie eine erbärmliche Schiffbrüchige in einem Meer aus Finanzsorgen trieb und mich an die letzte Planke klammerte. Wäre ich ohne den frühen Tod meiner Mutter ein anderer Mensch geworden, ohne den Einfluss einer Tante, die mich lehrte, den Virginia-Reel zu tanzen, wenn ich traurig war, und immer betonte, dass Mathematikunterricht für Mädchen Teufelswerk sei?

»Versink nicht in solchen Grübeleien, Mädchen«, sagte Jitty sanft. »Auf eins verstehen wir Gespenster uns prima – abgesehen davon, einfach durch die Wände gehen zu können –: Wir sehen die Vergangenheit mit ganz anderen Augen als ihr Sterblichen. Weder Tanz noch Mathe haben dich verdorben, und keins von beiden kann dich retten. Du warst, wer du warst, bevor dir LouLane ihren Stempel aufgedrückt hat. Du bist schon als Delaney aus dem Schoß deiner Mutter gekommen. Dagegen gibt's kein Mittel, nicht in der Vergangenheit und auch nicht in der Zukunft.«

»Wenn du das gesagt hast, um mich zu trösten, dann hast du jämmerlich versagt.« Immerhin war es ihr gelungen, mich aus der Beschäftigung mit der Vergangenheit zu reißen. »Was soll ich nur mit Harold anstellen?«

»Behalte den Ring auf jeden Fall. Zögere es hinaus. Du musst zugeben, ein wenig ist er dir ja schon ans Herz gewachsen.«

»Wie ein Pilz«, entgegnete ich. »Dass er mir besser erscheint als früher, liegt nur daran, dass es mit mir immer weiter abwärts geht. Für die Eheschließung ist das alles andere als eine gesunde Grundlage.«

Die Hinterseiten meiner Beine waren heiß – richtig heiß. Meine Jeans hatte sich überhitzt, und wo immer sie nun meine Haut berührte, verbrannte sie mich. Ich entfernte mich tänzelnd vom Backofen. Jitty rollte mit den Augen.

»Harold wird dich nicht allzu heftig bedrängen. Jedenfalls vorerst nicht. Später heißt es natürlich irgendwann: angebissen oder neuer Köder. Bis dahin aber hältst du die Asse in der Hand. Behalte den Ring, aber trage ihn nicht. Erwähne ihn nicht einmal. Das macht Harold wahnsinnig, glaub mir.«

Ein guter Rat, doch in der Tiefe meines Herzens empfand ich mein Verhalten als niederträchtig. Das Schicksal betrügen, so lautete zwar das Motto eines Daddy's Girl, aber dergleichen ist mir von jeher schwer gefallen. Selbst jetzt, wo mir keine andere Wahl blieb, gefiel es mir nicht im Mindesten.

»Ich nehme ein heißes Bad und lasse mich richtig einweichen«, sagte ich und drehte und reckte die Schulter, bei der Hamilton der Fünfte mich gepackt hatte und die noch immer leicht pochte.

»Tu ein paar von diesen Salzen ins Wasser. Aromatherapie. Zum Teufel, deine Ururgroßmutter Alice wusste schon alles darüber, bevor der Bürgerkrieg ausbrach. Es gibt nichts Neues unter der Sonne; alles wird immer wieder verwendet.« Sie zog die Brauen hoch. »Und wenn du so verzweifelt bist, im Keller steht immer noch dieser Fusel.«

Der schwarz gebrannte Whiskey; den hatte ich ganz vergessen. Das Problem mit dem Zeug war nur, dass es manchmal wirklich gut sein konnte, manchmal jedoch Blei und andere Gifte enthielt, die zu Blindheit oder Wahnsinn führen konnten. Viele Schwarzbrenner destillierten das Zeug in alten Autokühlern oder fermentierten mit Kuhdung. Sunflower County brüstete sich, einige der allerbesten Schwarzbrenner zu beherbergen, die den besten steuerfreien Whiskey der Welt produzieren. Man nennt ihn ›*Moonshine*‹, Mondschein, nach dem Licht, bei dem er für gewöhnlich hergestellt wird – reiner, feiner, köstlicher Whiskey. Wenn die Flasche im Keller von Dahlia House stand, konnte man eigentlich davon ausgehen, dass das Zeug gut war.

Ich nahm die Taschenlampe und trottete die Stufen hinab.

An Tagen wie diesem brauchte man einfach einen Schluck aus der Flasche. Zurück in der Küche, goss ich mir ein Glas ein. Der Moonshine war so klar wie Quellwasser, und als ich daran nippte, spürte ich den Alkohol wie flüssiges Feuer meine Kehle hinunterrinnen. Es dröhnte befriedigend, als er unten angelangte. Nimm das, Gebärmutter, dachte ich, leerte das Glas und stieg die Treppe hinauf nach oben, wo die große alte Badewanne stand. Ich beabsichtigte, mir genug heißes Wasser einlaufen zu lassen, um darin schwimmen zu können.

Ich erwachte aus unruhigem Schlaf, als die Sonne hell durch mein Schlafzimmerfenster schien. Wir hatten Freitag, den 28. November. Noch sechsundzwanzig Einkaufstage bis Weihnachten, dachte ich dümmlich.

Am liebsten hätte ich mich wieder unter den Kissen vergraben, aber die Fragmente meiner Träume wirkten wie Nadelstiche. Vollständig erinnern konnte ich mich zwar nicht, doch eins wusste ich: Die Traumatmosphäre war noch düsterer gewesen als der Hintern einer Fledermaus in der Hölle. Handlungsort waren die Felder bei Knob Hill gewesen, mit dem großen, alten, unheimlichen Haus als schwarzer Silhouette im Hintergrund. Ich stand auf der Veranda, und Hamilton der Fünfte erschien. Im Traum trug er einen schwarzen Abendanzug, und seine wütenden Augen strahlten grünlich in der ansonsten schwarz-weißen Traumlandschaft. Am Nachthimmel schrieb die rote, glimmende Spitze einer Zigarette mit Rauch den Namen Veronica. Übergangslos stand ich im Baumwollfeld und versteckte mich ängstlich. Ein Schwarm Tauben stob aus den knochentrockenen Baumwollflocken auf, und das schreckliche Schwirren ihrer Flügel klang wie ein geflüstertes Flehen um Gnade. Plötzlich befand ich mich unter ihnen, war eine der Tauben. Einige von uns würden sterben, das wussten wir genau, und so flogen wir möglichst dicht am Boden, wo wir in Sicherheit waren.

Mein kleines Vogelherz pumpte mir viel zu viel Blut durch meinen winzigen Leib. Die gewaltige Anstrengung, zu fliegen und sich gleichzeitig dicht am Boden zu halten, die atemlose Furcht vor dem Knall der Schrotflinte und den sirrenden Schrotkörnern, denen man unmöglich ausweichen konnte, schufen mir das Gefühl, meine Brust müsse bersten. Neben mir legte eine Taube die Schwingen an den Leib und stürzte tödlich getroffen ab. Ich schlug heftiger mit den Flügeln, um schneller zu fliegen, dem Schrecken meines Alptraums zu entfliehen und ins wache Bewusstsein zu entkommen.

Als ich erwachte, hatte ich die Hand aufs Herz gepresst, meine Stirn war schweißüberströmt, und das Laken hatte sich mir eng um die Beine gewickelt. Ein paar Augenblicke benötigte ich, bis ich begriff, dass ich mich in der Sicherheit von Dahlia House befand und der einzige Schaden, den ich davongetragen hatte, in dem dunkelpurpurnen Abdruck von Hamiltons Fingern auf meiner Schulter bestand.

Carl Jung betrachtete jede Gestalt in einem Traum als einen Aspekt des Träumenden. Ihm zufolge war ich also ich selbst, Hamilton der Fünfte und die Vögel zugleich. Andererseits bin ich von dieser Theorie der Traumdeutung nie überzeugt gewesen. Ich kannte jemanden mit einer ganz eigenen Meinung über die Bedeutung meines nächtlichen Grauens. Deshalb nahm ich mir vor, nach dem Besuch beim

Sheriff, dem Coroner und Billie Roberts' Autowerkstatt für alle Fälle auch Madame Tomeeka aufzusuchen. Dann fiel mir ein, dass ich unbedingt einen Abstecher zu Cece machen und sie bitten musste, die erfundene Geschichte zu bestätigen, die ich Hamilton dem Fünften erzählt hatte. Schließlich war ihm zuzutrauen, dass er beim ›Dispatch‹ anrief und überprüfte, ob ich wirklich als Reporterin für die Zeitung arbeitete.

10

Das Haus wirkte seltsam verlassen, als ich mir unter dem Kleid lange Unterhosen und dicke Socken anzog. In Dahlia House war es bitterkalt. Auf dem Weg in die Küche blieb ich im Salon stehen und zog die schweren Vorhänge beiseite. Unter einer Decke aus weißem Reif schwang sich das Land in leichten Wellen vom Hause fort. Auf den Ästen der Platanen glänzten Eiskriställchen, und die hohen Stoppeln auf den Baumwollfeldern glitzerten, als wären sie in der Nacht mit Feenstaub besprenkelt worden. Meine Liebe zu Dahlia House schnürte mir die Kehle zusammen. Ich wollte dieses Land einfach nicht verlieren. Das durfte niemals geschehen.

Harolds Verlobungsring kam mir in den Sinn, und meine schreckliche Besorgnis mäßigte sich ein wenig. Ich konnte ihn heiraten und würde es tun, wenn es sein musste, um Dahlia House zu retten. Eine tiefe Verbitterung über meine Vorfahren stieg in mir auf. Ich war geboren und erzogen, um in Dahlia House zu leben und das Land zu verwalten, doch erst nachdem meine Eltern und Tante LouLane gestorben waren, erfuhr ich, dass Dahlia House sich finanziell in einer schwierigen Lage befand, und ich war nicht darauf vorbereitet worden, mit dieser Situation umzugehen. Als ob jeden Augenblick der Märchenprinz über den nächsten Hügel geritten käme und mich in seine portefeuilleübersäten Arme schließen würde, war ich aufs College gegangen, fest davon überzeugt, dass Liebe und Heirat mich retten würden – nach meiner erfolgreichen Bühnenkarriere.

Und mir war nicht beigebracht worden, jenes Persönlichkeitsopfer zu begehen, durch das die Heirat meinen Cliquen-Gefährtinnen erst als annehmbarer Handel erschien. Durch die Beobachtung meiner Freundinnen war ich vielmehr zu dem Schluss gelangt, die Ehe sei nichts weiter als ein Job, der sehr tiefe Einschnitte in die Unabhängigkeit und das Selbstwertgefühl einer Frau bedeutete. In der Welt der Daddy's Girls schienen mir folgende Regeln zu gelten: Eine Frau gestaltete ihrem Mann ein behagliches Leben, indem sie sich jeder seiner Launen unterwarf, und der Mann brachte dafür das wollige Mammut in Form erstklassiger Wertpapiere nach Hause. Obwohl mir das System nicht sonderlich gefiel, vermochte ich nicht abzuleugnen, dass es in mehr Fällen funktionierte als es schief ging. In keiner Ehe gibt es Seligkeit als garantierte Dreingabe, selbst gewöhnliche Zufriedenheit nicht. In Seligkeit lebte keins der Daddy's Girls, aber sie hatten auch keine Ringe unter den Augen vor lauter Geldsorgen: Zumindest ihre Zielsetzung hatten sie erreicht.

Wie man einen Mann an den Haken bekommt, war in der Ausbildung zum Delta Daddy's Girl Hauptfach, und das bevorzugte Jagdrevier hieß Ole Miss. Meine vier Jahre dort sind also verschwendet gewesen, resümierte ich. Ich hätte entweder einen Mann kassieren oder allerwenigstens mit einem Abschluss in Betriebswirtschaft, Ingenieurswissenschaften oder Medizin zurückkehren müssen. Hätte ich schon damals wirklich begriffen, dass ich, Sarah Booth

Delaney, wirklich das Haus meiner Geburt verlieren könnte, dann *hätte* ich einen Beruf oder ein Gewerbe erlernt. Schon allein aus einem einzigen Grund hätte ich erlernt, mir mein Geld zu verdienen: damit ich mir keine Gedanken darüber machen musste, wie man es anderen abjagt, sei es durch Diebstahl oder durch Heirat.

Stattdessen war ich mit meinem Nebenabschluss in Dramatik und meiner Unabhängigkeit nach New York gegangen, wo ich ein interessantes, von Fehlschlägen und Enttäuschungen gekennzeichnetes Jahrzehnt verlebte. Der Broadway nahm, egal wie sehr ich mich anstrengte, einfach keine Notiz von der Letzten der Delaneys.

Doch all das lag nun hinter mir, und ich musste mit den Mitteln zurechtkommen, die mir zur Verfügung standen. Obgleich Tinkies Auftrag mir Angstgefühle und verdammt schlechte Träume bescherte, schien ich doch eine gewisse Begabung für das Detektivmetier zu besitzen. Dieses Talent wollte ich zu meinem Nutzen und zum Wohl meiner Klienten einsetzen. Wenn ich die Wahrheit über die Familie Garrett ans Licht brachte, hätte ich den Diebstahl Chablis' gesühnt. Dann könnte ich sogar Harold seinen Ring mit einem freundlichen Nein zurückgeben. Anders ausgedrückt konnte ich es mir dann wieder leisten, eine Lady zu sein.

Ich schlurfte in die Küche und setzte Kaffee auf. Die alte Kaffeemaschine zischte und brodelte, dann erfüllte das kräftige Aroma die Küche und ließ sie wärmer erscheinen. Durch das Küchenfenster blickt man auf den Familienfriedhof. Dort gibt es mehr als hundert Gräber. Alle Delaneys liegen dort, ihre Angetrauten und ihre Kinder, auch Tante LouLane und alle ihre siebenundfünfzig Katzen.

Für mich gibt es dort ein Fleckchen, auch für meinen

Ehemann und unsere Kinder. Die Delaneys waren große Planer und die Familien noch sehr umfangreich, als der Friedhof angelegt wurde, deshalb hatte man reichlich Platz vorgesehen.

Die Kaffeemaschine gab ein letztes Gurgeln von sich. Ich schenkte mir eine Tasse ein und eilte wieder nach oben, um nach Kleidung zu suchen. Ich zog mir eine Jeans über, einen dicken Pullover und Motorradstiefel, dann begutachtete ich mein Äußeres im Spiegel. Mein dunkles Haar stand ab, und als ich es bürstete, knisterten die Funken in der kalten Luft. Also entschied ich mich für einen Pferdeschwanz. Nun sah ich wie ein junges Mädchen aus und dachte bei mir, dass sich dies möglicherweise zu meinen Vorteil auswirken konnte. Auf dem Weg nach draußen stopfte ich mir noch ein paar Hundertdollarscheine aus Tinkies Lösegeld in die Tasche.

Im Ort hielt ich zuerst an der Bäckerei an, wo ich mir ein Käseplunderteilchen und noch mehr Kaffee schnappte. Mein nächster Halt war Ceces Redaktion. Cece war unter einer Lawine von Papier begraben und nahm meine Gaben dankbar an. Als Erstes rang ich ihr das Versprechen ab, mir nicht in den Rücken zu fallen, dann beichtete ich ihr meine kleine Notlüge gegenüber dem Erben von Knob Hill.

Kaum waren die Wörter ›Hamilton der Fünfte‹ von meinen Lippen, als ich bemerkte, dass meine Nöte für Cece nicht von geringstem Interesse waren. Sie warf die Papiere auf den Fußboden und begann auf der Suche nach dem Telefon ihren Schreibtisch abzuklopfen. Als sie es unter einem weiteren Papierstapel fand, winkte sie mich aus ihrem Büro und bedeutete mir mit einer Handbewegung, hinter mir die Türe zu schließen.

Na, dachte ich, als ich das Zeitungsgebäude verließ,

geschieht Hamilton dem Fünften ganz recht, dass ich seine Ankunft ausplaudere. Hätte er sich nicht als solch ein unhöflicher Mistkerl erwiesen, dann hätte ich den Mund gehalten. Jetzt aber, im Kreuzfeuer von Cece und Millie, wäre er zu beschäftigt, um sich weitere Gedanken über mich zu machen.

Ich beschloss, als Nächstes Delo Wiley aufzusuchen, den Mann, der die Leiche Hamiltons des Vierten gefunden hatte. Wenn ich mich nicht sehr irrte, dann kannten sich die Männer, die den Mord an Guy Garrett vertuscht hatten – wenn es denn einen Mord gegeben hatte. Delo war derjenige unter ihnen, der anscheinend über den geringsten Einfluss verfügte, ein armer Bauer, der dem ertragsarmen Boden mühsam die Ernte abrang und seine Maisfelder anschließend an die Taubenjäger vermietete. Delo gehörte jedenfalls nicht in deren Welt. Auch war er keiner der gewählten Amtsinhaber, einer weiteren Männerclique in Zinnia. Delo war vielmehr eine Art Außenseiter und deshalb meiner Meinung nach derjenige, der am ehesten reden würde.

Er wohnte östlich der Stadt, und ich beobachtete auf der Fahrt dahin, wie die Sonne den Reif auf dem Asphalt wegschmolz. Der Tag war wunderschön, der Himmel tiefblau, das Licht golden. Delos Haus lag nicht weit von der Stadtgrenze entfernt. Die Zufahrt führte zwischen abgeernteten Maisfeldern hindurch, und als ich geparkt hatte und ausstieg, hörte ich schon, dass Delo Holz hackte. Ich fand ihn auf dem Hinterhof zwischen mehreren Zedern, wo er Eichenscheite spaltete.

»Guten Morgen, Mr. Wiley«, sagte ich, während ich näher kam und drei Löcher im Boden umging, die frisch ausgehoben wirkten.

Er schlug die Axt in den Baumstumpf, den er als Hauklotz benutzte, und wischte sich mit dem Hemdsärmel die Stirn ab.

Delo Wiley war ein alter Mann. Damit hatte ich nicht gerechnet.

Ich hatte ihn ab und zu in der Stadt gesehen, und er war immer betriebsam gewesen. Aber als ich ihn das letzte Mal traf, hatte sein Haar noch die Farbe von Salz und Pfeffer gehabt, und seine braunen Augen hatten klar und nüchtern geblickt. Heute ging er gebeugt, und seine karierte Jacke hing ihm schlaff von den Schultern herab. Dicke Brillengläser vergrößerten seine Augen und erweckten den Anschein von Schwäche. Mit seinen braunen Augen musterte er mich von oben bis unten, dann senkte er den Blick und ließ ihn zu dem Stapel Holz wandern, der noch gespalten werden wollte.

»Was kann ich denn für Sie tun, Sarah Booth?«, fragte er, ohne die Augen von dem Holzstoß zu nehmen.

Obwohl es mich nicht hätte überraschen sollen, dass er mich kannte, war ich doch darüber erstaunt. »Ich schreibe an einem Buch«, sagte ich. »Einem Roman. Eigentlich ist alles darin erfunden, aber ich begann an das zu denken, was so in Sunflower County geschehen ist, und da habe ich mich an die einzige wirklich interessante Geschichte erinnert.« Ich wartete ab, ob er den Köder annahm.

»Hier ist einiges Interessantes passiert«, entgegnete er, beugte sich vor und hob ein Scheit auf. Nein, er war mir nicht an die Angel gegangen. Davon ließ ich mich nicht ins Bockshorn jagen.

»Ich weiß, dass Hamilton Garrett bei einem Jagdunfall erschossen wurde, aber ich glaube, ich könnte ein erfolgreiches Buch schreiben, wenn ich einen Mord daraus mache. Sie wissen schon, man macht aus wirklichen Ereignissen eine erfundene Geschichte, indem man andere Namen nimmt und es woanders spielen lässt als in Sunflower County. Vielleicht in einem erfundenen Bezirk wie Yoknapatawpha.«

Er blickte mich milde an. »Die Leute lesen immer gern was über Mord«, pflichtete er mir bei.

Delo erwies sich als schwierig zu knackende Nuss. Er gehörte zu den Rednecks, den zugeknöpften armen weißen Landbewohnern. Sprachlicher Überschwang würde wohl nie zu seinen Sünden gehören.

»Sie waren es doch, der Mr. Hamilton den Vierten gefunden hat, nachdem er versehentlich erschossen wurde, richtig?«

»Wenn Sie die Antwort auf Ihre Frage nicht schon kennen würden, dann wären Sie kaum hergekommen, Sarah Booth.«

»Bücher lesen sich am besten, wenn sie auf realistischen Einzelheiten aufgebaut sind. Ich hatte gehofft, ich könnte von Ihnen Näheres erfahren.«

Delo packte den Axtstiel und wand ihn, um die Schneide aus dem Block zu ziehen. Dann hob er die Axt hoch in die Luft und ließ sie auf ein Scheit niedersausen. Für einen Mann, der so alt aussah, war er bemerkenswert kräftig. Das Scheit wurde durchtrennt, und die eine Hälfte schoss direkt auf mich zu. Gerade noch rechtzeitig trat ich beiseite, sonst wäre sie mir vors Knie geprallt.

»Tut mir leid«, sagte Delo in einem Ton, der das Gegenteil belegte. Er bückte sich nach einem weiteren Scheit. »Ich meine, wenn Sie einen Roman schreiben, dann können Sie doch erfinden, was Sie wollen. Warum machen Sie sich solche Gedanken um die Tatsachen?«

Hierauf hatte ich mir schon vorher eine Antwort überlegt. »Auf keinen Fall will ich, dass der Roman am Ende zu große Ähnlichkeit besitzt mit dem, was wirklich passiert ist, sonst verklagt mich noch jemand. Kennen Sie diese Frau, die über Kay Scarpetta schreibt? Sie ist von Leuten verklagt worden, die behaupten, sie hätte ihre Familientragödie für einen Roman benutzt.« Ich lächelte gepresst, weil ich an den Aufstand denken musste, den Jitty gemacht hatte, als sie die Ausgaben des ›National Enquirer‹ entdeckte, die ich aus dem Piggly mitgebracht hatte. Ein übles Revolverblatt mochte er sein, Sensationspresse für den Müll, aber die Ausgabe hatte sich bezahlt gemacht. Über alle erdenklichen Prominenten besaß ich nun aktuelles Hintergrundmaterial.

Delo ließ die Axt auf das nächste Scheit hinabfahren, und das nächste Feuerholz schwirrte durch die Luft. »Wenn ich im Leben eins gelernt habe, dann dass die wenigsten Fehler aus Unschuld begangen werden.«

Ein echter Gesprächskiller. Ich hob das Holzstück auf und warf es zu den anderen. Nur um Delo klarzumachen, dass ich mich so leicht nicht vertreiben ließe, setzte ich mich auf einen der größeren Klötze. »Sehen Sie, in meinem Kopf sehe ich Mr. Garrett den Vierten in einer dieser Westen mit Tarnmuster, die Taschen voller Schrotpatronen. Wir haben einen frischen Abend mit einem Sonnenuntergang, der zu schön ist, um wahr zu sein. Mr. Garrett wartet auf einen letzten Schwarm Tauben, der sich in diesen wunderschönen Himmel erhebt, aber er ist müde, also hockt er sich nieder. Irgendwann steht er völlig unerwartet auf. Die anderen Jäger haben ihn nicht gesehen, eben weil er kniete, und als er aufsteht, trifft ihn ein Schuss mitten in die Kehle. Stimmt das so ungefähr?«

Delo hatte mit dem Holzhacken aufgehört. Auf den Axtstiel gestützt stand er da und musterte mich. Seine Augen wirkten nicht mehr im Geringsten schwach.

»Was wollen Sie eigentlich wirklich wissen?«, fragte er.

»Die Wahrheit«, antwortete ich bedächtig.

»Wie alt sind Sie, Sarah Booth?«

Ich sah nicht, was ihn das anging, aber ich sah auch nicht, was es schaden sollte, wenn ich seine Frage beantwortete. »Dreiunddreißig.«

»Da haben Sie die besten Jahre, um einen Mann abzubekommen, ja schon hinter sich.«

Diese Worte trafen mich unvorbereitet. Sie verletzten mich nicht, aber sie brachten mich aus dem Gleichgewicht. Andererseits hätte ich damit rechnen müssen, dass er, wenn ich ihn auf seinem Revier in Bedrängnis brachte, mit etwas kontern würde. Psychologie 211 – Aufbaukurs für Fortgeschrittene.

Ich beschloss, den Einsatz zu erhöhen. »Wenn es ein Mann wäre, den ich will, dann hätte ich einen. Ich will aber mehr.« Drei Herzschläge Pause. »Ich will Ruhm, Mr. Wiley. Ruhm und genug Geld, um mir nie wieder irgendwelche Sorgen machen zu müssen.«

In seinen Augen blitzte es auf, und da wusste ich, dass wir endlich unsere gemeinsame Sprache gefunden hatten.

»Es kann ziemlich gefährlich sein, wenn man sich allzu viel mit der Vergangenheit beschäftigt«, meinte er bedachtsam. »Und teuer.«

Eine neue Wendung. Er wollte Geld sehen, und ich wusste nicht, wie viel ich ihm anbieten sollte. Die Leute in und um Zinnia sind gewöhnlich mehr als nur erpicht darauf, sich über fremde Angelegenheiten das Maul zu zerreißen, und tun es aus purem Spaß an der Freud. Nun war das bei Wiley anders. Aber wie viel sollte ich ihm anbieten?

Zunächst dachte ich an hundert Dollar, doch dann zog ich zwei Scheine aus der Tasche und faltete sie längs zu einer langen Rinne. Damit klopfte ich mir gegen das Knie. »Wie ist Hamilton der Vierte denn erschossen worden?«, fragte ich.

Delo nahm das Geld und stopfte es sich in die Brusttasche seines Hemdes. »Mir sah's ganz danach aus, als hätte er auf dem Boden gesessen. Es gibt aber viele Möglichkeiten. Es ist sowieso eine schlechte Idee, unerfahrene Leute mit einem Gewehr auf ein Feld zu stellen. Jedenfalls hab ich gehört, dass der offizielle Bericht des Sheriffs seinen Tod zum Unfall erklärt hat.«

»Erzählen Sie mir von dem Tag«, bat ich und hoffte, seine Geschichte würde mir Fingerzeige liefern auf das, was ich ihn noch fragen sollte.

»Isaac Carter war es, der die Jagd organisierte. Er rief mich an und wollte das Feld am Maultiersumpf, was weiter unten dicht am Fluss liegt. Als Jagdgebiet ist es am besten, weil es dort viel Unterholz gibt, aber der Boden ist schlammig. Das Gehen ist dort schwierig.«

»Wie viele Jäger?«

Er dachte eine Weile nach. »Acht, glaube ich. Carter selbst, Camden Wells, Lyle Bedford, Asa Grant, Myles Lee, Hamilton der Vierte und zwei Männer, die ich nicht kannte. Investoren aus einem anderen Bundesstaat, sagte Carter.«

Die Leute, die Delo soeben aufgezählt hatte, bildeten die Crème de la Crème des ›Buddy-Clubs‹: die Macher im

Delta, die Bosse, die großen Zampanos, die Männer, denen das große Geld gehörte und die die Daddy's Girls aus der Generation meiner Mutter geheiratet hatten. Südstaaten-Aristokraten, die Erben der Erde und aller Früchte, die sie trug. Anders als Harold, der sich sein Vermögen durch Geschick und harte Arbeit verdient hatte, waren die Amigos vom ›Buddy-Club‹ damit geboren worden.

Es ergab durchaus Sinn, dass sie sich auf dem Land trafen, um das Sinnbild des Friedens als Wolke flatternder Federn vom Himmel zu ballern. Schließlich waren sie einflussreiche Männer und wurden es niemals müde, dies durch Zurschaustellung ihrer Besitztümer unter Beweis zu stellen, durch ihre Fähigkeit, sich über jede Regel hinwegzusetzen, und durch ihr unbeschwertes Gelächter.

»Dass Mr. Garrett da auftauchte, das hat mich erstaunt«, fuhr Delo fort. Nun, nachdem das Geld ihm die Zunge gelockert hatte, brauchte ich ihn in keiner Weise mehr zu drängen. »Er hat nie zuvor mit ihnen gejagt. Und an dem Tag, da guckte er auch nicht gerade fröhlich aus der Wäsche.« Er verschob den Unterkiefer nach rechts. »Hier, da hab ich eine Tatsache für Sie. Sein Gewehr ist einmal abgefeuert worden. Die Flinte lag gleich neben ihm auf dem Feld.«

»Ist er durch dieses Gewehr getötet worden?«

»Das hat nie jemand mit Sicherheit festgestellt.«

Ich wandte mich wieder dem Tag der Jagd zu. »Die Männer sind am Morgen hier angekommen?«

»Nein, nach dem Mittagessen. Ich hab angeboten, sie hinzubringen, aber Carter sagte, er kennt das Feld. Also sind sie zusammen losgezogen, und ich hab mich hier um meine Arbeit gekümmert. Ich hatte noch andere Gruppen auf anderen Feldern.« Bevor ich fragen konnte, antwortete er schon: »Keine dicht genug dran, um gesehen zu haben, was da passiert ist. Und eins will ich noch sagen: Ganz egal, was Fel Harper meint oder was in seinem offiziellen Bericht als Coroner steht, Mr. Garrett war schon eine ganze Weile tot, als ich ihn fand.«

»Hat jemand einen Arzt gerufen?«

»Wozu? Er war doch tot.«

Ein guter Grund hätte darin bestanden, dass im Staate Mississippi der Coroner, der offizielle Leichenbeschauer, gewählt wird und mit den richtigen Beziehungen dumm wie Brot und ungefähr so blind sein darf. Fel Harper hatte jedenfalls noch keinen Intelligenzwettbewerb gewonnen. Wer auf seine Einschätzung der Todeszeit vertraute, war entweder dämlich oder wollte absichtlich die Wahrheit verschleiern.

»Also kamen die anderen Jäger zurück ...«

»Es wurde dunkel, und ich wollte schon ins Auto steigen und sie abholen, als sie auf den Hof kamen. Keiner schien bemerkt zu haben, dass Mr. Garrett fehlte. Als ich fragte, wo er steckt, zuckten sie alle die Achseln und sagten, sie dachten, er wäre schon vor Stunden zurückgekommen. Also bin ich ins Auto und losgefahren, um ihn zu suchen. Eine Weile hab ich nach ihm gerufen, und als er nicht antwortete, da schwante mir, dass was Schlimmes passiert war. Ja, und da umging ich auch schon diesen Baumstumpf mit den Büschen drum herum, und da lag er. Er lag irgendwie auf der Seite. Ganz schreckliche Sauerei.«

»Was ist dann geschehen?«

»Ich fuhr zurück nach Hause und sagte es den anderen. Dann hab ich den Sheriff und den Coroner gerufen.«

»Wie haben die anderen reagiert?«

»Carter erklärte sich bereit, zu Mrs. Garrett zu fahren und ihr zu sagen, was passiert war, und die anderen meinten, ja, das sollte er tun. Sie lungerten hier herum, bis der Sheriff kam, und dann fuhren sie alle mit dem Leichenwagen wieder aufs Feld.«

»Sind Sie auch mitgefahren?«

Delo verengte seine dunklen Augen zu schmalen Schlitzen. »Sie haben mich nicht drum gebeten, und ich hab mich nicht angeboten. Mir sah es ganz nach einem schwarzen Tag aus. Für mich schien's als das Beste, die Hunde zu füttern, die anderen Jäger abzukassieren und im Haus zu bleiben.«

»Aber mit dem Sheriff haben Sie doch gesprochen?«

»Pasco Walters hat mir keine einzige Frage gestellt, und ich hab ihm von mir aus nichts gesagt.« Er hob wieder die Axt. »Ein Mädchen wie Sie hat natürlich nie lernen müssen, dass man Leuten, die über einem stehen, lieber nicht erklärt, was sie zu tun haben.« Nun klang er ärgerlich. »Jetzt ab mit Ihnen. Sie haben alles bekommen, wofür Sie bezahlt haben.«

»Wenn Ihnen zu der Sache noch irgendetwas einfällt, dann würde ich's gerne hören«, sagte ich und stand auf.

»Ich geb Ihnen einen kostenlosen Rat, Sarah Booth. Stellen Sie hier dem Richtigen die falsche Frage, und Sie haben mehr Ärger am Hals, als Sie es sich in Ihren schlimmsten Träumen vorstellen können.«

Fel Harper war dick und wohlgelitten. Abgesehen davon, dass er die Toten für tot erklärte, frittierte er zu allen denkbaren Anlässen und auf allen möglichen Partys Katzenwels und grillte Steaks. So lange ich zurückdenken konnte, hatte es keine Wahlkampfveranstaltung von nennenswertem Kaliber gegeben, bei der nicht Fel mit seiner transportablen Küche anrückte und die Massen speiste. Er war ein höchst geselliger Mensch, was sich nur scheinbar nicht damit in Einklang bringen ließ, dass er immer wieder zum Coroner gewählt wurde. Obwohl er fast zwei Meter groß war und über hundertfünfzig Kilo wog, bewegte er sich behände, als er mir in seinem kleinen Büro einen Stuhl heranzog. Hier auf den Viehhöfen verrichtete er seinen Zivilberuf.

»Sarah Booth Delaney«, sagte er, legte mir seine prankenhaften Hände auf die Schultern und hielt mich auf Armeslänge Abstand, während er mich musterte. »Ich kann mich noch an den Tag erinnern, als du mit Roger Crane die Schule geschwänzt hast und ihr auf euren Fahrrädern an den Leatherberry Creek gefahren seid. Mannomann! Deine Eltern waren außer sich. Sie glaubten, du wärst entführt worden oder Schlimmeres.« Er lachte laut auf.

Diesen Tag habe ich keineswegs in guter Erinnerung. Ich war damals zwölf, und Roger Crane drei Jahre älter. Er überredete mich dazu, die Schule zu schwänzen und mit ihm schwimmen zu gehen. Es war meine erste Lektion in Irreführung – seinerseits, meinerseits und unsererseits.

Ich konzentrierte mich auf Fels Gesicht. Obwohl er schon sechzig sein musste, waren seine Wangen so glatt wie ein Babypopo. Keine Runzel fand sich darauf und auch nicht das geringste Anzeichen für Bartstoppeln. Ich fragte mich, ob er irgendwann in Chemotherapie gewesen sein mochte, denn sein Kopf war so kahl und glatt wie der von Meister Proper.

»Du willst also, dass ich für ein – wie sagt ihr? – *Happe-*

ning oben auf Dahlia-Land koche?«, fragte er, während er mich auf den Stuhl drückte. »Miz Kincaid hat mich für ihre Wohltätigkeitsveranstaltung engagiert. Sie schmückt ihr Haus mit Heuballen und Gingan, damit es ländlich aussieht. Country ist das Motiv des Abends. Auf dem Menü steht frittierter Katzenwels, um hervorzuheben, dass der Staat Mississippi der Haupterzeuger von Katzenwels im ganzen Land ist. Du weißt ja, dass Miz Kincaid immer großen Wert darauf legt, auf das Gute in unserem großartigen Bundesstaat hinzuweisen. Sie ist ein liebes kleines Ding, findest du nicht auch?«

»Das steht ganz außer Frage«, pflichtete ich ihm vage bei.

»Nun, was hast du im Sinn?«

»Geschichte«, antwortete ich brav.

»Ein Antebellum-Motiv!«, begeisterte er sich. »Ach, wie ich diese Partys im Stil des Alten Südens liebe! Ich mache den besten in Bourbon marinierten Schinken. Gib noch hausgemachte Brötchen und Salat hinzu, und deine Party kann losgehen!«

Mir knurrte lang und resonant der Magen. »Ich plane zwar gar keine Party, aber Ihre Speisenfolge werde ich mir merken.« Ich atmete tief durch. »Ich schreibe an einem Buch.« Unter allen faustdicken Lügen war diese zur nützlichsten Fabel geworden.

»Du warst schon immer ein wenig sonderbar, Sarah Booth. Ich hatte gedacht, New York hätte dich von solchen Torheiten kuriert. Bücherschreiben und Schauspielern, das sind doch zwei Seiten derselben Medaille. Du weißt sicher, dass die Leute hier geglaubt haben, du wärest fort, um ein Kind der freien Liebe zur Welt zu bringen oder weil du in eine Anstalt eingewiesen wurdest. Niemand hat geglaubt, dass du wirklich Schauspielerin werden wolltest. Aber egal, an was für einem Buch schreibst du denn?«

»An einem Kriminalroman«, erklärte ich, beugte mich vor und riss die Augen so weit wie möglich auf. »Es geht um einen Mann, der beim Taubenschießen vom Geliebten seiner Frau ermordet wird.« Fels Blick schweifte zur Tür. »Dann, wenn es gerade so aussieht, als wäre das perfekte Verbrechen gelungen, schlägt das Schicksal zu, und die Frau stirbt. Bei einem Unfall. Einem Autounfall. Was halten Sie davon?« In der auf meine Worte folgenden Stille hörte ich ein Kalb blöken.

»Ich bin kein Krimileser«, sagte Fel schließlich, »aber für mich klingt das mehr nach einem dieser Fernsehfilme bei einem Kabelsender. Ich glaube, letztes Jahr habe ich so etwas Ähnliches gesehen.«

»Als Coroner des Bezirks wissen Sie doch über jeden Todesfall Bescheid, der sich hier je ereignet hat, oder?«, fragte ich unnachgiebig.

»Ach was, ich kann mich doch nicht an jeden Fall erinnern, den es gegeben hat«, entgegnete er. »Um genau zu sein, versuche ich sogar, davon so viel wie nur möglich zu vergessen.«

»Aber an den Tod der Garretts erinnern Sie sich doch noch, oder?«

»Der alte Garrett wurde beim Taubenschießen erschossen. Ja, das weiß ich noch.« Er rutschte auf dem Sessel umher.

Das Kalb blökte erneut, diesmal vor Schmerzen. Was ich auf keinen Fall vergessen durfte, war die brutale Umgebung, in der sich Fel bewegte.

»Sind Sie sicher, dass der Tod Hamilton Garretts des Vierten ein Unfall gewesen ist?«

Er lehnte sich in den Sessel zurück, ohne das Ächzen der Sprungfedern zu beachten. Lauernd musterte er mich aus seinen kleinen Äuglein.

»Mr. Garrett saß am Boden, als er erschossen wurde«, antwortete er. »Er führte ein Vorderschaftrepetier-Schrotgewehr der Firma Remington mit sich, und dieses Gewehr war einmal abgefeuert, aber nicht wieder durchgeladen worden, denn die leere Hülse steckte noch in der Kammer. Das Gewehr lag neben ihm auf dem Boden und zeigte mit der Mündung auf ihn. Überall ringsum waren Hundespuren. Isaac Carter hatte ein Pärchen Retriever dabei, und ich nehme an, dass diese Hunde in der Nähe waren, als es passierte.« Er rutschte nach vorn. »Mr. Garrett war kein Jäger und kein Schütze. Ich habe mit Pasco Walters den Schauplatz des Unglücks begutachtet. Wir kamen zu dem Schluss, dass Mr. Garrett sich hingesetzt und sein Gewehr an den Baumstumpf gelehnt hat. Einer der Hunde, aufgeregt, wie Hunde manchmal nun mal sind, stieß dagegen, und es fiel um. Als Mr. Garrett es aufhob, war er nicht vorsichtig genug. Die leiseste Berührung des Abzugs … So kann man den Hergang sehen, und so ist es am besten.«

Am besten für wen? »Eine andere Möglichkeit wäre, dass sich jemand angeschlichen hat, sein Gewehr packte und ihn erschoss.«

Fels Augen verhärteten sich, und er presste die Lippen aufeinander. »Dann sag mir mal, welchen der sieben Männer, die in der Nähe waren, du des Mordes bezichtigen willst, Sarah Booth. Besonders, wo die Witwe mit Tod durch Unfall einverstanden war. Du musst bedenken, niemand wollte, dass am Ende Selbstmord herauskam, und Selbstmord ist viel wahrscheinlicher als Mord.«

Das ließ sich nicht von der Hand weisen. »Und was ist mit Mrs. Garrett? Sie starb nur wenige Wochen später.«

Fel nickte und richtete den Blick erneut auf die Tür. »Autounfall. Bevor sie durch die Windschutzscheibe flog, war sie eine sehr schöne Frau. Ein schreckliches Unglück.«

»Noch ein Unglück, soso.«

Fel hob die Augenbrauen. »Die Frau ist an den Verletzungen gestorben, die sie sich bei dem Aufprall zugezogen hat. Meine Güte, sie ist mit dem Gesicht zuerst durch die Windschutzscheibe geschleudert worden. Mehr konnte ich dazu nicht sagen, und mehr habe ich nie gesagt.«

»Gerüchte behaupten, die Bremsleitung sei durchtrennt gewesen.«

Er blickte mich böse an. »Ich bin Coroner, kein Automechaniker.« Rasch durchquerte er den Raum und deutete mit dem Finger auf die Tür und den Korridor dahinter. »Raus hier. Ich habe keine Zeit für solchen Blödsinn.«

Ich gestattete ihm, mich an die Tür zu führen. »Wo kann ich Pasco Walters finden?«

Er grinste. »Ich würd's mal auf dem Friedhof von Cedar Lawn probieren.« Damit schlug er mir die Tür vor der Nase zu.

Verdammt! Der Friedhof von Cedar Lawn. Also war Pasco Walters, der ehemalige Sheriff von Sunflower County, tot. Vermutlich waren mehrere in diesen Fall verwickelte Menschen bereits gestorben. Mir drängte sich der Gedanke auf, dass auch der Sheriff einem Verbrechen zum Opfer gefallen sein konnte.

Ungebeten trat mir das gut aussehende Gesicht Hamiltons des Fünften vor Augen, und mir war, als hätte mir Väterchen Frost persönlich eine Reihe eisiger Küsse auf den

Rücken gedrückt. Ob er fähig war zu morden? Die eigene Mutter zu ermorden? Das musste ich unbedingt herausfinden, und plötzlich war mir klar, dass es mir dabei nicht nur um Tinkies Geld ging.

11

Das Courthouse von Sunflower County, das Bezirksverwaltungsgebäude, steht auf einem annähernd quadratischen Platz, den Kastanienbäume säumen. Eine Statue von Johnny Reb, dem typischen konföderierten Soldaten des amerikanischen Bürgerkriegs, bewacht den Haupteingang, und dort befindet sich auch eine Gedenktafel für die Männer unseres Landes, die im ›Krieg zwischen den Staaten‹ gefallen sind, wie man den Bürgerkrieg hier bei uns im Süden nennt. Noch nie konnte ich an dem Standbild dieses verwahrlosten, armselig gekleideten Rebellensoldaten vorbeigehen, ohne lang und breit über die Psychologie des Krieges nachzudenken. Am Ende bin ich immer wütend. Persönlich meine ich, dass Frauen sich weigern würden, an solchen Torheiten teilzunehmen. Die Daddy's Girls ganz gewiss, denn sie würden die Entbehrungen und den Mangel an angemessener Hygiene so rasch unerträglich finden, dass sie dem Kriegsgeschehen schon nach drei Stunden ein Ende setzen würden. Das soll keineswegs bedeuteten, die Daddy's Girls lehnten es ab, sich in globale Fragen einzumischen; sie würden jedoch eine Vorgehensweise bevorzugen, die weniger Schmutz mit sich bringt.

Innerhalb des Courthouse herrscht ein überwältigender und zugleich tröstlicher Geruch nach altem Staub. Als Kind bin ich oft mit meinem Vater hierher gekommen, wenn er im Gericht zu tun oder sich um Steuerangelegenheiten zu kümmern hatte. Dann versteckte ich mich in den Winkeln und Eckchen des alten Gebäudes und bespitzelte und belauschte die Vorübergehenden. Während der interessanteren Prozesse pflegte ich im Richterzimmer zu sitzen und durch die Tür zum Gerichtssaal, die dann einen Spaltweit offen stand, der Verhandlung zuzuhören. Dabei konnte ich die Stimmung, in der mein Vater sich befand, danach beurteilen, wie fest er mit dem Hammer aufschlug. Daddy hat mir nie das Recht verweigert, den Strafprozessen zuzuhören, auch wenn Mama ihr Bestes gab, um mich davon abzuhalten. Sie befürchtete, dass es meine Charakterentwicklung in ungünstige Bahnen lenken könnte, wenn ich in solch jungen Jahren schon mit niederen menschlichen Verhaltensweisen in Kontakt kam. Am Ende hat sie vielleicht doch Recht damit gehabt.

Als ich in den Rundbau trat, fiel mir plötzlich auf, dass ich das Funktionieren des Bezirks stets als gegeben hingenommen und mich niemals um die Mechanismen, nach denen dies vonstatten ging, gekümmert hatte. Ich besaß nicht die leiseste Ahnung, wo die Sterbeurkunden aufbewahrt wurden oder die Berichte des Coroners sich befinden mochten. Deshalb wandte ich mich dem Büro des Sheriffs zu, ein Amt, das gegenwärtig Coleman Peters innehatte.

Coleman ist zwei Jahre älter als ich. Sein Vater war ein Farmpächter auf der Bellcase-Plantage. Coleman hat als Linebacker in der Footballmannschaft der Sunflower High gespielt, ein großer Junge, der tat, was getan werden musste, ohne je davor zurückzuschrecken.

»Na, so was, Sarah Booth«, sagte Coleman, als ich in sein

Büro kam, und sprang hinter seinem Schreibtisch auf. »Was um alles in der Welt können wir denn für dich tun?«

Unbestreitbar kümmerten sich bis vor wenigen Jahren die Menschen gewisser Gesellschaftsschichten selber und ohne Einmischung der Polizei um ihre Probleme. Polizisten waren für die Mittelschicht da. Die obersten und die untersten Klassen der Gesellschaft regelten ihre Angelegenheiten selber und waren mehr oder weniger auf sich allein gestellt.

»Coleman Peters«, sagte ich, überrascht über die Freude, einen alten Bekannten wiederzusehen. »Wenn man sich vorstellt, dass du nun der oberste Gesetzeshüter im ganzen Bezirk bist. Ich erinnere mich noch gut daran, wie du auf dem Footballfeld Dampf gemacht hast.«

»Dampf mache ich heute immer noch«, versicherte er mir und grinste breit. »Du wirst doch wohl nicht von irgendwem belästigt, oder?«

Ich erwog, mir eine Geschichte aus den Fingern zu saugen, mit der ich seiner Erwartungshaltung entgegenkam, doch wurde mir noch rechtzeitig klar, dass ich damit Harold in Schwierigkeiten bringen konnte. Das wäre schlecht gewesen. »Nein, ich schreibe an einem Buch«, entgegnete ich daher und konnte sehen, wie das Interesse in seinen Augen verlosch. »Ich muss ein paar von den alten Akten des Bezirks einsehen.«

»Was für ein Buch denn?«

»Einen Roman. Eine Kriminalgeschichte.« Ich sah Coleman an der Nasenspitze an, dass ihm der Unterschied zwischen Belletristik und Sachbuch offenbar nicht geläufig war. Alles Niedergeschriebene war potenziell gefährlich. »Ich interessiere mich für 1979.«

»Wenn es dir um einen Mord geht, dann findest du die besten Aufzeichnungen vermutlich unten im Archiv des Bezirksgerichts. Dort werden jedenfalls die Verhandlungsprotokolle aufbewahrt.«

Ein Punkt für Coleman. »Aber die Ermittlungsakten sind doch sicher hier?« Im Fall Garrett hatte es schließlich nie einen Prozess gegeben, doch auf diese Formsache wollte ich gar nicht erst eingehen.

»Die sind hinten im Aktenraum. Es ist dort ein bisschen unordentlich, aber du kannst dich gerne umsehen.« Er nestelte an seinem Waffengurt. »Carlene und ich lassen uns scheiden.«

»Tut mir leid, das zu hören«, sagte ich, erstaunt über die unerwartete Enthüllung. Normalerweise benötigte man Zahnarztwerkzeug, um einem Mann wie ihm solch ein Detail zu entlocken. Ich erinnerte mich an Carlene, sie war eine der munteren kleinen Cheerleader gewesen. Sie hatte einen großen Mund, einen dicken Hintern sowie melonenförmige Brüste und gehörte zu den Mädchen, die chronisch auf ›niedlich‹ machten.

»Stimmt es, dass du nie geheiratet hast?«, fragte er.

Kein gutes Zeichen. Ganz entschieden kein gutes Zeichen. Coleman wurde vertraulich. »Die Ehe ist nicht der Weg, den ich eingeschlagen habe«, antwortete ich umständlich.

»Aber du stehst auf Männer, oder nicht?«

Ich schloss die Augen. »Ungefähr zur Hälfte aller Gelegenheiten.« Bevor er diese Bemerkung verarbeitet hatte, war ich ins Hinterzimmer geeilt.

Coleman hatte Recht gehabt, hier herrschte in der Tat das Chaos. Trotzdem fand ich bald das Gefängnisregister und andere Akten, sogar in chronologischer Ordnung, und begann zu räubern.

Pasco Walters' erster Bericht war weder schwer zu finden noch sonderlich informativ. Die niedergeschriebenen Tatsachen stimmten mit dem überein, was ich von Delo und Fel erfahren hatte. In der Akte befand sich auch Fel Harpers Bericht, in dem der Zeitpunkt des Todes auf 17.10 Uhr am 23. Oktober festgelegt wurde. Ich merkte mir, dass Fel als Todeszeit die Uhrzeit genommen hatte, zu der Delo den Toten auffand. Nach dessen Aussage war Garrett da jedoch schon länger tot gewesen. Es gab mehrere Schwarzweißfotos des Tatorts. Eins zeigte den von einer alten Plane bedeckten Leichnam, daneben stand ein großer, hoch aufgeschossener Polizist, bei dem es sich um Pasco Walters handeln musste. Ich sah mir sein Gesicht näher an und erinnerte mich, dass ich ihn als Kind häufig gesehen hatte, wenn ich meinen Vater ins Courthouse begleitete. Damals hatte ich ihn für sehr stattlich gehalten; mir fiel ein, dass er mich neckend an den Zöpfen gezogen hatte.

Auf dem Foto war von seinem Humor nichts zu bemerken. Er wirkte angespannt und ernst, strahlte jedoch große Autorität aus. Bei der Sheriffwahl hätte ich ihm durchaus meine Stimme gegeben.

Ich las weitere Berichte und genoss es ein wenig, allein zu sein und in den schäbigen Einzelheiten der Vergangenheit zu stöbern. Gerade wollte ich mich Veronicas Akte zuwenden, als ein Schatten auf mein Notizbuch fiel. Ich drehte mich um und sah mich einem großen, schlanken Mann in der Uniform eines Hilfssheriffs gegenüber.

»Haben Sie gefunden, was Sie suchen?«, fragte er. Sein Gesicht lag im Schatten.

Ich klappte das Notizbuch zu. »Einiges davon.« Er trat näher, und ich bemerkte, dass er mich auf eine Weise anstarrte, die mich eindeutig einschüchtern sollte.

»Suchen Sie nach was Bestimmtem?«, fragte er.

»Ich schreibe an einem Buch«, erwiderte ich und verspürte das dringende Bedürfnis, mich zu erheben. Als ich aufgestanden war, überragte er mich dennoch um gute fünfzehn Zentimeter. Ihm fehlten die breiten Schultern von Hamilton dem Fünften, aber seine Kantigkeit wirkte sehr zwingend. Er versperrte mir den Ausgang, und seine rechte Hand ruhte auf dem Knauf seiner Pistole, eine Pose, die zum Marshal aus ›Zwölf Uhr mittags‹ gepasst hätte.

»Ich höre, Sie befassen sich mit der Vergangenheit«, sagte er.

»Wie schon gesagt, ich schreibe ein Buch.« In der Hoffnung, der Kerl hätte nicht allzu viel gesehen, klappte ich die Akte Hamilton Garrett zu. Instinktiv war mir klar, dass ich meinem Gegenüber besser nicht enthüllte, wohinter ich her war, und dass ich so schnell ich nur konnte von hier verschwinden sollte. Ich würde später wiederkommen müssen, um in den Akten mit den Umständen herumzuwühlen, die zum Tod der letzten Mrs. Hamilton Garrett geführt hatten.

»Die Leute sind empfindlich, wenn es um früher geht«, sagte der Mann gelassen. Er trat einen Schritt näher, und ich sah das spärliche Licht in seinen Augen funkeln. Er blickte auf die Ordner, die ich eingesehen hatte. »1979. Um die Zeit, wo Hamilton Garrett erschossen wurde.«

Sollte ich nach Coleman rufen? Nein, dann hätte ich dem unbekannten Deputy gezeigt, dass ich mich fürchtete. Es gibt einen bestimmten Schlag Männer, der großes Vergnügen dabei empfindet, Frauen Furcht einzuflößen, und ich hatte den Verdacht, dass dieser Hilfssheriff zu ihnen gehörte. »Darf ich bitte«, sagte ich und versuchte, mich an ihm vorbeizuschieben.

Seine Hand schoss vor, und er packte mich an exakt der gleichen Stelle wie schon Garrett der Fünfte. Er beugte sich zu mir herunter, sodass er mir ins Ohr flüstern konnte. »Es wäre klug von Ihnen, wenn Sie Ihr kleines Buchprojekt eine Weile verschieben würden.«

Ohne Mühe riss ich mich los. »Was glauben Sie eigentlich, wer Sie sind?« Die gleichen Worte, die auch ein echtes Delta Daddy's Girl benutzt hätte.

»Deputy Sheriff Gordon Walters. Pasco Walters war mein Vater.«

Er ließ die Hand sinken, hielt mich aber mit seinem Blick gefangen. Er hatte die Augen eines Jägers.

»Der Polizeiberuf scheint Ihrer Familie im Blut zu liegen«, bemerkte ich.

Seine Brust hob und senkte sich langsam. »Einen guten Rat gebe ich Ihnen, eine Warnung: Halten Sie sich fern von Knob Hill und jedem, der damit zu tun hat«, sagte er. »Das Einzige, was Sie in der Vergangenheit finden werden, sind Gespenster.«

Als ich wieder unter der großen Eiche vor Tammy Odoms Haus parkte, war ich bis an die Zähne mit Tatsachen und noch mehr Theorien bewaffnet. Die ›Untersuchung‹ von Hamilton Garretts Tod war schlampig gewesen. Es gab nicht einmal eine offizielle Liste der Männer, die an jenem Tag mit ihm auf der Jagd gewesen waren. Ich besaß nur die unvollständige Aufstellung der Buddy-Clubber, die ich von

Delo erfahren hatte. Ein wenig telefonisches Stochern bei Cece hatte ergeben, dass Pasco Walters im Jahre 1980 im Mississippi ertrunken war, nachdem sein Streifenwagen von der Brücke abkam. Ich war auch an Billies Werkstadt vorbeigefahren, aber sie hatte geschlossen.

Als ich aus dem Auto stieg, sah ich Tammy auf der schattigen Veranda sitzen. Wir hatten späten Nachmittag, und sie schaukelte langsam hin und her. »Komm rein«, sagte sie. »Ich hab vor fünf Minuten Kaffee aufgesetzt.«

»Dahlia ist ganz prächtig«, sagte ich und folgte ihr hinein. »Und Claire sieht wunderbar aus. Sie ist eine gute Mutter.«

»Ja, und nicht dumm. Ich vermisse sie.«

Ich war mir nicht ganz sicher, was ich sagen sollte. Tammy hatte Claire vor der Entbindung aus dem Haus getrieben und nach Mound Bayou geschickt. »Was ist mit der Schule?«, fragte ich schließlich.

»Sie macht sich gut. Ich glaube, dass sie das Stipendium für Ole Miss bekommt.« Tammy drehte sich um und lächelte mich an. »Die Zeiten haben sich geändert, seit ich ein Mädchen war.«

Das konnte man allerdings sagen. Und in dieser Hinsicht sogar zum Guten. »Was wird aus der Kleinen?«

»Sie kann hier bei mir bleiben, bis Claire ihren Abschluss gemacht hat.« Tammy schüttelte den Kopf. »Als Claire geboren wurde, hatte ich so viel Angst, dass ich nie die Chance bekam, mich an ihr zu freuen, verstehst du?«

Eine bessere Gelegenheit bot sich wohl kaum noch. »Tammy, wer ist Claires Vater?«

»Warum willst du das ausgerechnet jetzt wissen, nach siebzehn Jahren?« Sie stellte Milch und Zucker auf den Tisch. Ihre Bewegungen waren völlig ungezwungen.

»Claire glaubt, dass es Hamilton der Fünfte gewesen sein könnte.« Ich sah ihr forschend ins Gesicht, aber sie verriet sich nicht. Dank der Wahrsagerei hatte sie gelernt, ihre Züge unter Kontrolle zu halten, und sie war eine ausgezeichnete Schauspielerin.

»Er ist wieder da, stimmt's?«, fragte sie und blickte plötzlich besorgt drein. »Ich hab gewusst, dass er zurückkehren würde.«

Verblüfft über die Wehmut in ihrer Stimme, nickte ich. »Ich bin ihm auf Knob Hill begegnet. Ein sehr leidenschaftlicher Mann.«

Tammy wies auf einen Stuhl am Küchentisch und goss uns beiden Kaffee ein. Bevor sie weitersprach, setzte sie sich. »Wusstest du eigentlich, dass ich in dem Sommer, in dem ich sechzehn wurde, auf Knob Hill gearbeitet habe, meist in der Küche und in der Wäscherei?« Sie schüttelte den Kopf. »Ich hab Meile um Meile weiße Baumwolllaken zum Trocknen aufgehängt.«

»Ich hatte nicht die leiseste Ahnung.«

»Es war in den Ferien, und du hattest dich deinem Sommervergnügen zugewandt, hast Tennisunterricht genommen und eine Reise nach Florida geplant. Während ich Betten machte und Zwiebeln schnitt, hab ich an dich gedacht, wie du am Strand liegst. Ich sah dich in einem roten Bikini mit weißer Spitze am Ober- und am Unterteil. Den Job auf Knob Hill hatte ich angenommen, um mir Kleidergeld zu verdienen.«

Selbst wenn ich die Tatsache außer Acht ließ, dass ich in diesem Sommer am Strand tatsächlich einen roten Bikini mit weißer Spitze getragen hatte, war ich verblüfft. »Also ist Hamilton der Vater.« Als ich seinen Namen aussprach, spürte ich fast wieder seine Hand auf meiner Schulter. Und ich empfand noch etwas: Enttäuschung. »Er hat nie die Anstrengung gemacht, dir Unterhalt anzubieten oder bei Claires Erziehung zu helfen?«

»Er hat nie von ihr erfahren.« Sie streckte den Arm über den Tisch und berührte mich an der Hand. Ihre Finger fühlten sich trocken an und strichen mir sanft über die Haut. »Er ist auch nicht Claires Vater.« Sie schwieg, bis ich ihrem Blick begegnete. »Halte dich von Knob Hill fern, Sarah. Was dort vorgeht, kannst du unmöglich aufhalten.«

Ihre Worte, die wie ein Nachhall von Deputy Walters' Warnung klangen, jagten mir eine eisige Gänsehaut meinen gar nicht so standhaften Rücken hinunter. »Ich brauche das Geld«, erklärte ich.

»Mit Geld kannst du dir deine Seele nicht wieder zurückkaufen.«

»Wenn ich Dahlia House verliere, dann büße ich auch einen Teil meiner Seele ein. Vielleicht das Beste daran.« Ich sah, dass sie es aufgab, das erste Gefühl, das ich ihr eindeutig vom Gesicht ablesen konnte. »Du hast also im Sommer vor Hamilton Garretts Tod auf Knob Hill gearbeitet. Wie war es dort?«

Tammy senkte den Blick in ihre Kaffeetasse. »Der junge Hamilton war sechzehn, und ich war in ihn verliebt.« Was immer sie in der Kaffeetasse erblickte, sie lächelte es an. »Ich sammelte seine Kleider ein und machte ihm die Wäsche. Er mochte Zitronenbaisertorte und sagte, meine sei die beste, die er je probiert habe. Er war wirklich nett zu mir. Er lieh mir Bücher aus der Bibliothek und sprach mit mir über das College.«

Zu meiner Überraschung traten ihr plötzlich Tränen in

die Augen. Das also war ihre Beschreibung des dunklen Herrn auf Knob Hill. Nett wäre nicht das Adjektiv gewesen, mit dem ich Hamilton den Fünften belegt hätte. »Und Sylvia? Was war mit ihr?«

»Die meiste Zeit des Sommers war sie fort. Mrs. Garrett hatte sie in die Schweiz geschickt, weil sie ihre Tochter nicht bei sich zu Hause haben wollte. Niemand redete je von ihr. Mir schien's, als würd was nicht stimmen mit Miss Sylvia und als ob die anderen sie wie Luft behandelten.«

»Und Mrs. Garrett?«

»Sie war wunderschön. Sie saß immer am Pool und trank Gin-Rickey aus einem Zinnbecher, in den ihr Name eingraviert war. Dann schwamm sie ein paar Bahnen, stieg wieder aus dem Becken und trank weiter, schlank und nass, wie sie war. Ihre Freunde kamen vorbei, und sie lachten miteinander. Ihre Freunde hatten alle ein schönes Gebiss, dunkle Sonnenbrillen und große Hüte, und sie lachten den ganzen Sommer.« Sie legte die Hände auf den Tisch, als wären sie ihr zu schwer geworden. »Sie hatte so viele verschiedene hübsche Flaschen, und ich hasste es, sie abzustauben. Ich hatte immer Angst, ich könnte eine davon zerbrechen.«

»Hatte sie einen – festen Freund?«

Tammy blickte mich an. »Schwer zu sagen. Es waren ständig Männer da. Einfach immer.«

»Und wie war Mr. Garrett?«

»Er arbeitete sehr viel. Wenn ich ihn sah, dann stand er meistens oben am Fenster und guckte zu seiner Frau runter. Ich glaube, er hätte sie immer geliebt, ganz gleich, was sie tat.«

Wenn Hamilton der Vierte ermordet worden war, dann konnte nur der Geliebte seiner Frau den Abzug gedrückt haben, das stand für mich fest. Von Veronica hatte ich den Eindruck gewonnen, sie sei viel zu gerissen gewesen, um die Tat selbst zu verüben.

»Wer waren die Männer, die sie besuchten?«, fragte ich weiter und überlegte, dass ein naives junges Mädchen einen geschickt geführten Flirt vielleicht gar nicht bemerkt hätte. Ich wollte Namen wissen.

»Die Ehemänner ihrer Freundinnen, Geschäftsleute, Hamiltons Freunde, Angestellte. Das ganze Haus war voll mit Männern.«

»Hat Mrs. Garrett irgendeinem davon besondere Aufmerksamkeit geschenkt?«

Tammy wandte rasch den Blick ab. »So dumm war sie nicht. Vor dem Personal ist sie niemals unvorsichtig gewesen.«

Ich beugte mich vor. »Tammy, glaubst du, dass Veronica Garrett ihren Mann ermordet haben könnte?«

Für einen Sekundenbruchteil schien in ihren Augen die Furcht aufzublitzen. »Den ganzen Sommer hab ich von Tauben geträumt. Ich hab geträumt, mit ihnen zu fliegen. Und dann fingen die Jäger an zu schießen, und rings um mich stürzten die anderen Tauben getroffen ab.«

Ich konnte nicht fassen, was sie da sagte. Ich wollte etwas erwidern, aber mir war, als wäre meine Kehle zugewachsen, und mir fehlten die Worte. Tammy blickte mich nicht an, sondern starrte in ihre Kaffeetasse und sprach weiter.

»Nachts hatte ich Angst, schlafen zu gehen, weil ich nicht mehr davon träumen wollte. Deshalb habe ich Granny alles erzählt.« Tammy nickte bekräftigend. »Weißt du, was sie gesagt hat? Sie sagte: ›Blut tränkt die Erde, und wenn die Zeit reif ist, dann erheben sich die Knochen.‹«

Ich griff über den Tisch und packte sie beim Arm, damit sie aufhörte. Dabei stieß ich den halb gefüllten Kaffeebecher auf den Fußboden. Die blaue Tasse zersprang, und die schwarze Flüssigkeit breitete sich auf dem gelben Linoleum aus. Für einen Moment war ich zu nichts anderem fähig, als auf die Lache zu starren.

Tammy regte sich keinen Zentimeter. Abwartend schaute sie mich an. »Du hast diesen Traum auch gehabt, stimmt's?«, fragte sie. Dann bückte sie sich und hob eine Scherbe der Tasse auf, sodass das Licht vom Fenster darauf fiel. Es war ein handgemachter Kaffeebecher gewesen, und drei Vögel waren darin eingekratzt. Die Umrisse ihrer Leiber vereinigten sich in der blauen Glasur.

»Was hat er zu bedeuten?«, fragte ich schließlich.

»Das weiß ich nicht«, antwortete Tammy. »Versprich mir nur, dass du die Finger von der Sache lässt. Ich hab Angst um dich. Und um Claire. Ist Tinkie Bellcase es wirklich wert, solch ein Risiko einzugehen?«

12

Mit dem Fingernagel klopfte Jitty vernehmlich gegen die Kristallkaraffe, die auf dem Verandageländer stand. Ihre langen Fingernägel schimmerten in einem bleichen, opalisierenden Rosa, das zu ihrem matten Lippenstift und dem Paisleymuster ihrer hautengen Hüfthose passte. »Das Zeug brennt dir noch die Eingeweide aus.«

Ich hob das Glas und prostete ihr wortlos zu. Jitty war empört, dass ich in aller Öffentlichkeit Schwarzgebrannten trank. Im Schlafzimmer sei so etwas akzeptabel, meinte sie, auf der Veranda aber schlürfe eine Dame nur ihren Sherry.

»Du bist doch herumgekommen«, sagte ich, »du kennst viele Geheimnisse.« Ich war mir deutlich bewusst, dass meine Artikulation allmählich den Tribut für den Whiskey entrichtete, denn ich saß, die Beine aufs Geländer gelegt, schon über eine Stunde auf der Veranda und trank. Zwar fror ich, war aber zu trotzig, um ins Haus zu gehen. »Was weißt du über die Garretts? Irgendetwas musst du doch gehört haben.«

Jitty tauschte ihren missbilligenden Gesichtsausdruck gegen einen, der einen Anflug von Verschlagenheit erkennen ließ. »Ich weiß nur, dass du mehr an diesen Hamilton den Fünften denkst, als gut für dich ist.«

»Das ist mein Job«, stellte ich klar und richtete bekräftigend mein Glas auf sie. »Wenn ich nicht an ihn denke, kann ich Tinkie nicht helfen.«

»Anderen Leuten kannst du vielleicht was vormachen, aber mir nicht. Ich kann sehen, wenn das Delaneyblut sich regt. Dieser Mann hat dich aufgewühlt.« Sie grinste. »Du denkst darüber nach, wie dunkel und geheimnisvoll er wirkt, wie er seine Finger in deine Schulter gebohrt und dich wütend gemacht und gleichzeitig zum Leben erweckt hat.« Sie nickte rechthaberisch. »Jawohl, ein vitaler Mann ist er. Sein Blut rauscht wie der Fluss bei Hochwasser, und du möchtest dich hineinstürzen und darin schwimmen.«

Anstatt es abzustreiten, nippte ich am Moonshine.

»Und was ist mit unserem Diamantenkavalier?«, fragte Jitty vorsichtig.

Eine gute Frage.

Jitty erhob sich und trat ans Geländer. In der Beleuchtung, die wie zierliche Finger von der Veranda in die Dunkelheit hinausgriff, erschienen die nächststehenden Platanen weiß wie Knochen. Hinter ihnen war satte Schwärze, die Einsamkeit und Frieden ausstrahlte. Das Land ringsum gehörte, so weit meine Stimme trug, zu Dahlia.

Eine mutige Grille rieb die winzigen Beine gegeneinander, um sich zu wärmen, und ihr Lied rief in mir traurige Erinnerungen an vergangene Sommer wach. Wie viele süße Juniabende hatte ich unten am Salem Creek verbracht und hatte dem Nachtlied gelauscht, einen Mann an meiner Seite, den ich begehrte, und mit dem unausgesprochenen Geburtsrecht einer gesicherten Zukunft versehen. Ich würde auf Dahlia leben. Ich konnte meine Schauspielerkarriere verfolgen, weil Dahlia immer für mich da sein würde. Wie die anderen Daddy's Girls würde ich einen Mann heiraten, der mir eine gesicherte Existenz zu bieten hatte. Trotzdem wäre ich ein wenig verschieden von den anderen: Ich würde meinen Ehemann mit einer wilden Hingabe lieben, wie sie für meine Freundinnen anscheinend niemals zur Debatte stand, wenn es um die Ehe ging.

Ein plötzliches Verlangen ergriff von mir Besitz, und ich konnte nicht verhindern, dass meine Gedanken sich Hamilton dem Fünften zuwandten. Wie es wohl wäre, wenn er neben mir säße und mit mir zusammen Moonshine tränke? Zu merken, wie er näher trat und sich in der Stille der Delta-Nacht hinter mich stellte? Mir schauderte.

»Du denkst verrücktes Zeug«, erklärte Jitty, ohne sich zu mir umzudrehen. »Als Nächstes springst du wohl mit dem jungen Herrn aus dem großen, großen Haus ins Bett.« Ihre Stimme wurde schärfer. »Das ist Sache deiner Klientin – sie zahlt dir nämlich die zwanzig Riesen dafür, dass du ihn *für sie* überprüfst. Erst klaust du ihr den Hund, jetzt bist du hinter ihrem Kerl her. Also wirklich!«

»Denken und Tun sind zwei Paar Schuh«, entgegnete ich. Und damit hatte ich Recht.

Sie wandte sich mir zu, und zum ersten Mal wirkte sie alt und ihre Stimme müde. »Du legst die typischen Delaney-Problemchen in vollem Umfang an den Tag. Mach weiter so, und du landest mit 'nem Kind in Schräglage auf der Intensivstation und bekommst einen Kaiserschnitt.«

Abstreiten hatte keinen Sinn. Ein erfolgreicher, vermögender Mann wollte mich heiraten, und ich dachte nur an einen gut aussehenden mutmaßlichen Muttermörder. »Ich glaube, ich gehe rein und tippe Tinkie einen Bericht.« So bekam ich wenigstens etwas zu tun und konnte dabei meine

Gedanken ordnen. Mir blieben nur noch zwei Spuren – Billies Werkstatt und ein Gespräch mit dem einen oder anderen Buddy-Clubber. Vielleicht erinnerte sich jemand noch an Einzelheiten von dem Tag, an dem Guy Garrett erschossen wurde. Ich freute mich nicht sonderlich darauf, einflussreiche alte Männer damit zu konfrontieren, dass sie möglicherweise in einen Mord verwickelt waren.

»Sarah Booth, was willst du eigentlich tun, wenn du herausfindest, dass Hamilton tatsächlich seine Mama umgebracht hat?« Diesmal meinte Jitty ihre Frage ernst, diesmal wollte sie nicht sticheln. Vielmehr sorgte sie sich, dass ein gebrochenes Herz im fortgeschrittenen Alter von dreiunddreißig Jahren mir die letzten fruchtbaren Jahre rauben würde, die mir noch blieben.

»Das weiß ich noch nicht.«

»Ich stehe bereit für die nächste Generation. Die Zeit vergeht.« Ihr Seufzer ließ an ein Geräusch denken, wie es ein altes Haus macht, dem eine kalte Nacht bevorsteht. »Ich erinnere mich noch an deine Geburt. Deine Mama war glücklich wie nie zuvor. Und dein Daddy, der schwirrte überall umher und verteilte Zigarren und spendierte Drinks. Gute Zeiten waren das damals noch.«

Die Geschichten kannte ich alle. Ich war die lang erwartete Prinzessin gewesen. Ja, vielleicht konnte ich mich deswegen nicht mit einem Abklatsch der Liebe zufrieden geben, weil ich genau wusste, wie es sich anfühlte, echte Liebe zu empfangen. Mit diesem Gedanken im Hinterkopf antwortete ich Jitty ehrlich:

»Früher hatte ich Tagträume von der Ehe. Alles hatte ich darin geplant: Wie es sein würde und was ich empfinden würde. Das Problem ist nur, dass jeder Mann, den ich kennen lerne, mir ein Gefühl einflößt ... wie soll ich es sagen ... ein Gefühl der Leere.«

»Außer Hamilton der Fünfte«, warf Jitty ein.

Sie hatte Recht. Hamilton Garrett der Fünfte hatte mir einige Gefühle eingeflößt, aber das der Leere war nicht darunter gewesen. Und das machte mir Angst.

»Sei vorsichtig, Sarah Booth. Gefühle und Ehe haben nichts miteinander zu tun. Dein Daddy hat zwar deine Mama geliebt, aber das war eine Ausnahme.«

James Franklin Delaney und Elizabeth Marie Booth hatten mit ihrer sengenden Leidenschaft das ganze Delta entflammt. James Franklin, Erbe des Delaney-Vermögens, hatte Elizabeth Marie bei einem Collegetanzabend an der Ole Miss kennen gelernt. Sie hatte dort Freiwilligmeldungen zum Friedenskorps entgegengenommen und war seinen ersten Avancen mit schroffer Ablehnung begegnet.

Vor seinen Freunden hatte sie ihm ins Gesicht gesagt, dass er als ›reicher Pflanzer‹ für sie keinerlei Reiz besitze; sie beabsichtige als Entwicklungshelferin nach Borneo zu gehen, um dort produktive Ackerbaumethoden einzuführen und einen Four-H-Club* zu gründen.

Er war überwältigt gewesen. Sein soziales Gewissen erblickte das Licht der Welt, und er begann seinen jahrelangen Feldzug mit dem Ziel, Elizabeth Marie ins Bett zu

* Four-H-Clubs waren ursprünglich vom amerikanischen Landwirtschaftministerium finanzierte Einrichtungen, die vornehmlich in ländlichen Gegenden jungen Leuten moderne Landwirtschaftsmethoden beibringen und weitere nützliche Fertigkeiten vermitteln sollten wie Holzbearbeitung und Hauswirtschaft. Der Name stammt von dem Anspruch der Organisation, ›*head, heart, hands, and health*‹ (Kopf, Herz, Hände und Gesundheit) zu verbessern. (Anm. d. Übers.)

bekommen. ›Gib was drum!‹, das war das Motto, nach dem sie lebte, und James setzte alles daran zu beweisen, dass auch er es befolgte. Er lockte sie mit Rosen, romantischen Abendessen und Tänzen; sie hielt mit dem Eifer der Missionarin an ihren Idealen fest. James begleitete sie zu Versammlungen, Protestmärschen und politischen Veranstaltungen, die ihr Blut in Wallung brachten. Nur dort gestattete sie ihm, sie zu sehen.

Als einzige Tochter eines Bankiers hatte meine Mutter das Geld, das für ihre Collegeausbildung bestimmt gewesen war, in einen VW-Bus und Broschüren investiert, in denen die Tugend, etwas drum zu geben, lobgepriesen wurde. Ihre Eltern zeigten sich entsetzt. Im Haus ihrer Familie in Meridian, Mississippi, wurde ihr Name nicht mehr erwähnt, doch sie führte Telefongespräche mit der Regierung Kennedy, welche erwidert wurden.

Mutter hatte nur eine einzige Schwäche: die Blues-Musik. Das nutzte mein Vater aus, indem er ihr einen Heiratsantrag machte, während sie zu B. B. Kings anstachelnder elektrischer Gitarre im *The Iron Bedrail* tanzten, einer Schwarzenkneipe in Issaqueena, Mississippi. Im Rhythmus der feurigen Musik gefangen, nahm sie Daddys Antrag an. Noch am gleichen Abend, bevor sie es sich anders überlegen konnte, fand er einen Friedensrichter, der sie traute.

Erst meine Geburt führte meine Eltern zurück ins Establishment. Sie schlossen die Kommune, die sie in Dahlia House aufgemacht hatten, und fügten sich in die Welt der Erwachsenen ein – mehr oder weniger zumindest.

»Mutter liebte Daddy auch«, sagte ich schließlich. Ihre Beziehung war keineswegs einseitig gewesen, auch wenn sie so begonnen hatte.

»Mehr als das Leben«, antwortete Jitty, und in ihrer dumpfen Stimme lag tiefe Trauer.

»Ich wünschte, sie wären noch am Leben.«

Jitty stellte sich neben mich. Das Licht fiel durch ihre rosa Paisleyhose und tauchte die Veranda in einen warmen Ton. »Ich auch, Sarah Booth, o ja. Dies alte Haus ist so leer. Du solltest gründlich über Harolds Antrag nachdenken. Du könntest viel weiter gehen und viel schlechter fahren als mit ihm.«

»Was würde Daddy tun?«, fragte ich sie.

»Das möglichst Unwahrscheinliche, Verrückteste ...« Sie lächelte. »Aber deine Mutter würde ihn zügeln. Bis zu dieser Nacht –«

»Ich weiß«, unterbrach ich sie, weil ich nicht an die Nacht denken wollte, in der meine Eltern gestorben waren. Mein Haus enthält all meine Erinnerungen, auch die traurigen, und im Augenblick erschienen sie mir überwältigend. »Vielleicht wäre es besser, wenn ich von hier fortginge. Vielleicht sollte ich nach Kalifornien ziehen.«

Das entlockte Jitty nur ein leises Lachen. »Na, dazu müsste ein Daddy's Girl aber schon ganz schön verzweifelt sein. Liebchen, dazu bist du nicht wild genug, gebräunt genug oder blond genug. Wenn du da hinziehst, dann wird der Westküstenwind dir die Feuchtigkeit aussaugen, und dann platzen deine Lippen auf und fallen ab.«

Das war keine angenehme Vorstellung, und meine Zeit in New York hatte mir die Gefahren von Transplantationen vor Augen geführt. Aus Liebe zu meinem Zuhause war ich nach Dahlia House zurückgekehrt. Nun fragte ich mich, ob ich nicht doch woanders leben könnte. Wurde ich zu einem anderen Menschen, wenn ich das Delta verließ? So viel von mir hing an diesem Ort und an den Leuten hier. Mein Lebensrhythmus stand im Einklang mit den Jahreszeiten am Mississippi. Zog ich in einen anderen Teil des Landes, würde ich mich nicht nur äußerlich, sondern auch innerlich verändern.

»Jitty?«

Als sie nicht antwortete, schaute ich hoch und erblickte Harold, der über den Rasen auf die Veranda zumarschierte. Ich muss ihn angelächelt haben, denn sein ernstes Gesicht zeigte Erleichterung.

»Ich weiß, ich sollte dich nicht bedrängen«, sagte er und blieb zögernd vor den Stufen stehen.

»Schon okay«, sagte ich, und das meinte ich ernst. Er trug noch immer Geschäftskleidung, als hätte er sonst nichts anzuziehen. »Ich trinke gerade ein bisschen Moonshine. Möchtest du auch etwas?« Obwohl ich in einer Kommune gezeugt wurde, sind mir gute Manieren anerzogen worden.

Harold warf einen Blick auf die Karaffe. Zum Glück hatte ich die alte Flasche darin umgefüllt, sonst hätte er mich gleich ins Krankenhaus gefahren und mir den Magen auspumpen lassen.

»Ja, gern«, antwortete er und zeigte den Anflug eines Lächelns.

»Das ist fein«, versicherte ich ihm. »Ich hole dir ein Glas.«

Auf ihr Kristallservice war meine Mutter besonders stolz gewesen. Kurz nach meiner Geburt hatte ihre Familie ihr ›jene grauenhaften, vom Irrsinn erfüllten Jahre‹ vergeben, und sie hatte die Waterford-Sammlung der Familie Booth geerbt. Ich nahm ein Glas und überlegte, dass Harold vermutlich nichts dagegen hätte, den Whiskey pur zu trinken.

»Sarah Booth«, sagte er langsam, nachdem ich ihm eingeschenkt und das Glas gereicht hatte, »heute ist Avery Bellcase in mein Büro gekommen.«

Nach guten Neuigkeiten klang das nun überhaupt nicht.

»Er glaubt, dass du Tinkie erpresst.«

Ich stellte mein Glas aufs Geländer. »Wegen des Geldes?«

»Ja. Tinkie wollte ihm nicht sagen, weshalb sie ihre Mutter gebeten hat, den Scheck auszustellen. Mrs. Bellcase gibt an, den Grund ebenfalls nicht zu kennen.«

Nun, das war gewiss ein Problem, aber wenigstens nicht meins, sondern Tinkies. »Ich kann darüber nicht reden«, sagte ich und fragte mich gleichzeitig, ob man als Privatdetektiv überhaupt an eine Schweigepflicht über seine Klienten gebunden war wie ein Anwalt in Bezug auf seine Mandanten. »Tinkie soll es ihm sagen, wenn sie will, aber es bleibt ihr Geheimnis.«

Dass Harold nun lächelte, überraschte mich ein wenig. »Du besitzt edle Züge: Du schützt deine Freunde.«

Meinen eigenen Rücken deckte ich, mehr nicht, aber mir konnte es nur recht sein, wenn Harold mein Tun ins beste Licht rückte. »Wie lange kann ich mit dem Geld durchhalten?«

»Einen Monat, vielleicht zwei. Trotzdem türmt sich dein Schuldenberg immer höher.«

In Bezug auf Geld log Harold nie, auch dann nicht, wenn seine Interessen betroffen waren. Auch er besaß edle Züge.

»Außerdem ist Gordon Walters da gewesen. Es kommt nicht alle Tage vor, dass ein Bankdirektor und ein Hilfssheriff mir Fragen über dich stellen.«

Ich verschluckte mich am Whiskey, musste husten und fürchtete zu ersticken. Meine Nase brannte, und aus den

Augen lief mir das Wasser. Trotzdem brachte ich keuchend hervor: »Was wollte Gordon Walters denn?«

»Das Gespräch, das ich mit ihm führte, kam mir jedenfalls sehr merkwürdig vor.« Harold zögerte. »Er befragte mich über deine finanziellen Verhältnisse und deutete an, dass du in etwas Ungesetzliches verwickelt sein könntest. Was treibst du im Moment, Sarah Booth?«

»Nichts, was gegen irgendeinen Paragrafen verstößt, darauf gebe ich dir mein Wort.«

Er musterte mich abwägend. »Wärst du einverstanden, am Sonntagabend den Part der Gastgeberin zu übernehmen? Ich gebe einen kleinen Empfang in meinem Haus, eigentlich nur ein Geschäftsessen, aber ich würde es gern mit ein wenig Vergnügen verbinden, indem ich dich dazuhole.«

Bankgeschäfte klangen mir nicht gerade nach Vergnügung; andererseits gab sich Harold als Gastgeber stets sehr große Mühe. »Aus welchem Anlass?«

»Ein alter Einwohner von Sunflower County ist nach Hause zurückgekehrt. Ist dir zufällig Hamilton Garrett der Fünfte ein Begriff?«

Ich bekam einen trockenen Mund. »Ich bin ihm einmal kurz begegnet.«

»Er ist wieder da, und die Bank von Zinnia hätte ihn gern zum Geschäftskunden. Es heißt, dass er in Europa ein ansehnliches Vermögen gemacht hat.«

»Womit denn?«

Harold zog eine Braue hoch. »Genau das wollte ich ihn fragen. Kannst du kommen?«

Ich hob eine Schulter und ließ sie wieder sinken. Ich war froh, dass er nicht nah genug saß, um meinen trommelnden

Herzschlag zu hören. »Ich könnte schon. ›Masterpiece Theatre‹ zeigt eine Wiederholung.«

Harold musterte mich eingehend. Schwer von Begriff war er nicht. »Hamilton und ich waren zusammen auf der Dorsett Military Academy.«

Das war mir neu, doch da Harold mich gerade so intensiv beobachtete, ließ ich mir nicht das geringste Interesse anmerken. »Vielleicht sollten wir hineingehen und Feuer machen.« Mittlerweile fror ich, und ich benötigte Zeit, um Harold alles zu entlocken, was er über Hamilton wusste.

Harold erhob sich, erfreut über meine unerwartete Einladung. Normalerweise drängte ich ihn so schnell wie möglich wieder zur Tür hinaus. »Das wäre großartig«, sagte er. »Ich bringe Holz mit.«

In seinem feinen Anzug ging er zum Brennholzstapel und sammelte Scheite auf. Holztragen war Männerarbeit. Harold wäre es nie in den Sinn gekommen, dass ich dazu allein fähig sein könnte.

In diesem Moment erschien mir eine Heirat gar nicht mehr so unmöglich.

13

Harold entfachte das Kaminfeuer mit anmutigen und sparsamen Handgriffen, wie ich sie mittlerweile von ihm erwartete. Während die Flammen knisternd über die trockenen Eichenscheite züngelten, ließen wir uns mit den Gläsern in der Hand auf dem Sofa nieder. Obwohl der Abend nicht besonders kalt war, wirkte die Wärme des Feuers doch sehr tröstlich.

»Was für ein schönes altes Haus«, sagte Harold, der ins Feuer blickte, anstatt mich anzusehen. »Auch wenn das alte Anwesen meiner Familie mit Dahlia House nicht zu vergleichen war, habe ich seinen Verlust oft bedauert. Es steht auf der Birch Lane, ein hübsches altes Haus im viktorianisch-gotischen Stil mit einem großen Garten. Ich knüpfe einige angenehme Erinnerungen daran.«

Sein Geständnis überraschte mich ein wenig. Harold stammte nicht aus Sunflower County, sondern war in Greenwood aufgewachsen, das zwar zum Delta, aber nicht zu meiner Welt gehörte. Ich wusste von ihm nur, dass seine Eltern tot waren, ansonsten sehr wenig. Seine Zuneigung für Besitz, an den er ›angenehme Erinnerungen‹ knüpfte, kam für mich recht unerwartet.

»Was ist mit dem Haus geschehen?«, fragte ich. Jede Fügsame Frau weiß, dass der Weg in das Herz eines Mannes über aufmerksame Gespräche mit ihm führt. Doch mich interessierte die Antwort auf meine Frage wirklich.

»Nach dem Tod meiner Mutter habe ich es verkauft. Ich musste Schulgeld nachzahlen. Eigentlich hatte ich an die Universität von Julliard gehen wollen.« Sein Lächeln zeigte Belustigung über einen lange vergangenen Traum. »Ein Studium der Betriebswirtschaft erschien mir dann jedoch praktischer.«

»Du hast dich richtig entschieden.« Ich hörte ein Dielenbrett knarren: Wie gewöhnlich lauschte Jitty. Harold nahm wohl an, das Geräusch sei typisch für ein altes Haus, das sich gegen den Nordwind stemmt.

»Es hat keinen Sinn, unwiderrufliche Entscheidungen zu bereuen«, entgegnete er. »Manche Menschen verbringen ihr ganzes Leben mit Bedauern. Das ist ein ganz armseliger Ersatz dafür, sich der Gegenwart zu stellen.«

Ich fragte mich, ob seine Worte mir oder ihm selbst galten. »Du hast gesagt, du seist zur Dorsett Military Academy gegangen. Mir fällt es schwer zu glauben, du hättest Disziplin erst lernen müssen.«

Er lachte leise auf. »Zu Hause stellte ich eine Bürde dar. In Dorsett habe ich immerhin gelernt, mich auf mich selbst zu verlassen. Die Zeit dort ist nicht komplett verschwendet gewesen.«

Nun hatten wir den schwierigen Teil erreicht. »Du bist mit Hamilton Garrett zur Schule gegangen. Kanntest du auch seine Schwester Sylvia?«

Bislang hatte sich Hamiltons Kommen und Gehen leicht verfolgen lassen, doch Sylvia war schwer fassbar, eine Schattengestalt.

Harold wandte sich vom Feuer ab und schaute mich an.

»Ja, ich habe sie gekannt. Selbst als junges Mädchen war sie bezaubernd.« Er blickte ins Glas. »Wir hatten unsere Begeisterung für die bildende Kunst gemeinsam. Und für die Musik.«

Etwas in seinem Gesichtsausdruck führte dazu, dass ich den Atem anhielt. »Wie ich höre, steckt sie in Glen Oaks«, sagte ich und wiegte den Kopf. »Wie traurig. Ich glaube, Hamilton ist ihr einziger Angehöriger.«

»Ich fürchte, die meisten Menschen haben vergessen, dass sie je existierte.« Er hob das Glas, sodass sich die Flammen in dem komplizierten Muster darauf fingen. »Sie wollte vergessen werden. Diesen Wunsch hat sie geäußert.«

»Sie hat sich freiwillig eingeliefert, nicht wahr?«

»Der Tod ihres Vaters hätte sie beinahe zugrunde gerichtet. Zwar gab es schon vorher Probleme in der Familie, doch Mr. Garretts blutiges Ende hat bei Sylvia etwas freigesetzt. Sie war immer zerbrechlich, immer so nervös. Nach dem Unfalltod ihrer Mutter habe ich noch einmal mit ihr gesprochen. Ich versuchte, sie dazu zu bewegen, sich um Hilfe außerhalb des Sanatoriums zu bemühen. Sie sagte mir daraufhin nur, dass ihr Leben aus Warten bestehe: zuerst auf die Tragödie, nun auf das Gegenteil.«

Eine prekäre Lage. Harold hatte Sylvia ganz offensichtlich nicht vergessen. »Ist sie –«

»Irrsinnig?«

»Krank?«, bot ich mit sanfter Stimme an.

»Nicht solange ich sie kannte. Zumindest nicht so, wie jedermann glaubte. Sie war so intensiv ... Zwischen ihr und ihrer Mutter ging stets etwas vor. Als ich sie kennen lernte, war sie beinah erwachsen, fast bereit, ihr eigenes Leben zu führen.« Seiner Stimme nach zu urteilen, näherte er sich dem Ende der Geschichte.

Das Feuer knisterte, und ein Scheit verrutschte. Funken stoben im Kamin auf. »Ich habe gehört, sie sei sehr hübsch.«

Er wandte sich mir ganz zu. »Sie unterscheidet sich sehr von dir, Sarah Booth.« Seine Stimme wurde wieder energischer. »Aber ich bin nicht gekommen, um mit dir über die Historie des Deltas zu reden oder über Intrigen. Oder über die Vergangenheit.« Er ließ den Blick auf meine linke Hand sinken. »Wie immer du dich entscheidest, der Ring gehört dir.«

Der abrupte Themenwechsel verschlug mir die Sprache. Ich steckte so tief im Privatdetektivmodus, dass ich die Regeln der gesellschaftlichen Konversation vergessen hatte. Nun suchte ich nach einer klugen und zugleich herausfordernden Antwort. Auf die Schnelle wollte mir nichts einfallen, und so konnte ich nur murmeln: »Das wäre doch kaum fair, Harold. Der Ring ist sehr teuer gewesen.«

Seine hellen Augen schienen die ruhelose Bewegung des Feuers widerzuspiegeln. »Du kommst auf merkwürdige Ideen«, sagte er. »Was ist schon fair im Leben? Und gar in der Liebe?« Er hob meine ringlose Hand hoch und betrachtete sie. Den unmanikürten Zustand meiner Fingernägel bedachte er mit einem Kopfschütteln. »Der Diamant würde dir prächtig stehen. Deine Hände, um die du dich nicht sonderlich zu kümmern scheinst, sind Künstlerhände.«

Bei Gott, hatte der durchtriebene Schurke das Blatt

rasch gewendet! »Und trotzdem werde ich ihn nicht behalten, es sei denn, ich trage ihn als das, als was er gemeint war.« Ich hatte den Satz kaum beendet, als ein Krachen aus der Küche uns beide zusammenzucken ließ.

Harold sprang auf und wollte nachsehen, was den Lärm verursacht hatte.

»Warte«, bat ich ihn. Ich streckte die Hand aus und fasste ihn am Arm. Die Übeltäterin kannte ich und wusste, dass Harold in der Küche nichts vorfinden würde außer einem Stapel Teekuchenformen, den Jitty zu Boden geschleudert hatte. »Das war nur der Wind. Ich habe das Küchenfenster einen Spaltbreit offen gelassen.«

In diesem Moment fuhr er zu mir herum und trat näher. Bevor ich reagieren konnte, schloss er mich in die Arme. Er presste mich nicht an sich, vielmehr strich er mir eine Haarsträhne aus der Stirn. »Darf ich dich küssen, Sarah Booth?«

Zur Antwort hob ich den Kopf. Seine Arme fühlten sich fest an, und ich war neugierig. An Harold war manches, das ich umso mehr mochte, je näher ich es kennen lernte. Sollte dies dazugehören?

Sein Kuss signalisierte mir im Zaum gehaltene Leidenschaft. Harold war ein Mann, der seine Gefühle bezwang, sogar sein Verlangen. Während ich mich versucht fühlte, ihn zum Weitermachen zu drängen, hinterfragte ich gleichzeitig meinen Impuls. Entfesselte Leidenschaft ist gefährlich. Einige Daddy's Girls hatten mir anvertraut, dass sie solche emotionalen Komplikationen wohlbedacht von ihren Ehebetten fern hielten. Warum sollte man sich mit einem für seine Zwecke eigentlich geeigneten kleinen Boot in einen brausenden Sturm unberechenbarer Wünsche und Erwartungen wagen und dabei das Kentern riskieren? Harold bot mir materielle Absicherung. Wollte ich wirklich den Dämon der Leidenschaft freisetzen?

Ja, aber natürlich. Nur ein bisschen.

Ich erwiderte seinen Kuss, schloss die Augen und ließ mir von den drei doppelten Whiskeys, die ich intus hatte, den Rücken lockern und auch meine Hemmungen. Durch meine Reaktion entlockte ich ihm einen mutigeren Kuss. Und dennoch hielt er sich zurück. Ich wollte gerade den Einsatz erhöhen, als Harold den Kuss sanft beendete und zurücktrat.

»Du machst mir Hoffnung«, sagte er. »Soll ich dir am Sonntag einen Wagen schicken?«

Er wollte aufbrechen. Ich war erstaunt. »Nein, ich fahre selber.« Ob sein Rückzug mit Vorbedacht erfolgte? War das seine Strategie? Sollte es möglich sein, dass ich gerade von einem Bankier ausmanövriert worden war?

»Trag etwas Gewagtes«, forderte er mich auf, als er an der Tür stand, dann öffnete er sie und ging hinaus. Hinter ihm fiel die Tür mit einem vernehmlichen Klacken ins Schloss.

Ich stand noch immer mitten im Zimmer, als Jitty aus der Küche kam. Sie hatte es so eilig, dass sie sich nicht mit der Tür aufhielt, sondern gleich durch die Wand trat. »Was bist du denn für eine Närrin! Du willst ihm den Ring zurückgeben, wenn du ihn nicht heiratest? Ich hab dir doch gesagt, der Ring gehört zum Handel. Wenn ein Mann einer Frau zur Verlobung einen Ring schenkt, dann gehört ihr das Ding, sobald sie den Antrag annimmt. Selbst wenn die Verlobung nur eine Nacht oder eine Woche anhält. Klar wird eigentlich erwartet, dass sie ihm dann auch 'ne schöne Zeit gönnt. Aber sobald sie Schluss macht, gehört der Ring ihr.«

Gleich vor meiner Nase klapperte sie mit ihren billigen mexikanischen Armreifen und schnappte nach Luft. »Aber du, nein, du gibst ihm den Ring zurück! Willst ihn wohl gegen 'nen Heiligenschein eintauschen, oder was? Du tust ja geradezu so, als ob wir Geld wie Heu hätten!«

Jitty sprach zwar nur das aus, was ich selbst dachte, aber ich wollte es mir trotzdem nicht anhören. »Was fair ist, ist fair«, entgegnete ich, wild entschlossen, zumindest gegenüber Jitty mein Terrain zu behaupten, wenn es mir gegenüber Harold schon nicht gelungen war.

»Ich bin überrascht, dass dieser Mann nicht schreiend davongelaufen ist. Welche Frau redet schon von Fairness, wenn es um Schmuck geht?« Sie schüttelte den Kopf, und erst da bemerkte ich, dass irgendetwas mit ihr nicht stimmte. Ihr Kopf war gewaltig, doppelt so groß wie gewohnt – und von einem orangefarbigen, über und über mit olivgrünen und pink leuchtenden Quasten besetzten Ding bedeckt. Es sah aus, als wäre Jitty ein Meeresungeheuer auf den Kopf gesprungen und würde ihr das Gehirn aussaugen.

Ich streckte die Hand aus und wollte an dem elastischen Band dieser Kopfbedeckung ziehen, doch Jitty zuckte zurück. »Was ist das für ein Ungetüm?«, fragte ich.

»Das ist eine Lockenwicklerhaube«, entgegnete sie gekränkt. »Wenn du jemals ›Cosmo‹ lesen würdest, dann würdest du ein paar Tricks kennen, um dein Haar zu straffen.«

»Das ist unsagbar hässlich, Jitty«, erwiderte ich und ließ das Plastikband gegen ihre Stirn schnellen. Dann blickte ich noch einmal genauer hin. »Orangensaftdosen?«, fragte ich. »Du wickelst dir dein Haar auf Orangensaftdosen?«

»Was ist daran verkehrt?«, empörte sie sich. »Du schmierst dir das Gel in die Haare, und dann ziehst du es auf diesen großen Saftdosen glatt. So steht's zumindest in der Illustrierten.«

In mir regte sich eine vage Erinnerung an solche Schönheitsmätzchen. Als die siebziger Jahre über Zinnia hereinbrachen, war ich noch keine zehn gewesen. In unserem Städtchen war das Unterste zuoberst gekehrt worden mit der Ankunft von Hüfthosen, glattem langem Haar, Lovebeads, Nackenträger-Tops und Sandalen. Reiche Mädchen, die geschult worden waren, Sex dosiert als Tauschmittel gegen eine gesicherte Existenz einzusetzen, schenkten ihn plötzlich jedem Tom, Dick und Harry, der eine Gitarre zupfen oder in eine Mundharmonika blasen konnte.

Meine Mutter, die volles, langes, welliges kastanienbraunes Haar gehabt hatte, pflegte im Sessel mit dem Blumenmusterbezug im Salon zu sitzen und ›Cosmopolitan‹ zu lesen. Ihre Hippie-Phase hatte sie damals zwar schon hinter sich, sie war jedoch zeitlebens eine starke Befürworterin der weiblichen Unabhängigkeit.

Wahrscheinlich hatte Jitty auf dem Dachboden ein paar übrig gebliebene Ausgaben der Illustrierten gefunden. Oder sie erinnerte sich an diese Epoche. Ihr Gedächtnis jedenfalls schien ausgezeichnet zu sein. Außerdem verbrachte sie beliebig viel Zeit mit Modeexperimenten. Experimenten mit wirklich abscheulicher Mode.

»Warte mal«, sagte sie, kniff die Augen zusammen und begann, mich zu umkreisen. »Jetzt halt einmal die Luft an. Du versuchst mich abzulenken, Sarah Booth Delaney. Du bist ebenso sicher die Tochter deines Vaters, wie die Nacht dunkel ist. Kaum hatte ich ihn irgendwo festgenagelt, wechselte er auch schon das Thema. Aber auf den Trick fall ich nicht mehr rein.«

Ich verdrehte die Augen.

»Du solltest dir lieber einen Trick einfallen lassen, wie du den Ring behalten kannst«, warnte sie mich.

»Oder was?«, fragte ich.

»Oder du wirst den Mann wirklich heiraten müssen.«

Erst am späten Samstagnachmittag fand ich ein Paar Schuhe, das mir Harolds Sonntagssoiree angemessen dünkte. Die Schuhe kosteten mich zweihundert Dollar, aber sie waren jeden Penny davon wert. Als ich meine Beine bei *Steppin' Out* im großen Spiegel betrachtete, versuchte ich ganz entschieden nicht an die Frage zu denken, ob ich mir diese Schuhe nun um Harolds oder um Hamiltons willen kaufte. Ich war immer noch Daddy's Girl genug, um zu wissen, dass es überhaupt keinen Sinn hatte, sich die Freude über ein perfektes Paar Schuhe mit zu vielen Gedanken darüber zu verderben. Da die Schuhe so bezaubernd waren, beschloss ich, auch eine Maniküre nötig zu haben.

Obwohl Zinnia eine kleine Stadt ist, findet man in mehreren kleinen Boutiquen die neueste Mode. Ich ging zu *After Nine,* um einen Blick auf die Winterkollektion zu werfen und ein wenig zu ermitteln. Martha Wells, die Besitzerin, war mit zwei Kundinnen beschäftigt, deshalb schlenderte ich erst mal zwischen den stilisierten, gesichtslosen Schaufensterpuppen umher, die rote und schwarze

Kleider zur Schau stellten. Ich hoffte, der Laden würde sich bald leeren, sodass ich Martha allein sprechen konnte.

Doch stattdessen kam Tinkie herein, begleitet von einer Wolke schweren Parfüms und einem leisen Kläffen. Chablis sprang ihr vom Arm, eilte auf mich zu und sprang zu mir hoch. Erfreut packte ich den Flauschball, der mir mit bemerkenswerter Geschicklichkeit die Nase ableckte.

»Ach du lieber Gott«, rief Tinkie aus und fasste sich ans Herz, während ihr die Tränen in die Augen stiegen, »sie weiß noch, dass du ihr das Leben gerettet hast, Sarah Booth. Sie erinnert sich an dich!« Sie stürmte auf mich zu und drückte mir einen echten Kuss auf die Wange.

»Tinkie!«, ermahnte ich sie leise, und Chablis ergriff die Gelegenheit, mir einen Hundekuss in den Mund zu geben. Ihr Atem roch ein wenig nach teurem Leder, was mir sagte, dass kürzlich ein Paar Schuhe hatte dran glauben müssen. Hoffentlich hatten sie Oscar gehört.

»Sei leise, Tinkie«, sagte ich. »Du verrätst mich ja.« Freilich hatte schon alles über die Entführungsgeschichte im ›Zinnia Dispatch‹ gestanden, und deshalb war das Problem sowieso nur noch akademischer Natur.

Tinkie lotste mich in die Wäscheabteilung, und mein Blick fiel auf ein enorm sexy wirkendes schwarzes Negligé, das im Schlafzimmer grundsätzlich für sich die Hauptrolle verlangen würde.

»Sarah Booth«, flüsterte Tinkie mir zu, »hast du irgendetwas herausgefunden?«

Tatsächlich hatte ich einiges aufgedeckt, doch weder Ort noch Zeitpunkt eigneten sich, um es zu besprechen. Viel wichtiger wäre es gewesen, Tinkie von Harolds Party wissen zu lassen, nur bemerkte ich im gleichen Augenblick, dass mir an ihrer Anwesenheit dort überhaupt nicht gelegen war. Wenn tatsächlich etwas zwischen ihr und Hamilton vorging, so wollte ich nicht zusehen müssen, wie es sich vor meinen Augen abspielte. Andererseits war ich für die Information bezahlt worden, und zwar fürstlich.

»Bist du morgen Abend bei Harold?«, fragte ich sie.

Sie kräuselte wie ein Häschen die Nase. »Oscar hat mir etwas davon gesagt, aber ich hasse diese Partys, auf denen die Männer sich über das Geschäft unterhalten und die Frauen mit einem Glas Wein durch die Gegend ziehen sollen. Ich habe daran gedacht, vielleicht einen kleinen Rückfall meiner Anämie zu erleiden. Sicherheitshalber habe ich mein Vitaminrezept ablaufen lassen.«

Ich war überrascht. Tinkies Beschreibung dieser Partys war durchaus treffend, doch gerade solche Anlässe boten den Daddy's Girls Gelegenheit, sich richtig herauszuputzen. Man hätte glauben sollen, dass Tinkie sich über jede entsprechende Gelegenheit freute.

»Du solltest auf jeden Fall dort hingehen«, entgegnete ich, und noch immer sträubte ich mich, ihr die große Neuigkeit zu eröffnen.

Tinkie merkte mir an der Stimme an, dass ich etwas zurückhielt. Vor Aufregung riss sie die Augen weit auf. »Wieso?«, fragte sie atemlos.

»Hamilton wird dort sein. Er ist wieder in der Stadt.« Ich streckte die Hand aus und ergriff sie an der Schulter.

»Du hast ihn gesehen?«, fragte sie.

Mehr als nur gesehen – ich hatte seine Hand an mir gespürt. Aber ich wurde nicht dafür bezahlt, andere an meinem Nervenkitzel teilhaben zu lassen. Mein Geld bekam ich für Informationen. »Er wohnt wieder auf Knob Hill. Er hat geschäftlich mit der Bank zu tun.« Wie gut, dass ich sie festhielt, denn sie ließ sich kraftlos an die Wand sinken. Trotz ihrer geringen Körpergröße war sie eine schwere Last.

»Madame Tomeeka hatte Recht«, stöhnte sie. »Er ist wieder da.«

Chablis entwand sich meinem Arm und begann zu bellen. »Mach keine Szene, Tinkie«, bat ich leise. Die Worte wirkten, als hätte ich Tinkie geohrfeigt. Sie gewann das Gleichgewicht zurück und konnte wieder aus eigener Kraft stehen. An Orten wie hier in einer Boutique, wo keine Männer zuschauten, waren dramatische Gesten Verschwendung.

»Wie hat er dir gefallen?« Allmählich kehrte ein wenig Farbe in ihr Gesicht zurück. »Ich hätte ahnen müssen, dass Oscar mir irgendetwas verheimlicht.« Besorgt sah sie mich an. »Wirkte Hamilton irgendwie – verarmt? Oscar sprach von jemandem, der nur vorgibt, Geld zu haben.«

Martha beobachtete uns, wie ich bemerkte, mit unverhohlener Neugierde, und die beiden Kundinnen, die ich nicht kannte, betrachteten angelegentlich Schultertücher, starrten jedoch in Wirklichkeit Tinkie und mich an.

»Ich habe dir einen Bericht geschrieben. Hier ist nicht der rechte Ort, um es zu besprechen.«

»Bring ihn Sonntagabend mit«, sagte sie. »Ich werde dort sein.« Dann nahm sie Chablis in die Arme und hastete aus dem Geschäft. Die kleine Hündin bellte mir zweimal über Tinkies Schulter ein wehmütiges Lebewohl zu.

Nach der Szene, die Tinkie veranstaltet hatte, brauchte

ich gar nicht erst zu versuchen, Martha ein paar nonchalante, scheinbar beiläufige Fragen zu stellen. Ich schaute mir ein paar Krokodilledertaschen an und entfernte mich so rasch wie möglich aus dem Laden.

Selbst Jitty war von dem mit schwarzen Perlen besetzten Kostüm begeistert, dass sich eng um meinen Oberkörper schmiegte und sodann in Chiffon überging. Kurzen, fließenden Chiffon.

»Süße, wenn dir dieses Kleid hochrutscht, kann man doch alles Mögliche sehen.«

»In diesem Kostüm ist eben alles möglich«, entgegnete ich. Die Schuhe waren einfach ein Traum. Die langen, schlanken Absätze verbreiterten sich an der Ferse zu einem Quadrat. Sie waren extravagant und ideal zum Tanzen geeignet. Ich begutachtete die Rückseiten meiner Beine, um mich zu vergewissern, dass die Säume meiner Strümpfe perfekt saßen. Schließlich hatte Harold darum gebeten, ich möge mit etwas Gewagtem auftauchen.

»Was hast du eigentlich vor?«, fragte Jitty und umkreiste mich dreimal wie die böse Stiefmutter, die meine Kutsche in einen Kürbis verwandeln will.

»Ich arbeite«, antwortete ich. »An mehreren Fronten.«

»Du arbeitest daran, deine einträglichste Einnahmequelle zu verlieren – deine einzige! Wenn Tinkie auch nur im Entferntesten den Braten riecht und mitkriegt, dass du auf Hamilton scharf bist, dann sitzt du auf der Straße. Und wenn Harold herausbekommt, dass du anderweitige Absichten hegst, bist du den Verlobungsring wieder los, und zwar mitsamt dem Heiratsangebot.«

Da hatte Jitty nicht Unrecht. Für einen Sekundenbruchteil überdachte ich das Spiel, auf das ich mich einließ. Dann fiel mein Blick aus den Augenwinkeln auf den Spiegel, in dem diese verdammten Schuhe zu sehen waren, und plötzlich wusste ich, dass ich ein furchtbar gutes Blatt hatte. Diese Schuhe eigneten sich zur Unterjochung eines ganzen Volkes. Was bedeuteten angesichts dessen zwei sterbliche Männer?

»Ich erstatte dir einen vollständigen Bericht«, versprach ich Jitty, nahm die Autoschlüssel und begab mich hinaus in die Dunkelheit.

14

Es war ein überwältigender letzter Novemberabend, und während ich auf Harolds Grundstück einbog, schwirrten mir alle möglichen Strategien durch den Kopf. Obwohl ich mich Tante LouLanes Ausbildung in weiblichen Schlichen widersetzt hatte, solange sie lebte, habe ich dabei doch etwas Wichtiges gelernt – will eine Frau begehrenswert wirken, muss sie eine entsprechende Aura schaffen, und diese nimmt ihren Anfang im Kopf der Frau.

Auf den Baumwollfeldern habe ich Frauen in schweißdurchtränkten Kleidern schuften sehen, denen das Haar an der Stirn klebte, doch wenn ein gut aussehender Mann vorbeifuhr, dann lächelten sie. Sie waren sich ihrer Weiblichkeit bewusst, der Macht, eine Frau zu sein, und weder Schweiß noch Schmutz und bloße Füße konnten ihnen die Sexualität rauben. Sie erzeugten sie aus sich heraus, und darauf reagierten die Männer.

Solche Dinge gingen mir durch den Kopf, als ich auf Harolds lange, von Eichen gesäumte Auffahrt einbog. Plötzlich blendeten mich Tausende funkelnder weißer Lichter. Ich trat heftig auf die Bremse, und der Roadster schüttelte sich, blieb jedoch auf der Straße und kam zum Halt.

Ehrfurcht vor Harolds Werk hielt mich gebannt. Kleine farbige Lichter zierten die graziös geschwungenen Äste der riesigen Eichen, die sich über dem Fahrweg zu einem Dach vereinten – ein fabelhafter Anblick. Unversehens hätte ich am liebsten auf die Party und all ihre Verlockungen verzichtet und einfach unter diesem Dach aus winterlichem Sternenfunkeln Platz genommen.

Doch ich war nicht zum Vergnügen gekommen. Ich parkte den Wagen am Ende der langen Reihe von Autos und ging zum Haus.

Für eine Frau ohne Begleitung ist der Auftritt auf einer Party eine ganz eigene Kunstform. Entscheidend sind der Zeitpunkt, die Haltung – und die Kleidung. Ich hatte mich für einen dramatischen Auftritt gekleidet und wollte dafür sorgen, dass ich alles bekam, was mir zustand. Aus diesem Grund hatte ich mir ein paar alte Feuerwerkskörper in die Handtasche gesteckt. Ich wartete ab, bis ein paar Nachzügler im Haus verschwunden waren, dann trat auch ich auf die Veranda, zündete einen Kanonenschlag an und warf ihn zwischen die Hortensien neben der Treppe.

Ich zählte die Sekunden ab, klingelte, schob die Tür auf und – *Kawumm!* Hinter mir wirbelten abgerissene Hortensienblätter wie Konfetti durch die Luft. Nach einiger Unruhe und sogar ein paar leisen Schreien hatte sich jeder in der Halle der Tür zugewandt. Die Männer sogen anerkennend Luft ein, die Frauen funkelten mich grimmig an, und ich wusste, dass meine Strategie in zweifacher Hinsicht erfolgreich gewesen war. Harolds Gesicht verriet seine aufrichtige Bewunderung, und Kincaid Maxwell wirkte stocksauer.

Eine erhoffte Reaktion indes blieb aus: Hamilton Garrett der Fünfte war nirgendwo in Sicht. Das Wort Enttäuschung gibt nicht einmal ansatzweise wieder, was ich in diesem Augenblick empfand.

Harold stand unverzüglich an meiner Seite, fasste mich besitzergreifend am Ellbogen und führte mich hinein. Kincaid war die Erste, die mich begrüßte, und stellte sich so vor mich, dass ich nicht einfach an ihr vorbeigehen konnte.

»Endlich weiß ich, weshalb nichts aus deiner Bühnenkarriere geworden ist«, flüsterte sie mir zu, während sie mir den erforderlichen Scheinkuss auf die Wange drückte. »Dramatische Spezialeffekte genügen eben nicht, um schlechte Charakterdarbietungen zu übertünchen.«

»Ach, Kincaid«, flüsterte ich zurück, »du siehst heute Abend wunderbar aus. Wie schaffst du es nur, deinen Eyeliner so perfekt aufzutragen, wo du doch in keinem Spiegel der Welt ein Spiegelbild wirfst?«

Kincaid und ich sind nicht etwa erbitterte Feindinnen, doch andererseits haben wir nichts füreinander übrig. Der Bruch geht zurück auf eine Schultheateraufführung in der Mittelstufe, als ich die weibliche Hauptrolle spielte und Kincaid überall herumerzählte, ich hätte sie nur bekommen, weil ich Waise sei und die Lehrerin mich bemitleide.

Sie wich einen Schritt zurück. »Chas!«, rief sie laut. »Hol Sarah Booth doch einen Drink, Liebling. Etwas guten Scotch, denn den kann sie sich nicht mehr leisten. Der wird ihr gut tun.«

Also waren meine Geldschwierigkeiten mittlerweile Stadtgespräch. Meine Zurückhaltung und das Meiden meiner Standesgleichen hatten nichts bewirkt. Nun, man erhält eine gewisse Freiheit, wenn man den Anschein nicht mehr zu wahren braucht. »Aber einen doppelten, Chas«, fügte ich unbekümmert hinzu. Da spürte ich, wie jemand mich anstarrte. Manchmal hat man ganz bewusst dieses Gefühl. Ich fuhr herum und sah mich von Hamilton Garretts des

Fünften offenem Blick aufgespießt. Er stand an einer Bronzeskulptur – einem weiblichen, äußerst sinnlich wirkendem Torso. Neben dem Kunstwerk wirkte Hamilton überaus präsent, überaus männlich, und in den Eingeweiden spürte ich die Erinnerung an unser früheres Zusammentreffen und an die rosa leuchtende Glasfrau in seiner Eingangshalle.

Seine grünen Augen fixierten mich. Ein eisiges Gefühl kroch mir über die Haut, dann errötete ich, und mir wurde warm. Ich wollte schlucken, doch meine Kehle war ganz trocken. Hamilton näherte sich mir, und seine Hand fuhr dabei in einer Weise über die bloße Hüfte der Skulptur, die mich erzittern ließ. Harold wandte sich mir zu; in seinen hellblauen Augen stand eine offene Frage.

»Miss Delaney«, sagte Hamilton und trat vor mich, »ich hatte gar nicht erwartet, Sie hier zu sehen.«

Harold beobachtete mich genau. »Ihr beide kennt euch?«

»Miss Delaney hat mich besucht und um ein Interview gebeten«, erklärte Hamilton mit klarer, deutlicher Stimme. »Ich fürchte, sie kam mir sehr ungelegen. Ich habe sie grob behandelt und möchte ihr dafür meine Entschuldigung anbieten.«

Am liebsten hätte ich ihn in eine äußerst unangenehme Stelle getreten und ihm sehr wehgetan. Weder in seinem Gesicht noch in seiner Stimme lag auch nur andeutungsweise etwas Tückisches. Nur seine Augen verrieten, wie sehr er sich vergnügte – auf meine Kosten.

»Nein, vielmehr sollte ich Sie um Verzeihung bitten«, entgegnete ich rasch. »Ich hätte Sie anrufen und um einen Termin bitten sollen. Wie unhöflich von mir, einfach unangemeldet vor Ihrer Tür zu stehen.«

»Was für ein Interview wolltest du denn führen?«, fragte

Harold, den angesichts dieser unerwarteten Wendung die Neugierde gepackt hatte.

»Wussten Sie etwa nicht, dass Miss Delaney für den ›Dispatch‹ arbeitet?«

Hamilton amüsierte sich prächtig, ich hingegen fand das Atmen zunehmend schwieriger.

»Sarah Booth?«, fragte Harold.

Dummerweise wollte mir auf Anhieb keine überzeugende Lüge einfallen. »Vielleicht habe ich mich unklar ausgedrückt«, begann ich langsam und setzte das naive und zugleich schelmische Gesicht einer Frau auf, die man bei einem harmlosen Schwindel ertappt hat. »Ich war der Meinung, dass Cece mir vielleicht einen Job gäbe, wenn ich mit einer hübschen Gesellschaftsgeschichte aufwarten könnte.« Ich blickte Hamilton an und wurde ernst. Ich hoffte, ihm mit einem Übermaß an Wahrheit den Todesstoß zu versetzen. »Nur für den Fall, dass Sie noch nicht davon gehört haben: Ich bin mittellos. Wenn ich nicht rasch eine gewisse Summe Geldes heranschaffe, werde ich Dahlia House verlieren.« Für eine Sekunde hob sich Hamiltons undurchdringliches Visier, und in seinen Augen stand Erstaunen.

»Jetzt kennen Sie also die ganze schäbige Geschichte.« Ich zuckte mit den Schultern. Die Gebärde versetzte den Chiffon in Wallung, und Hamiltons Augen zuckten hinab, dann wieder auf mein Gesicht.

»Ich achte Menschen, die sich auf ein Spiel mit hohem Einsatz einlassen«, sagte er, ohne seinen unnachgiebigen Blick von mir zu nehmen. »Das Problem dabei ist, dass man es sich manchmal nicht leisten kann, zu verlieren. Einem verzweifelten Spieler kann ich daher nur raten, rechtzeitig vom Tisch aufzustehen.«

Obwohl Hamilton seine Worte in den leichtfertigen Tonfall von Partygeschwätz kleidete, stellten sie eine Drohung dar. Das wusste ich, und er wusste es ebenfalls. Ich wollte allerdings nicht, dass Harold den ernsten Hintergrund unseres Geplänkels mitbekam, deshalb nickte ich und lächelte. »Gewiss entbehrt Ihr Ratschlag nicht der Vernunft, Mr. Garrett, aber ich sehe das anders. Wenn man keine andere Wahl hat, als eine Verzweiflungstat zu begehen, dann sollte man mit ganzem Herzen dabei sein.« Ich machte eine Kunstpause. »Das Interview mit Ihnen war ein gewagter Versuch, mehr nicht. Es ist nichts geschehen.«

»Dann haben wir Ihr Spiel beide unverletzt überstanden.« Hamilton ergriff meine Hand. »Vielleicht sollte ich meine Ansichten über Spieler noch einmal überdenken und eine neue Kategorie für jene mit unglaublichem Charme einrichten.« Er beugte sich über meine Hand, seine Lippen strichen mir über den Handrücken, dann entschuldigte er sich und ließ uns allein.

Harold blickte ihm stirnrunzelnd nach. »Er hat sich sehr verändert«, sagte er nachdenklich. »Er ist so bitter geworden.«

»Machst du mit ihm Geschäfte?«, fragte ich eingedenk Tinkies Bemerkung in der Boutique.

»Die Bank möchte ihn zum Geschäftskunden, aber niemand weiß mit Bestimmtheit, ob er in Zinnia bleiben wird. Er ist hier aus heiterem Himmel angekommen, und es besteht durchaus die Möglichkeit, dass er binnen weniger Wochen wieder verschwindet.«

Während Harold mich beim Arm nahm und zum Büffett führte, auf dem die Kerzen brannten und Essen auf uns wartete, das sowohl festlich als auch köstlich wirkte, fragte ich mich, ob seine letzte Bemerkung wohl kalkuliert oder völlig unschuldig war.

Harold steckte mir einen Curry-Shrimp in den Mund und lächelte, als ich mir die Lippen leckte. »Von diesem Job bei der Zeitung hast du mir nie etwas erzählt«, sagte er.

»Ich dachte, ich könnte vielleicht eine Anstellung bei Cece bekommen, wenn ich mit einem bemerkenswerten Interview anrücke.« Dabei wollte ich ungefähr so gern für die Zeitung arbeiten wie ein zweites Mal die Windpocken bekommen.

»Ich kenne den Verleger. Ich könnte bei ihm ein gutes Wort für dich einlegen«, bot Harold an.

»Das verbitte ich mir!«, rief ich aus, dann bemerkte ich sein Erstaunen. »Ich meine, danke, aber nein danke. Ich muss wissen, was ich aus eigener Kraft zustande zu bringen vermag.«

Als Harold mich nun anlächelte, zeigte sich darin ein gewisser Stolz. »Du bist eine höchst bemerkenswerte Frau. Du lehnst es ab, dass ich dir durch meinen Einfluss eine Stellung verschaffe, weil du sie dir selbst verdienen willst. An deiner Stelle wäre ich sehr vorsichtig, Sarah Booth, sonst hegen die Frauen deiner Klasse bald einen sehr tiefen Groll gegen dich.«

Da hatte er Recht. Ich verriet mein Geschlecht und meine Klasse. Leichten Herzens ging man diesen Schritt nicht gerade.

»Und Hamilton ist beileibe niemand, mit dem man Spielchen treiben sollte«, warnte mich Harold.

»Wieso? Weil man ihm nachsagt, er hätte seine Mutter umgebracht?«, fragte ich und hoffte sehr, dass Harold auf diesen Angriff reagierte.

»Nein, sondern weil er seine Mutter getötet *hat*«, entgegnete Harold gelassen.

Harolds gelangweilte Pose erschreckte mich, doch ich hatte keine Zeit mehr, ihn zu fragen, was er mit seinen Worten meinte. Eine Traube von Frauen umschloss uns, und ich saß an seiner Seite in der Falle.

Weil Harold mich zur Gastgeberin erklärt hatte, vermochte ich wenig mehr zu tun als zu lächeln, zu nicken und mich am unentwegten Geplänkel zu beteiligen. Unter anderen Umständen hätte ich die Gelegenheit, Menschen zu schockieren, zu umgarnen oder durch spitze Bemerkungen zu verärgern, wohl sogar genossen, doch heute ging mir Hamilton nicht aus dem Sinn, und obwohl ich versuchte, mich zu verstellen, folgten meine Augen ihm überallhin.

Lächelnd und Hände schüttelnd machte er seine Runde. Er ließ sich von Frauen auf die Wange küssen und zog die hübscheren mit geübten Augen aus. Gelegentlich blickte er in meine Richtung, und dann hatte ich den Eindruck, an einer intimen Stelle nicht sehr freundlich berührt worden zu sein.

Nach einer halben Stunde schlenderte Hamilton aus dem Salon und verschwand. Die verstohlene Art, wie er nach beiden Seiten schaute, verriet mir, dass er etwas vorhatte. Mit der Entschuldigung, nach den Kanapees zu sehen, trennte ich mich von Harold, Mrs. Carruthers und Augusta Langford und verschwand in der Küche, die ich durch die Hintertür wieder verließ. Hamilton war nach vorn heraus gegangen, und ich duckte mich hinter die schützenden Kamelienbüsche, die neben dem Haus wuchsen, und schlich zur Vorderveranda.

Hamilton saß allein auf einem Korbstuhl, und eine Wolke aus Zigarettenrauch umgab seinen Kopf. Er war so vernünftig gewesen, seinen Mantel mitzunehmen; das hatte ich nicht tun können. Während ich wartete, rieb ich mir immer wieder die fröstelnden Oberarme. Als Hamilton auf die Uhr blickte und sich erhob, wusste ich, dass ich mit meiner Vermutung richtig gelegen hatte. Er ging in Richtung Garten.

Indem ich mich erst einmal hinter einem riesigen Magnolienbaum außer Sicht hielt, folgte ich ihm und achtete dabei sorgfältig darauf, wohin ich den Fuß setzte, um nicht auf eine der heruntergefallenen Samenkapseln zu treten. Ich glitt von Schatten zu Schatten und ließ nicht locker, obwohl ich genau wusste, dass ich mich immer tiefer in die Dunkelheit begab und von dem hellen Lachen der Frauen entfernte, dass wie Glockenklang über der angeregten Konversation der Männer schwebte.

Harolds großer Garten wurde von einer Hecke aus Eibenbüschen eingefriedet, und ich drückte mich in die grüne Mauer aus Buschwerk – gerade rechtzeitig, um einen Mann auf der anderen Seite sprechen zu hören.

»Ich kenne die Wahrheit«, sagte der Mann. Seine Stimme war durch starke Wut zur Unkenntlichkeit verzerrt. »Ich weiß, was Sylvia gewollt hat, als –«

»Lassen Sie meine Schwester aus dem Spiel!«, warnte Hamilton ihn.

»Dazu ist es zu spät«, entgegnete der Mann gereizt. »Vielleicht ist sie verrückt, aber dumm ist sie nicht. Wenn man überlegt, was sie sich angetan hat. Sie müssen glauben –«

»Überhaupt nichts muss ich glauben! Sylvia hat sich

schon vor sehr langer Zeit der Vergangenheit ergeben«, sagte Hamilton. »Sie hat ihre Einbildungskraft.« Ich erhaschte den Geruch nach Zigarettenrauch.

»Einbildungskraft!« Der Unbekannte lachte auf. »Wenn Sie Zweifel haben, warum sind Sie dann zurückgekommen?«

»Weil meine Schwester mir keine andere Wahl gelassen hat«, gab Hamilton kühl zurück. »Wie lautet Ihre Entschuldigung dafür, dass Sie sich in die Sache hineinziehen ließen?«

»Sie sind nicht der Einzige, der seinen Vater verloren hat.« Eine Pause folgte, und als der unbekannte Mann weitersprach, war einiges von seinem Zorn aus seiner Stimme verschwunden. »Sie sollten das Anwesen verkaufen, und sobald das erledigt ist, verschwinden.«

»Knob Hill ist das Erbe meiner Familie. Zeigen Sie mir Ihren Beweis.«

Ich hörte das Rascheln von Papier, das auseinander gefaltet wurde. »Das hier kommt von Ihrer Schwester«, sagte der Mann erwartungsvoll.

»Wo –«

Der Ruf einer Frauenstimme unterbrach das Gespräch.

»Hamilton! Hamilton Garrett, du böser Junge, bist du hier draußen und rauchst?«

Ich schloss fassungslos die Augen, aber es war wirklich Tinkie. Von hinten erleuchtet, stand sie auf der Veranda von Harolds Haus. Sie kam die Stufen herunter und blieb am Rande des Lichtkreises stehen, als fürchtete sie sich, weiter in die Dunkelheit vorzudringen.

»Hamilton, bist du hier irgendwo?«

Bevor ich mich bewegen konnte, strich Hamilton an den

Büschen vorbei und durchquerte die freie Fläche zwischen Einfriedung und Haus. Er ging zu Tinkie.

»Ich kann es gar nicht fassen, dass du wieder da bist«, sagte sie leise.

»Es ist lange her«, antwortete er mit einer Stimme, die sich völlig von der unterschied, die er nur Augenblicke zuvor gegenüber dem unbekannten Mann gebraucht hatte.

Ich hielt den Atem an und betete darum, dass sie nicht auf die Idee kamen, ihr Stelldichein im Garten abzuhalten.

»Bleibst du endgültig hier?«, fragte Tinkie. Zu ihren Gunsten muss ich sagen, dass sie ihre Empfindungen sehr gut verbarg. Es hätte sich durchaus um belangloses Partygeschwätz handeln können.

»Du frierst ja, Tinkie«, sagte Hamilton, zog den Mantel aus und legte ihn ihr um die Schultern. »Ich bringe dich wieder nach drinnen.« Er legte den Arm um sie, und gemeinsam gingen sie zur Veranda. Die Kamelienbüsche versperrten mir schließlich die Sicht auf die beiden. Ich konnte nicht anders, ich fragte mich, ob er sich wohl zu Tinkie hinunterbeugte und sie auf ihr Schmollmündchen küsste.

Ich hielt mich völlig reglos hinter der Hecke und lauschte nach dem anderen Mann. Als ich hörte, wie sich seine Schritte hohl auf dem kalten Gehweg entfernten, zählte ich bis fünfzig, dann kroch ich durch die Hecke. Der einzige Beweis, dass das Treffen stattgefunden hatte, bestand in einem Zigarettenstummel. Eine Marlboro. Im Schutze von Büschen und Schatten eilte ich zurück zur Hintertür.

Die Hitze in der Küche traf mich wie ein Schlag mit der Faust. Rasch nahm ich ein Glas Champagner und trank es zur Hälfte aus. Die Leute vom Partyservice blickten mich erstaunt an, deshalb schlüpfte ich durch die Tür zurück ins

Speisezimmer. Ich war entschlossen, Hamilton und Tinkie zu finden und Harold auszuweichen, und glitt dicht an der Wand entlang. Als ich den Champagner ausgetrunken hatte und mich umsah, wo ich das leere Glas abstellen konnte, entdeckte ich Hamiltons Mantel, den er in eine Ecke geworfen hatte.

Gewagt war es, doch ich nahm ihn auf, wie es jede gute Gastgeberin getan hätte, und begab mich damit in das Zimmer, das Harold für die Mäntel und Handtaschen der Gäste vorgesehen hatte. Ich trat ein, schloss die Tür hinter mir und drehte den Schlüssel herum.

Der Mantel bestand aus Wolle und roch nach Zigaretten und nach Hamilton. Mit zitternden Händen durchsuchte ich ihn. In der rechten Außentasche fand ich ein Blatt, das aus einer Zeitschrift gerissen worden war. Ich setzte mich zwischen die Mäntel aufs Bett und begutachtete, was anscheinend Teil einer Story über eine Galerie in Kalifornien war, die Schmuck ausstellte.

Von mehreren Exponaten gab es Fotos, sämtlich Schmuckstücke aus Gold, Email und Halbedelsteinen, nicht immens kostbaren Materialien also. Beeindruckend war jedoch die Kunstfertigkeit, mit der sie der Mann verarbeitet hatte, um den es in dem Artikel ging, den Franzosen René Lalique. Ich las den Artikel zweimal von vorn bis hinten, vermochte ihm jedoch nichts Bedeutsames zu entnehmen. Ich legte ihn beiseite und begann nach etwas Interessanterem zu suchen.

Ein lautes Pochen an der Tür ließ mich zusammenzucken. Rasch stopfte ich das Papier zurück in die Tasche, warf den Mantel beiseite und eilte an die Tür. Als ich sie öffnete, stand Hamilton vor mir. Er zögerte, als er mich sah, und fragte schließlich: »Sind Sie immer dort, wo man nicht mit Ihnen rechnet?«

»Das sage ich Ihnen«, entgegnete ich und versuchte mein Erröten zu unterdrücken, »wenn Sie mir verraten, weshalb Sie so plötzlich nach Zinnia zurückgekehrt sind.«

Er trat so stürmisch auf mich zu, dass ich beinahe zurückgewichen wäre. Beinahe.

»Ich werde den Eindruck nicht los, dass Sie allzu neugierig sind«, sagte er so leise, dass es sich um liebe, zärtliche Worte hätte handeln können. Er hob die Hand und strich mir sanft über die Wange. »Vergessen Sie nur eines nicht: Spionieren ist ein Beruf mit vielen Risiken.« Er nahm seinen Mantel und verließ den Raum. Die Tür zog er so sanft hinter sich zu, dass der Schließer kaum einrastete.

15

Als ich zu den Gästen zurückkehrte, fand ich Harold inmitten einer Gruppe von Männern in der Bibliothek. Ich machte die Runde bei den Damen im Salon und im Speisezimmer. Die Trennung nach Geschlechtern bedeutete, dass der Abend planmäßig fortgeschritten war. Ich wappnete mich mit einem eilends heruntergestürzten Champagner und tauschte das leere Glas gegen ein volles aus. Dann zirkulierte ich und blieb nie lange genug bei einer Gruppe, um ernsthafte Fragen beantworten zu müssen; ich durchdrang die Konversation wie Jitty die Wände. Hamilton der Fünfte nahm meine Gedanken voll in Anspruch, auch wenn ich mein Bestes gab, mir nichts davon anmerken zu lassen.

Er stellte weiß Gott eine dunkle Kraft dar, und sosehr ich mich auch bemühte, es abzuleugnen, er ließ mich nicht unbeeinflusst. Wie schon Jitty so treffend angemerkt hatte, konnte das nichts Gutes bedeuten. Wenn bei einer Delaney der Unterleib das Hirn überstimmt, folgt mit Gewissheit die Misere auf dem Fuße.

Ich wollte mich gerade zu Tinkie gesellen, die in ihren Bemühungen um Trunkenheit mittlerweile so weit fortgeschritten war, dass sie nun unecht und genauso breit grinste, wie sich am nächsten Morgen ihr Kopf anfühlen würde, als ich eine Hand auf meiner Schulter spürte. Die blauen

Flecke, die ich Hamilton zu verdanken hatte, prickelten gefahrverheißend, dann drehte ich mich um und fand mich Cece gegenüber, die über das ganze Gesicht grinste.

»Du bist mit Hamilton allein im Schlafzimmer gewesen«, sagte sie wissbegierig. »Was gibt es denn Tolles zu berichten?«

Meine Güte, verbreiten sich Neuigkeiten heutzutage schnell! »Er mag keine Spieler aus Verzweiflung.«

»Stellst du eine Beziehung zu ihm her?« Plötzlich wirkte Ceces Lächeln ebenso falsch wie ihre Wimpern.

»Wie meinst du das?«, fragte ich.

»Sarah Booth, du hast doch wohl nicht irgendetwas vor, oder?«

»Ich habe immer etwas vor«, entgegnete ich munter.

»Dieses Buch, das du schreibst …« In ihren dunklen Augen schien sich ein Abgrund aufzutun, und ich rief mir zu Bewusstsein, dass ich es mit einer gefährlich auffassungsfähigen Person zu tun hatte. Cece verfügte über die Intuition und die Schliche einer Frau, konnte jedoch zusätzlich auf männliche Logik zurückgreifen. »Du hast doch nicht etwa persönlich ein Hühnchen mit ihm zu rupfen, oder?«

Mir fiel auf, dass Cece offenbar durch irgendetwas oder irgendjemanden angestiftet worden war, über mein Buch nachzugrübeln. »Wie kommst du denn darauf?«

»Delo Wiley kam gestern Nachmittag zu mir in die Redaktion.«

Darüber war ich erschrocken, aber ich konnte mir nicht leisten, es zu zeigen. Allmählich gelangte ich zu der Erkenntnis, dass ein guter Privatdetektiv über gleich welches Thema so wenig wie möglich preisgeben sollte. »Ich wusste gar nicht, dass du samstags arbeitest«, parierte ich die Frage.

»Normalerweise tue ich das auch nicht.«

»Und worauf willst du hinaus?«, bluffte ich. Delo war nicht der Typ Mann, der ohne weiteres eine Zeitungsredaktion betrat. Rednecks haben weder für Zeitungen sonderlich viel übrig noch für Transsexuelle.

»Er hat sich über dich erkundigt«, erklärte Cece, und ich sah ihr an der Nasenspitze an, wie der auf Logik begründete Teil ihres Verstandes sich mit einer Geschwindigkeit von einer Meile pro Minute durch die verschiedenen Möglichkeiten vortastete. »Er wollte von mir wissen, ob du je zuvor irgendetwas geschrieben hättest. Da stellt man sich Fragen über deine neu entdeckte Liebe zur Belletristik.« Sie ließ zwei Herzschläge verstreichen. »Du schreibst doch an einem Roman, oder, Teuerste?«

»Tatsachen engen sehr ein«, antwortete ich vorsichtig.

»Das ist keine Antwort auf meine Frage.«

»Das ist die Antwort, die du bekommst, wenigstens heute Abend.« Ich verspürte den Drang, ihr zu sagen, dass ich gerade dabei war, auf Privatdetektivin umzusatteln und somit diese Legende vom Romanverfassen endlich aufgeben zu können. Andererseits hatte gerade diese Legende sich als besonders nützliche Lüge erwiesen. Niemand hatte es gern, wenn man über ihn Ermittlungen anstellte, aber fast jeder wollte seinen Namen gedruckt und damit verewigt sehen.

»Was hast du nur vor?«, fragte Cece. An ihrem singenden Tonfall erkannte ich, dass sie die Frage rhetorisch meinte. »Wenn du es schaffst, von Hamilton ein Interview zu bekommen – ein gutes –, dann gebe ich dir einen Job.« Sie schenkte mir eines ihrer hungrigen Grinsen und ging fort.

Ich blieb zurück, und mir stand das Bild einer sehr abgemagerten Raubkatze vor Augen.

Kaum hatte Cece das Haus verlassen, als der allgemeine Exodus begann. Die Party war vorüber. Etliche Angehörige des Vorstands der Bank blieben um den Kamin geschart zurück. Als sie sich Zigarren anzündeten und die Cognacschwenker ergriffen, wusste ich, dass ich mich nun zu verabschieden und damit den anderen Damen das Zeichen zum Aufbruch zu geben hatte. Bevor sich die Menge auflöste, fand ich einen geeigneten Moment, um der dankbaren Tinkie meinen getippten Bericht in die Hand zu drücken.

Harold bestand darauf, mich persönlich zum Auto zu begleiten. Dichter Nebel senkte sich allmählich auf das Delta herab und verwandelte die vertraute Nacht in eine Spuklandschaft. Da ich, wie es sich gehörte, erst spät eingetroffen war, hatte ich in größerer Entfernung vom Haus parken müssen.

Harold legte meine Hand auf seinen Arm und führte mich die Zufahrt entlang zu meinem Wagen. Ich muss zugeben, dass sich meine Gebärmutter meldete; sie befand sich in heller Aufregung. Harolds starken Arm, seine Verlässlichkeit, ja einfach seine Nähe empfand ich als überaus aufregend.

Am Auto gab er mir einen Handkuss und hielt sanft meine Finger fest. »Dein Auftritt war atemberaubend«, sagte er. »Genau das, was ich von dir erwartet hatte.«

Darüber wollte ich erst später sorgfältig nachdenken. Ich war müde, und meine Schuhe, so exquisit sie auch waren, hatten mir die Zehen permanent gequetscht. »Gute Nacht, Harold«, sagte ich und hielt ihm eine Wange hin.

Die Wange ignorierte er und hob erneut meine Hand an seine Lippen. Statt mir ein Küsschen auf den Handrücken zu geben, wie ich es erwartet hatte, nahm er meinen Daumen in den Mund. Mit überraschender Geschicklichkeit saugte er genießerisch daran und knabberte provokativ, dann gab er ihn langsam wieder frei.

Ohne ein weiteres Wort ließ er mich stehen. Gebannt blickte ich ihm nach, wie er im herabsinkenden Nebel verschwand, der die kleinen Lichter verschwimmen ließ, aus denen Harold seinen weichen Lichttunnel gebaut hatte.

Am nächsten Morgen schlief ich aus, und trotzdem fühlte ich mich nicht erholt. Es schien, als pochten zwei Pulse durch meinen Körper – einer in meinem Daumen, der andere orientierte sich mehr am Unterleib. Als ich erwachte, kam es mir vor, als säße ich zwischen zwei trommelschlagenden Kriegerstämmen in der Falle.

Das Erste, was ich erblickte, war Jitty, die sich auf das Bett lehnte und deren Kopf von einer schwarzen Gewitterwolke umgeben war.

»Heiliges DDT«, sagte ich und wich vor ihr zurück. Dann klärte sich mein Blickfeld, und ich begriff, dass sie die Orangensaftdosen aufgegeben und zurück zur Natur gefunden hatte. Ihr Afrolook war ein Meisterwerk und verletzte jedes Prinzip, das Newton je postuliert hatte. Ihr pulloverähnlicher, afrikanischer *Dashiki* strahlte rot, gelb und schwarz mit einer Intensität, die mir in den verquollenen Augen schmerzte.

Wütend blickte ich Jitty an, dann richtete ich meine Aufmerksamkeit auf meinen Daumen. Er wirkte völlig normal, warum also schien er über seinen eigenen Herzschlag zu verfügen? Ich stand auf und wollte gerade ins Bad gehen, als es an der Tür klingelte. Ich schaute auf den Wecker und sah, dass wir neun Uhr hatten. Das war nicht spät, aber viel zu früh für Besuch. Respektablen Besuch jedenfalls.

Im Haus war es kalt, deshalb streifte ich mir einen Bademantel über und zog Slipper an. Als ich an die Tür kam, stellte ich fest, dass wer auch immer gekommen war schon wieder gegangen war. Neben der Tür lagen eine Zeitung, eine weiße, mit Schnur zugebundene Schachtel und eine Papiertüte, aus der Kaffeeduft strömte. Entzückt nahm ich alles auf, löste die Schnur und hob den Deckel der Kuchenschachtel ab. Der Inhalt war ofenfrisch und noch warm. Ach, der höchste aller Genüsse! Ich eilte nach oben und kroch, sabbernd vor Vorfreude, wieder unter die Bettdecke.

In New York hatte ich auf der East 91. Street gewohnt, nur einen halben Block von einer Bäckerei entfernt, und den Neffen des Besitzers angeheuert, mir jeden Sonntagmorgen um acht warme Plunderteilchen, Kaffee und die ›New York Times‹ zu bringen. Soweit es mich betraf, stellte dieser Luxus den Gipfel der Zivilisation dar.

Obwohl heute Montag war statt Sonntag und die Zeitung nicht ›New York Times‹, sondern ›Zinnia Dispatch‹ hieß, fühlte ich mich wie im siebten Himmel. Ich schlug Ceces Kolumne auf – schließlich hatte sie das Ganze nur aus diesem Grund anliefern lassen –, und nahm ein Teilchen in die Hand.

Der rechtmäßige Erbe des Garrett-Vermögens, Hamilton der Fünfte, kehrte kürzlich in die alte Heimat zurück und stürzte sich gestern Abend bei einer Gala im Hause von

Harold Erkwell, dem städtischen Bankier und Kunstliebhaber, kopfüber in die Gewässer der High Society.

Hamiltons Rückkehr auf heimischen Boden stellt durchaus eine Überraschung dar – eine Überraschung, die den Damen den Atem raubt. Niemand benötigte die Talente Madame Tomeekas, um zu sehen, was wenigstens einem Dutzend der prominentesten Blüten Zinnias durch den Kopf ging. Die chemischen Reinigungen vor Ort können sich jedenfalls diese Woche auf Hochkonjunktur freuen, wenn es darum geht, Sabberflecken von den Oberteilen diverser teurer Abendkleider zu entfernen.

HG V. ist ein gut aussehender Mann, und obwohl sein Familienstand nicht hundertprozentig feststeht, kam ich nicht umhin zu bemerken, dass sein Ringfinger frei war und auch nicht die Spur eines weißen Reifs aufwies.

Damit stehen die heißen Fragen für diese Woche fest: Was führte Hamilton hierher, und wie lange wird er bleiben? Und hält er nach weiblicher Gesellschaft Ausschau? Mehr davon, sobald sich die Geschichte weiter entwickelt.

Aha, Cece heizte also die Stimmung an. Hamilton würde es rasend machen, dass er nichts gegen die Irre von der Presse, Cece Dee Falcon, unternehmen konnte.

»Ein heißes Bad«, sagte ich und diagnostizierte damit genau das, was ich brauchte. Beiläufig fragte ich mich, ob Jitty solch irdische Freuden wohl vermisste. Ich hatte nicht einmal in Betracht gezogen, das Gebäck mit ihr zu teilen.

»Eine kalte Dusche bekäme dir besser«, entgegnete sie.

»Du bist nur eifersüchtig«, neckte ich sie.

»Harold hat dich völlig durcheinander gebracht«, erwiderte Jitty selbstgefällig. »Du musst eine Entscheidung treffen, Kleine. Und die wird dir nicht leicht fallen. Ich hab es ja gleich gesagt. An Mr. Banker ist mehr dran als nur gutes Benehmen und 'ne gesicherte Existenz.«

Ich hasse es, wenn Jitty Recht hat, besonders in Bezug auf Männer. »Wenn du dich mit Romanzen so wunderbar auskennst, warum hast du dann nie geheiratet?«, fragte ich. Auf mich wartete noch eine zweite Tasse Kaffee, und ich war es zufrieden, mich im Bett zu lümmeln und eine Weile zu plaudern.

»Ich nehme nicht an, dass du je von dieser kleinen Störung des beschaulichen Pflanzerdaseins gehört hast, die man den Krieg zwischen den Staaten nennt? Es ist schon seltsam, wie schnell die Liebe in den Hintergrund tritt, wenn man sich ums Überleben sorgen muss.«

Wir hatten den Tag damit begonnen, uns gegenseitig anzufahren, nun aber beschloss ich, den ersten Schritt zu machen, um die Atmosphäre ein wenig zu entspannen. Außerdem berührte mich etwas an Jittys Körperhaltung. »Also bist du einmal verliebt gewesen?«, fragte ich.

Ich war überrascht, als Jitty, ein Gespenst, das normalerweise niemals die Augen vom Gesicht der Heimgesuchten nimmt, sich abwandte und aus dem Fenster in den frischen Dezembermorgen blickte. Nach dem hellen Sonnenschein zu urteilen, würde es ein kalter Tag werden.

Obwohl ich nur die geschwungene Linie ihres vom riesigen Afro beschatteten Wangenknochens sehen konnte, wusste ich, dass sie traurig war. »Tut mir leid, Jitty. Ich wollte dir nicht zu nahe treten.« In keiner Weise hatte ich beabsichtigt, sie derart aus der Fassung zu bringen.

»Es ist so lange her, und eigentlich sollte man doch meinen, dass 'n Körper so was vergisst.«

Ich zog nicht einmal in Betracht, solches Vergessen für möglich zu halten. Bestimmte Dinge vergisst der Körper niemals. Unter keinen Umständen. Eine grausame Laune der Natur bedingt, dass eine gewisse Subspezies, die weder in der Lage ist, einen Waschlappen auszuwringen noch die Bedeutung einfacher Wörter wie ›Danke‹ zu verstehen, unlöschbare Spuren im weiblichen Gedächtnis hinterlassen kann. Jedenfalls brennen sich bestimmte Augenblicke unvergesslich ins Fleisch, und soweit es mich betrifft, stehen die allermeisten davon mit Männern in Zusammenhang.

»Erzähl mir von ihm«, bat ich Jitty.

Sie starrte noch immer aus dem Fenster, doch nun rundete ein Lächeln ihre Wangen. »Er war ein guter Mann«, sagte sie einfach, »in vielerlei Hinsicht. Als ich sechzehn war, habe ich mich in ihn verliebt. Lange Zeit waren wir getrennt, bis deine Ururgroßmutter, Miss Alice, herausgefunden hat, dass ich ihn liebte, und deshalb hat sie ihn gekauft.« Jitty lachte leise und kehlig. »Das war vielleicht eine, deine Ururgroßmutter, aber das weißt du ja selber.« Endlich drehte sie sich wieder zu mir um. »Sie hat ihn mir geschenkt.«

»Legal geschenkt?«, fragte ich verdutzt.

»Ja, sie hat mir seine Papiere übergeben. Ich war seine Eigentümerin.« Jitty schüttelte leicht den Kopf und lachte verhalten, während sie sich erinnerte. »Sie hat gesagt, so hätte ich eine einmalige Gelegenheit, dafür zu sorgen, dass mein Mann auf meine Sehnsüchte reagiert. Und dass sie nachschauen würde, welche Fortschritte er macht.«

Jitty stand auf und ging ans Fenster. Ich wusste, dass sie auf den Friedhof hinausstarrte.

»Hast du ihn geheiratet?«

»Nein, das habe ich nie«, antwortete sie. »Zuerst war es nicht nötig, und dann hatten wir plötzlich Krieg. Coker ging mit Mr. Karl zu seiner Kavallerieeinheit in Nashville. Coker hatte sein eigenes schniekes Pferd, und er und Mr. Karl ritten mit General Forrest. Dabei gehörte Coker aber nicht zur Armee der Konföderation. Er gehörte zu Mr. Karl. Aber am Ende hätte er auch genauso gut 'n Soldat sein können.« Sie kam ans Fußende und hielt sich mit den Händen an den Bettpfosten fest. »Sie sind beide im Krieg geblieben, Coker und Mr. Karl. Nach der Geschichte, die Miss Alice und ich hörten, wurde Coker als Erster getroffen, und Mr. Karl wollte ihn holen. Beide sind sie erschossen worden.«

Es gab nichts, was ich darauf erwidern konnte.

Jitty seufzte und erzählte weiter. »Das war gleich im ersten Kriegsjahr. Dann war es nur 'ne Sache von Tagen und Monaten und Jahren, bis jeder, den wir kannten, jemanden verloren hatte. Wir selber waren so sehr damit beschäftigt, nicht zu verhungern und nicht von Soldaten, Deserteuren, Renegaten oder der Bürgerwehr umgebracht zu werden, dass wir nicht nach vorn und nicht nach hinten blicken konnten. Als es schließlich vorbei war, da konnten wir uns gar nicht mehr erinnern, wie wir vorher gewesen waren.«

Ich trank heißen schwarzen Kaffee und ließ mich von den Schrecken der Vergangenheit übermannen. Ich war nicht immun dagegen. In gewisser Weise kam es mir sogar vor, als hätte ich selber daran teilgenommen. Man konnte unmöglich in Dahlia House inmitten der vielen Relikte des Gestern leben und nicht die unleugbare Verbindung zur Vergangenheit spüren.

»Grandma Alice hat aber wieder geheiratet«, bemerkte ich.

»Sie hat 'nen Mann gebraucht, der die Arbeit auf den Feldern in Gang brachte. Die freien Neger und das weiße Pack wollten nicht für sie arbeiten«, erklärte Jitty ohne Verbitterung. »Für mich übrigens auch nicht. Wir waren Frauen, und von uns wollten sie sich nichts sagen lassen.«

»Aber ihr beiden habt Dahlia House erhalten. Ihr habt es gerettet.«

»Und deine Großmutter musste wieder heiraten, um dafür zu sorgen, dass es in Sicherheit war«, entgegnete sie, und die Trauer in ihren Augen wich plötzlich dem Feuer. »Darauf hab ich eigentlich gar nicht hinausgewollt, aber wo wir schon mal dabei sind, es ist ganz gut, wenn das auch mal gesagt wird.«

»Ich weiß Bescheid über das Talent der Delaneys, Leben, Gesundheit und Gebärmutter der Tradition zu opfern.« Das stimmte, aber ich beabsichtigte nicht, ebenfalls auf diesem Pfad der Märtyrer zu wandeln.

»Also, wann besuchst du Harold?«, fragte Jitty.

»Weiß ich noch nicht.« Ich trank den Kaffee aus, fegte die Krümel mit der Hand in die Schachtel und klappte sie zu. »Aber heute Nachmittag gehe ich zu Hamilton.« Aus dem Augenblick heraus hatte ich beschlossen, Knob Hill einen weiteren Besuch abzustatten. »Cece hat mir für den Fall, dass ich ein Interview mit ihm führe, einen Job angeboten. Eine gute Entschuldigung, mit Hamilton zu reden. Er kann mich nicht abweisen, weil er weiß, dass ich ohne die Stelle bei der Zeitung dem Untergang geweiht bin. Der Kodex des Südens.«

»Wie hast du ihm den Termin abgeknöpft?«, wollte Jitty wissen.

»Einen Termin habe ich gar nicht, und darum geht es

auch nicht. Viel wichtiger ist die Frage, was ich anziehen soll.«

»Geh doch nackt«, brummte Jitty. »Dann sparst du viel Zeit.«

»Dazu ist es zu kalt«, erwiderte ich kopfschüttelnd und sprang aus dem Bett. Ich fühlte mich jung und impulsiv. »Außerdem fehlt mir dazu der passende Mantel. Wer nackt geht, braucht einen beeindruckenden Pelz.« Ich schaute in den Schrank. »Was wäre mit diesem roten Strickkostüm?«, fragte ich und nahm es von der Stange. Obwohl sich Jitty in Fragen der Garderobe selten als hilfreich erwies, wollte ich mit irgendjemandem diskutieren, was ich tragen sollte.

»Warum hältst du dir nicht einfach ein Schild vor, auf dem steht: ›Ich bin sexuell frustriert und leicht zu kriegen‹?«

Vielleicht war das rote Strickkostüm ein wenig zu offenherzig. »Der grüne Wollanzug? Schließlich arbeite ich an einem Thema, das irgendwie mit Weihnachten zusammenhängt.«

»Du hast doch das alte Schlabberkleid so lieb gewonnen, warum zeigst du ihm also nicht die echte Sarah Booth Delaney?«

»Weil ich ihn nicht erschrecken will. Wenigstens noch nicht.« Von Jittys dornigen Bemerkungen ließ ich mir doch nicht die Laune verderben! Ich nahm ein beiges Kostüm aus dem Schrank und hängte es sofort zurück.

»Versuch's mit Jeans und Pulli«, schlug Jitty kopfschüttelnd vor. »Wenn du dich herausputzt wie die Königin von Saba, dann weiß er, dass du ihn beeindrucken willst. Mach's lieber andersherum, geh in Freizeitkleidung. Dann muss er weiter spekulieren.«

Ich blickte sie an und erkannte die Weisheit ihres Rates.

»Jitty, manchmal bin ich richtig froh, dich zum persönlichen Schreckgespenst zu haben.«

»Du hast mich nicht, ich habe dich, und ich würde dir keinen Tipp geben, wenn nicht auch für mich was auf dem Spiel stehen würde. Ich will ein Baby, und für mich spielt's überhaupt keine Rolle, auf welche Weise du eins bekommst. Hauptsache, du kriegst eins.«

»Ich will mein Bestes geben«, sagte ich und begab mich mit meinen Jeans und einem dunkelblauen, goldbestickten Pullover unter dem Arm zum Badezimmer.

Ich war noch nicht an der Tür, als ich zum zweiten Mal an diesem Morgen gestört wurde. Diesmal klingelte es jedoch nicht, sondern pochte an der Tür, als versuchte jemand, sie einzurammen.

»Einen Augenblick, verflixt!«, rief ich, ließ die Klamotten fallen und eilte die Treppe hinunter. Jitty hatte Recht. Wir brauchten wirklich einen Butler. Ich schaute durch das Guckloch und trat unwillkürlich einen Schritt zurück. Von allen Menschen hätte ich Gordon Walters in voller Hilfssheriffuniform am allerwenigsten erwartet. Er sah so hager und hungrig aus, dass ich ihn mir sehr gut vorstellen konnte, wie er in der Gefängniszelle einen Verdächtigen zusammenschlug. Ich öffnete die Tür einen winzigen Spalt.

»Ja …?«, fragte ich. »Kann ich Ihnen helfen?«

»Sarah Booth Delaney, ich habe einige Fragen an Sie.« Er klang nicht im Geringsten freundlich.

»Ich ziehe mich gerade an, und mein Tag ist mit Terminen ausgefüllt. Wie wäre es mit morgen?« Dabei wollte ich nicht eine seiner einfältigen Fragen beantworten, ganz gleich, wann. Ich wollte ihn nicht in mein Haus lassen. Im Büro des Sheriffs hatte er versucht, mich einzuschüchtern, und Erfolg dabei gehabt. Aber nun war er auf meinem Grund und Boden.

»Ich fürchte, Sie werden verschieben müssen, was Sie sich für heute vorgenommen haben.«

Mit dieser Antwort hatte ich nun nicht gerechnet. »Und weshalb, wenn die Frage gestattet ist?«, erkundigte ich mich hochmütig.

»Weil Delo Wiley gestern getötet wurde.«

16

Ich saß neben Gordon Walters' Schreibtisch auf einem harten Stuhl mit gerader Rückenlehne und kämpfte gegen den Drang an, mich am Kopf zu kratzen. Mein Haar war zwar nicht schmutzig, aber Walters hatte mich aus dem Haus geholt, ohne mir die Zeit zu geben, mich rasch unter die Dusche zu stellen, geschweige denn, mich in einer Wanne voll heißem Wasser einweichen zu lassen. Im Augenblick jedenfalls machte ich mir über meine mangelnde Körperhygiene mehr Gedanken als über den Umstand, dass dieser schwachköpfige Inhaber einer Polizeimarke mich für eine Verdächtige in einem Mordfall hielt. Zumindest verstand ich ihn so, denn er war noch nicht eindeutig geworden, und er hatte mir noch nichts auf den Kopf zugesagt.

»Aus welchem Grund haben Sie am Morgen des achtundzwanzigsten November um zehn Uhr Mr. Wiley aufgesucht?«, fragte Gordon. Sein Blick wirkte abgefeimt und niederträchtig.

»Wir führten ein ausgiebiges Gespräch über das Wetter.« Zwar war mir bewusst, dass ich mit dieser Antwort meine Qualen nur verlängerte, aber ich konnte nicht anders. Mir war nicht angeboten worden, jemanden anzurufen, obwohl es mir zugestanden hätte, und obwohl ich nicht beabsichtigte, einen Anwalt zu sprechen, hatte ich überlegt, Harold zu informieren. Die Bank von Zinnia hielt die Hypothek auf alles, was Gordon Walters gehörte oder was er jemals zu besitzen hoffen konnte. Walters wollte mich in die Mangel nehmen – warum sollte ich ihm diesen Terrorakt nicht mit gleicher Münze heimzahlen?

»Merkwürdig, dass Sie einen Mann, den Sie kaum kannten, besuchen, um sich über das Wetter zu unterhalten«, entgegnete Walters. Ganz eindeutig war er bereit, sich auf mein Spiel einzulassen.

Ich blickte auf die Uhr. Wir hatten zehn. Eine Stunde wollte ich Gordon für sein Späßchen einräumen. Ich ließ mich ein wenig auf dem Stuhl hinabrutschen, schlug wie ein Mann die Beine übereinander und reckte das Kinn. »Ich spiele mit dem Gedanken, auf dem Dahlia-Land Mais anzubauen. Die Felder liegen seit acht Jahren brach. Ich sollte also eigentlich eine nette Ernte einfahren können. Delo baute Mais an, also bin ich auf einen kleinen Schwatz bei ihm vorbeigefahren.«

Walters nahm eine Schachtel Marlboros auf und schüttelte eine Zigarette heraus. Mit einem Grinsen, das manche Frauen reizvoll gefunden hätten, bot er mir eine an. »Haben Sie denn Zeit für den Maisanbau, während Sie Ihr Buch schreiben?«, fragte er.

Ich blickte abwägend auf die Zigarette und schüttelte den Kopf. Vor drei Jahren hatte ich mit dem Rauchen aufgehört. »Wenn ich an beiden Dingen gleichzeitig arbeite, erzeuge ich einen Synergismus.«

»Kein Wunder, dass Ihre Augen braun sind«, entgegnete er, doch in seiner Miene lag ein neuer Ausdruck: offene Wissbegierde. »Sie sind wohl wirklich anders als die durchschnittliche kleine Delta-Schönheit, was?«, meinte er.

Ich beschloss, diese gönnerhafte persönliche Bemerkung zu ignorieren und steuerte mit meiner Antwort auf den eigentlichen Grund zu, aus dem ich hier in der Stadtmitte im Büro des Sheriffs saß. »Hören Sie, ich weiß nicht, was Mr. Wiley zugestoßen ist«, sagte ich. »Ich habe mit ihm gesprochen, aber über nichts, weswegen ihn jemand töten sollte.« Plötzlich musste ich an die Warnung des alten Mannes denken, der mir verbrämt geraten hatte, die Schranken meiner ›Klasse‹ auf keinen Fall zu überschreiten. Er hatte gesagt, es sei gefährlich, sich allzu sehr mit der Vergangenheit zu beschäftigen. Nun war es offenbar ihn teuer zu stehen gekommen.

»Stimmt was nicht?«, fragte Walters.

Scharfsinnig war er, das musste ich ihm lassen. Ich wünschte mit einem Mal, der Sheriff käme zur Tür herein. »Wo ist Coleman?«, erkundigte ich mich unumwunden.

»Nach Jackson, Staatszuschüsse abholen. Vor morgen ist er nicht zurück.« Walters grinste. »Im Augenblick hab ich das Sagen.«

»Schauen Sie, Deputy Walters, ich habe mit der Sache nichts zu tun, aber vielleicht kann ich die eine oder andere Idee beisteuern. Erzählen Sie mir etwas über die Leiche. Wie ist Mr. Wiley getötet worden?«

Walters starrte mich an. »Wollen Sie ihn etwa sehen?«

Das war gewiss das Letzte, was ich wollte, doch lag ein herausfordernder Ton in seiner Frage, und ich gedachte nicht einzugestehen, noch nie am Tatort eines Mordes gewesen zu sein. Genau gesagt hatte Walters überhaupt nicht bestätigt, dass es sich um einen Mord handelte. ›Getötet‹ war ein mehr oder weniger weit gefasster Ausdruck, der zwar einen unnatürlichen Tod, aber nicht unbedingt einen Mord bedeutete.

»Klar«, sagte ich. »Gehen wir.«

Er ließ mich auf dem Beifahrersitz seines Streifenwagens mitfahren, blickte mich aber weder an, noch richtete er ein Wort an mich, während wir die Stadt verließen und auf die flachen, weiten Felder hinausfuhren. So erhielt ich die Chance, sein Profil zu studieren, und registrierte sehr wohl seine Schurkennase, die man ihm einmal gebrochen hatte, und das raue Äußere, das man durchaus als gut aussehend bezeichnen konnte.

»Ist Delo erschossen worden?«, fragte ich.

»Sehr gründlich sogar.«

»Ist Selbstmord möglich?«

»Nur wenn er den Abzug mit dem Zeh gezogen und sich dann wieder den Stiefel angezogen hat, obwohl er statt seinem Kopf nur noch ’nen blutigen Stumpf auf den Schultern hatte.«

Das war nun wirklich eine Vorstellung, auf die ich verzichten konnte, doch was Walters gesagt hatte, erinnerte auf fatale Weise an den Tod Hamilton Garretts des Vierten. Die plastische Schilderung sollte mich wohl von weiteren Fragen abhalten. »Also mit einer Schrotflinte?«

»Kaliber zwölf.« Walters bog nach rechts ab. »Muss gestern gegen elf Uhr passiert sein.«

Also kurz vor dem Mittagessen.

»Was haben Sie um diese Zeit gemacht?«, wollte er wissen.

»Mir die Fingernägel lackiert.« Ich streckte die Hände aus und zeigte ihm den Farbton Little Red Russet. Gegen elf hatte ich begonnen, mich für Harolds Soiree herzurichten.

Ich wollte fragen, wo Delo Wiley erschossen worden war, doch in dem Moment lenkte der Deputy den Wagen auf die Einfahrt des Opfers, fuhr am Haus vorbei und nahm Kurs auf die Maisfelder. Der Streifenwagen holperte klaglos über die Reihen brauner Maisstängel. Rechts von uns flatterte ein Schwarm Tauben auf, und ich beobachtete, wie die Vögel über dem Horizont eine geordnete Reihe bildeten und rasch davonflogen.

Mir kam mein Albtraum in den Sinn. Der Albtraum, den Tammy ebenfalls gehabt hatte. Obwohl Morgen war, ein heller, kalter Morgen, nahm der Tag plötzlich die gedämpften Laute der Traumwelt an.

Unsanft ratterten wir über Delos Felder, bis ich schließlich vor uns einen Krankenwagen und mehrere andere Fahrzeuge erblickte. Ich hatte nicht damit gerechnet, dass die Leiche noch am Ort des Geschehens liegen würde. Die Parallelen zum Tode Hamiltons des Vierten waren einfach unübersehbar. Kein Wunder, dass Walters sein verstecktes schmales Lächeln nicht loswurde. Also sollte dies zu einer weiteren Warnung vor den Folgen werden, die jede unbedachte Handlung auslöste – der übliche Sermon. Trotzdem ließ mich die Frage nicht los, weshalb sich sowohl Gordon Walters als auch Hamilton der Jüngere solche Mühe gaben, mich immer wieder auf diesen Punkt hinzuweisen. Eine offensichtliche Antwort wäre gewesen, dass Hamilton seine Mutter ermordet und Pasco Walters die Tat vertuscht hatte. Gordon beteiligte sich an der Sache, weil er den Namen seines toten Vaters schützen wollte. Ehre ist schon immer der Tyrann der Südstaaten gewesen. Sein guter Name ist oft genug das Einzige, was ein Mann besitzt.

Als der Wagen hielt, stieg ich aus, ohne dazu aufgefordert

worden zu sein, und ging auf die Schar Männer zu. Fel Harper nickte mir zu, und ich erkannte Isaac Carter, der in seinem zweireihigen Anzug und den blitzenden Mokassinschuhen fehl am Platz wirkte. Er starrte mich an, dann schoss er einen hasserfüllten Blick auf Walters ab. Offenbar konnten sich die beiden nicht riechen.

Außerdem befand sich ein zweiter Deputy hier, dazu zwei Schwarze, die versuchten, mehrere Hunde ruhig zu halten, die jaulten und immer wieder in die Büsche springen wollten.

»Sarah Booth«, begrüßte mich Fel. »Ich wusste gar nicht, dass du dich auch für Morde neueren Datums interessierst.« Und er warf Walters einen neugierigen Blick zu.

»Ich habe viele Interessen«, entgegnete ich, fest entschlossen, mich nicht außer Fassung bringen zu lassen, ganz gleich, was man mir zeigen würde. Die Ungerührtheit meiner Entgegnung wurde leider dadurch ein wenig getrübt, dass ich noch beim Sprechen in ein tiefes Loch trat und stolperte. Gordon ergriff mich und verhinderte, dass ich hinfiel. Aus misstrauisch zusammengekniffenen Augen musterte er das Loch, während er mir half, wieder ebenen Boden zu erreichen.

Die Männer hatten sich am Rand eines gut vier Meter im Geviert messenden Dickichts versammelt, hauptsächlich Unkraut und junge Bäume, die auf dem ansonsten freien Feld unpassend wirkten. Als ich näher trat, bemerkte ich den alten Baumstumpf in der Mitte des Dickichts. Ich drehte mich um und erhaschte das Glitzern von Sonnenlicht auf dem weit entfernten Fluss – wir waren auf dem Feld am Maultiersumpf, am selben Fleck, wo Guy Garrett angeschossen und getötet worden war.

»Gut, dass Cooley und James den Hunden hierher gefolgt sind«, bemerkte Fel. »Wer weiß, wie lang der alte Delo sonst noch hier gelegen hätte.«

Ich sah die Schwarzen an. Ihre Mienen verrieten keinerlei Regung, doch der ältere wiegte langsam den Kopf. »Eine schreckliche Sache«, sagte er. »Delo hat keiner Menschenseele je was zuleide getan.«

»Hat Delo irgendwelche Angehörigen?«, wollte Fel wissen.

Der ältere Schwarze schüttelte wieder den Kopf. »Letztes Jahr ist seine Schwester gestorben. Sonst hatte er niemanden.«

»Sind Sie einverstanden, wenn ich ihn jetzt auflade?«, wandte sich Fel an Walters.

»Lassen Sie erst noch unsere Autorin 'nen Blick auf ihn werfen«, entgegnete der Hilfssheriff.

Ich hatte Angst, dass mir schlecht werden könnte, aber trotzdem trat ich zwischen den Männern hindurch an den Rand der Büsche und erblickte Delos Füße. Lange Zeit schaute ich sie an und musterte die hochgeschnürten Arbeitsstiefel in allen Einzelheiten. Sie wirkten beinahe neu. Delo lag auf dem Bauch, was, wie ich annahm, darauf hindeutete, dass er von hinten erschossen worden war. Das Schrotgewehr lag neben der Leiche.

Endlich ließ ich meinen Blick langsam den Körper hinauf an die Stelle wandern, wo sich der Kopf hätte befinden müssen. Walters hatte nicht übertrieben. Angesichts dieser schrecklichen Verstümmelung blieb ich erstaunlich gelassen.

»Ist das die Mordwaffe?«, fragte ich. Warum sollte der Mörder das Gewehr zurücklassen? Ich ging in die Hocke, um mir die Waffe genauer anzusehen. Ein Vorderschaftrepetier-Schrotgewehr Modell Remington 870: eine ›Pump-Gun‹. Am Schaft war etwas entfernt worden.

»Wir untersuchen sie noch auf Fingerabdrücke«, erklärte Walters. »Bei einer Schrotflinte kann die Ballistik nicht viel ergeben, höchstens bestätigen, dass es sich um 8er-Schrot gehandelt hat.«

Ich wäre gern wieder aufgebrochen, doch stand eindeutig fest, dass nicht ich entscheiden würde, wann wir gingen. Welches Motiv auch immer Walters bewogen hatte, mich mitzubringen, er war noch nicht fertig mit mir.

»Hat Mr. Wiley Ihnen gegenüber irgendetwas erwähnt, das darauf hindeutete, jemand könnte hinter ihm her sein?«, fragte er.

»Nicht mir gegenüber, aber Mr. Wiley und ich waren nicht befreundet. Ich glaube nicht, dass er sich mir anvertraut hätte.«

»Finden Sie es nicht merkwürdig, dass Sie einem Mann einen Besuch abstatten, und kurz darauf ist er tot?«

Nun starrten sie mich alle an, alle außer Cooley und James, die sich mit den Hunden wortlos über das Feld zurückzogen. Ich wollte ihnen nachrufen, sie sollten auf mich warten, aber ich wusste, dass sie einfach weitergegangen wären. Sie hätten sich nicht einmal umgedreht. Verdenken konnte ich es ihnen nicht.

»Merkwürdig finde ich höchstens, dass Sie meinen Besuch mit seinem Tod in Verbindung bringen.« Ich strich mir das schlaffe Haar von der Schulter. »Sehr merkwürdig finde ich, dass Sie glauben, ein Gespräch über die Maisernte könnte etwas mit einem Mord zu tun haben.« Ich wandte mich von Walters ab und sprach Isaac Carter an. »Und ich finde es höchst merkwürdig, Sie hier draußen anzutreffen, Mr. Carter, aber da Sie nun mal hier sind: Ich hatte ohnehin vor, Sie zu besuchen und mit Ihnen zu sprechen. Wann wäre es Ihnen recht?«

Carter sagte kein Wort.

»Ich habe Mr. Carter hergerufen, weil ich mich an den Tod von Mr. Garrett dem Vierten erinnert fühlte«, warf Fel rasch ein. »Ich wollte, dass sich jemand, der den anderen Unfall gesehen hat, hier den Tatort ansieht. Um meinem Gedächtnis auf die Sprünge zu helfen.«

»Und einer sieht aus wie der andere, stimmt's? Nur dass diesmal kein Grund besteht, den Mord als Unfall hinzustellen.« Ich wunderte mich über die Wut, die in mir kochte. Ein alter Mann war tot, und keinen von denen, die seinen Leichnam umringten, schien es auch nur die Spur zu berühren. »Ich will Ihnen etwas sagen, was Delo erwähnte und was recht interessant ist. Er hat nicht gejagt. Und Mr. Garrett ebenfalls nicht. Trotzdem liegen sie beide tot in einem Feld, auf dem Tauben geschossen werden. Das sagt mir, dass Taubenfelder in Sunflower County ziemlich gefährliche Stellen sind.«

Zu Walters gewandt fügte ich hinzu: »Sie können mich zurückfahren oder es bleiben lassen. Dann laufe ich eben. Aber hier bleibe ich nicht.« Mir war nicht etwa vom Anblick der Leiche schlecht; ich fror. Arktische Kälte umfing mich und drang mir in die Knochen. »Ich rufe Sie an wegen eines Termins«, sagte ich zu Carter und begann über das Feld davonzustapfen. Ich wich zwei weiteren Löchern aus, von denen eines frisch ausgehoben und recht tief war. Walters hatte keinerlei Beschuldigung gegen mich erhoben. Er konnte mich nicht aufhalten, ich würde nun nach Hause gehen.

»Miss Delaney«, sagte Walters und ergriff mich am Ellbogen. »Steigen Sie schon ins Auto. Ich fahre Sie nach Hause.«

Mir war zu kalt, um Einwände zu erheben. Als ich ihm zum Wagen folgte, flatterte ein weiterer Taubenschwarm gleich vor meinen Füßen auf. Ihr Flügelschlag war laut und forsch, und einen furchtbaren Moment lang glaubte ich, ich könnte den trommelnden Schlag ihrer Herzen hören.

Über mir begann sich der Himmel zu drehen, und meine Knie gaben nach, als ich in der Erinnerung an den schrecklichen Albtraum zu ertrinken drohte. Eine kräftige Hand packte und stützte mich, und im nächsten Augenblick hatte ich mein Gleichgewicht wiedererlangt.

»Sind Sie okay?«, fragte Walters.

»Ja«, antwortete ich, überrascht, dass ich mit so ruhiger Stimme zu sprechen vermochte. »Mit mir ist alles in Ordnung. Bringen Sie mich nur nach Hause.«

Auf der Fahrt schwiegen wir beide, und ich brütete über der Botschaft, die Gordon Walters mir so deutlich erteilte: Kümmern Sie sich um Ihre eigenen Angelegenheiten. Delo hat geredet, und sehen Sie nur, was ihm zugestoßen ist.

Mir war nicht entgangen, dass der Mord an Delo mit Hamiltons unerwarteter Rückkehr zusammenfiel. Doch Hamilton sagte man nach, seine Mutter ermordet zu haben, nicht seinen Vater. Wieso nützte Delos Tod Hamilton? Oder auch Gordon Walters?

War es überhaupt eine realistische Annahme, dass jemand so weit ging, nur um den Ruf seiner Familie zu schützen? Andererseits existierten zahlreiche Fallstudien anomalen

Verhaltens bei Männern und Frauen, die einzig und allein aus genau diesem Grund Schreckliches getan hatten. In Walters' wilden Augen funkelte ab und an ein manisches Glitzern auf. Dazu kam, dass er in die Fußstapfen seines Vaters getreten und ebenfalls Gesetzeshüter geworden war, das klassische Zeichen für eine unterentwickelte Persönlichkeit.

»Das ist ja interessant.«

Walters' Tonfall schreckte mich aus meinen Überlegungen. Als ich aufblickte, stellte ich fest, dass wir bei Dahlia House angekommen waren und Hamilton der Fünfte auf meiner Veranda saß. Er schnippte einen Zigarettenstummel über das Geländer und erhob sich, als wir vorfuhren.

»Da wird doch der Hund in der Pfanne verrückt!«, rief ich aus und spürte, dass mir die Röte ins Gesicht stieg. Von allen Zeitpunkten, an denen Hamilton der Fünfte mir einen Überraschungsbesuch abstatten konnte, musste er ausgerechnet den Moment wählen, an dem ich vom Tatort eines Mordes auf einem Maisfeld zurückkehrte.

»Ich wusste gar nicht, dass Sie mit Mr. Garrett befreundet sind«, merkte Walters an und brachte den Streifenwagen vor der Haustür zum Stehen. Er öffnete die Fahrertür, als wolle er aussteigen.

»Danke fürs Mitnehmen. Nun fahren Sie, und lassen Sie mich in Ruhe.« Rasch stieg ich aus, kehrte dem Deputy den Rücken zu und ging davon. Ich hatte nicht die leiseste Ahnung, weshalb Hamilton mich zu Hause aufsuchte, doch eins wusste ich genau: Gordon Walters wollte ich nicht dabeihaben und Mäuschen spielen lassen.

Ich marschierte über den Rasen. Durch das lange Haar, das ihm im Nacken über den Kragen fiel, wirkte Hamilton sehr europäisch. Als ich die Stufen zur Veranda hinaufstieg, fragte ich mich plötzlich, ob er bemerkt haben konnte, dass ich auf Harolds Party seine Manteltaschen durchsucht hatte. Vielleicht hätte ich Walters doch nicht so barsch fortschicken sollen.

»Ich muss mit Ihnen reden«, erklärte Hamilton.

Die Haut unter meinem rechten Auge begann plötzlich zu zucken. Ich spürte, wie das Lid jedes Mal flatterte, wenn Hamilton mich anblickte. »Delo Wiley ist gestern ermordet worden«, sagte ich, und die Erinnerung an die schreckliche Szenerie verstärkte das verdammte unwillkürliche Liderzucken.

Wenn ich auf eine Reaktion gehofft hatte, so enttäuschte mich Hamilton. Ich konnte nicht sagen, ob er schon davon wusste oder ob es ihn ganz einfach nicht bekümmerte. Jedenfalls provozierte mich seine Ungerührtheit weiter.

»Er ist an der gleichen Stelle erschossen worden wie Ihr Vater.«

Aha. Er machte schmale Augen, aber mehr nicht. Dann trat er näher an mich heran.

»Es wurde festgestellt, dass es sich beim Tod meines Vaters um einen Unfall handelte.«

Möglicherweise hatte er sich so viele Jahre an die bestehenden Umstände gewöhnt, dass er zu keiner Gefühlsregung mehr fähig war. Trotzdem überraschte mich sein gelassener Tonfall, besonders weil ich fest davon überzeugt war, dass man mit Vorsatz auf Guy Garrett geschossen hatte. Bisher war ich davon ausgegangen, dass Hamilton der Fünfte diese Ansicht teilte – sie teilte und eventuell auf dieser Grundlage gehandelt hatte.

»Ihr Vater ist ermordet worden«, entgegnete ich. »Sie

und ich, wir wissen das beide. Ich habe den Verdacht, dass viele Leute darüber Bescheid wissen, aber keiner will es zugeben. Wie kommt das nur?«

Hamiltons Augen waren sehr kühl geworden, während ich sprach. »Sheriff Walters war anderer Ansicht. Er hielt den Tod meines Vaters für einen Jagdunfall«, wandte er bedächtig ein. »Und Sie geht das Ganze eigentlich überhaupt nichts an.«

»Wie sehen denn Sie den Tod Ihres Vaters?«

»Ich halte es für ein Thema, das man am besten auf sich beruhen lässt«, entgegnete er und kam die Stufen herunter, bis er unmittelbar vor mir stand. »Trotzdem verwundert mich Ihr Interesse daran. Warum kümmert es Sie, was meinem Vater vor zwanzig Jahren zugestoßen ist?«

Das war eine gute Frage, und ich wünschte, ich hätte eine gute Antwort darauf gehabt. »Ich schreibe an einem Buch«, sagte ich.

»Das habe ich schon gehört«, knurrte er, und nun funkelten seine Augen hitzig. »Ist Ihnen eigentlich schon in den Sinn gekommen, dass ich etwas dagegen haben könnte, zu dem Mittel zu werden, mit dem Sie Ihr Haus vor dem Verkauf retten? Haben Sie je innegehalten und sich Gedanken über die Folgen gemacht, die Ihr Buch für meine Familie haben könnte?«

Da hatte er mich in der Falle. Selbstverständlich hatte ich keinen Gedanken an diese Aspekte verschwendet, weil ich überhaupt nicht beabsichtigte, ein Buch zu schreiben. Andererseits konnte ich ihm kaum erklären, dass ich in Tinkies Auftrag seine Angelegenheiten ausspionierte.

»Ich schreibe einen Roman«, erwiderte ich lahm.

»Ein Roman, der auf der Tragödie basiert, die sich in meiner Familie ereignet hat«, sagte er und beugte sich näher. »Haben Sie überhaupt eine Vorstellung davon, was ich dabei empfunden habe? Meine Familie zerstört, ich selbst gezwungen, meine Heimat und jeden, den ich kannte, zu verlassen? Ich bezweifle, dass Sie sich auch nur ansatzweise ausmalen können, was das für mich bedeutet. Denn wenn Sie es könnten, wäre das Letzte, was Ihnen in den Sinn käme, darüber einen Roman schreiben zu wollen!«

Ein Blick in seine Augen genügte mir, und ich wusste, dass hinter der Fassade des beherrschten Mannes, die er gerne zur Schau stellte, heiße Leidenschaft brodelte. Unglücklicherweise handelte es sich nicht um Leidenschaft der Sorte, die dazu führt, dass sich schweißbedeckte Leiber in den Bettlaken verheddern.

»Ich möchte niemandem wehtun«, sagte ich.

»Dann lassen Sie die Sache fallen und hören Sie auf, sich in meine Angelegenheiten zu mischen?«

So weit durfte ich nicht gehen. »Wollen Sie denn wirklich nicht wissen, was Ihrem Vater geschehen ist?«, konterte ich.

Hamilton kniff die Augen zusammen. »Ich bin hierher gekommen, um an Ihr Gewissen zu appellieren. Ich hatte gehofft, Ihnen begreiflich machen zu können, dass meine Familie bereits genug erduldet hat.« Er trat noch dichter an mich heran, so dicht, dass ich seinen Atem spürte, als er leise sagte: »Suchen Sie sich eine andere Kuh zum Melken.«

Er hatte mir auf meiner eigenen Veranda aufgelauert. Ich war nicht verantwortlich für das, was seiner Familie zugestoßen war, oder für Delos Ende. Ich fasste ihn am Arm und hielt ihn auf. »Haben Sie Ihre Mutter getötet?«

Ich hatte gehofft, ihn mit der Frage zu schockieren, vielleicht sogar zu verletzen, doch enttäuschte er mich erneut.

Seine Lippen wurden schmal, behielten aber den Anflug eines Lächelns. »Vielleicht habe ich Sie falsch eingeschätzt. Vielleicht wäre die Sensationspresse für Sie der passendere Arbeitgeber als eine seriöse Zeitung wie ›The Zinnia Dispatch‹.« Mit diesen Worten schüttelte er meine Hand ab und ging zu seinem Auto.

17

Als ich mich langsam und genießerisch tief in das warme Wasser der Badewanne sinken ließ, setzte sich Jitty auf den geschlossenen Toilettendeckel. Statt ärgerlich zu sein, dass sie in meine Privatsphäre eindrang, freute ich mich über ihre Anwesenheit. Ich wollte nicht alleine sein.

»Raus mit dir aus der Wanne, Sarah Booth.«

Allerdings hatte ich auch keine Lust, mich bevormunden zu lassen. »Niemals«, widersprach ich und tauchte gerade lange genug auf, um mit dem Zeh den Warmwasserhahn zu betätigen. »Ich bleibe für den Rest meines Lebens hier drin. Er findet mich widerlich. Hält mich für eine Parasitin, einen Blutegel, eine Made, die sich an den Leichen seiner Eltern nährt.«

»Für eine Beziehung ist es das Beste, wenn man sich von Anfang an über den Partner im Klaren ist«, meinte Jitty. »Er weiß nun das Schlimmste über dich. Von jetzt an kann es nur noch besser werden.«

Ich wischte mir das Seifenwasser aus den Augen und blickte sie an. »Schönen Dank.«

»Ist doch wahr. Es ist längst noch nicht alles verloren. Jetzt musst du nur 'nen Weg finden, dass er die anderen Aspekte deines Charakters wahrnimmt.«

Mir wollte es gar nicht gefallen, dass Jitty ohne mit der

Wimper zu zucken bestätigte, ich sei ein blutsaugendes Insekt. Trotzdem überraschte mich ihre Bereitwilligkeit, mir zu helfen, was Hamilton betraf. Offenbar stand sie ihm mittlerweile etwas gewogener gegenüber.

»Was schlägst du vor?«, fragte ich, setzte mich auf und stellte das Wasser ab. »Gib mir mal einen guten Tipp.«

»Hmmmm. Wie schade, dass er keinen Hund hat«, brummte sie.

Ich bemerkte ihr angedeutetes Lächeln. Zum ersten Mal seit Hamiltons Aufbruch konnte ich lachen. Ich griff nach dem Badetuch.

»Eigentlich müsste Hamilton dir doch dankbar sein, wenn du rauskriegst, wer seinen Daddy umgebracht hat«, führte Jitty an.

»Es sei denn, es war wirklich seine Mutter, und das hat ihn dazu bewegt, seinerseits sie umzubringen«, entgegnete ich, während ich mich trockenrubbelte.

»Kletter da raus«, befahl Jitty.

Ich schüttelte die Tropfen vom einen Bein und stellte den Fuß auf den Boden, dann folgte ich mit dem anderen. Wir hatten Mittag, und ich war wieder hungrig.

»'nen Plan musst du dir schon selber ausdenken«, fuhr sie fort. »Du steckst auf jeden Fall schon zu tief drin, um jetzt noch 'nen Rückzieher zu machen. Und Hamilton wird dir bestimmt anders begegnen, wenn er erst merkt, dass du auf seiner Seite stehst.«

»Ich wusste gar nicht, dass du eine Verfechterin des unverbesserlichen Optimismus bist«, entgegnete ich sarkastisch.

Jitty rümpfte die Nase. »Für mich ist der offensichtliche nächste Schritt, dass du diesem teueren Sanatorium unten an

Friars Point mal ’nen Besuch abstattest«, sagte sie, während sie durch die Wand verschwand und dabei indigniert den Afro schüttelte.

Ich hängte das dicke Handtuch auf und zog ein Resümee dessen, was ich an diesem Morgen erreicht hatte: in Form von Kuchen zweitausend ungesunde Kalorien gegessen, einen blutigen Leichnam betrachtet, Gordon Walters Stoff zum Nachdenken gegeben, indem ich zuließ, dass er Hamilton Garrett den Fünften auf meiner Veranda sah, soeben erwähnten Hamilton erbost und Jitty auf achtzig gebracht. Es versprach ein außerordentlicher Tag zu werden.

In einem Punkt hatte Jitty allerdings nicht Unrecht: Da Hamilton nicht mehr mit mir sprechen würde, war Sylvia die nächstbeste Möglichkeit. Aber konnte ich mich darauf verlassen, was eine Verrückte mir sagte? Ha! Da schilt ein Esel den andern Langohr. Ich hatte mich gerade mit einem Gespenst gestritten.

Ich ging in mein Schlafzimmer und zog mir eine Jeans und einen roten Pullover an. Ich brauchte Helligkeit. Doch selbst mein Spiegelbild heiterte mich nicht auf, als ich Make-up auftrug. Danach trottete ich hinunter in die Küche und aß kalten Truthahn undKürbiskuchen. Schließlich ging ich hinaus in den schwachen Sonnenschein, der mich mehr blendete als wärmte.

Natürlich wollte ich zu Friars Point, aber nicht sofort. Zuerst wollte ich mich in Billies Autowerkstatt umsehen. Von Automechanik verstand ich ungefähr so viel wie vom privaten Ermitteln, aber davon ließ ich mich nicht abschrecken. Ich öffnete die Motorhaube meines geliebten Roadsters und zerrte an einem der Zündkerzenkabel.

Als ich den Zündschlüssel drehte, spotzte und hustete der

Wagen fürchterlich. Vom ursprünglichen sanften Schnurren des Motors war nichts mehr zu merken. Und obwohl es mich tief schmerzte, den Wagen in diesem Zustand in die Stadt zu fahren, nahm ich schlingernd und von Fehlzündungen begleitet direkten Kurs auf Billies Werkstatt.

Ich konnte mich nicht erinnern, ob Billie jünger oder älter war als Millie oder ob sie sogar Zwillinge waren, worauf ihre Namen hindeuteten. Ich fuhr auf den Hof der Werkstatt und stieg aus. Ein schlanker Mann Mitte fünfzig näherte sich mir. Er sah zwar nicht genauso aus wie Millie, ähnelte ihr jedoch sehr.

»Guten Morgen, Sarah Booth.« Er betrachtete den Roadster wohlgefällig und strich sogar mit den Fingern über die zinnoberrote Stoßstange. »Hübscher Wagen, aber er läuft wohl was ungleichmäßig.«

»Könnten Sie das wieder in Ordnung bringen? Ich muss eine längere Strecke fahren, und gestern lief er noch völlig normal.« Das war keine Lüge. Mittlerweile fragte ich mich, ob die Last all meiner bewussten Irreführungen mich irgendwann zermalmen würde.

»Fahren Sie ihn die Werkstatt«, sagte er und winkte mich auf einen leeren Platz.

Ich tat wie geheißen und ging ins Haus, um dort zu warten, während er den Wagen untersuchte. Im Warteraum war es schmutzig. Dort stand eine von schmierigen, schwarzen Fingerabdrücken übersäte Kaffeemaschine neben einem Stapel Styroporbecher, die aussahen, als hätten die 101 Dalmatiner ihre Flecken darüber abgeschüttelt. Hinten im Wartezimmer ging es ins Büro, ein beengter, fensterloser Raum, der mir keine Entschuldigung bot, falls Billie mich darin ertappte. Deshalb ging ich sofort hinein.

In Film und Fernsehen wissen Detektive und Spione immer ganz genau, wo die wichtigen Dokumente aufbewahrt werden, und obwohl ich solche Szenen schon Millionen Mal gesehen habe, weiß ich immer noch nicht, wie sie das schaffen. Ich ging zuerst an den Schreibtisch und zog nacheinander die Schubladen auf, nur um darin haufenweise Schrauben, Klebeband, Büroklammern, Kulis und Stifte, Papierknäuel, Magnete, Drähte, Schraubendreher und diverse andere Werkzeuge einschließlich eines Brecheisens zu entdecken. Ich fand ein altes Scheckbuch, aber Billie hatte keinen einzigen Kontrollabschnitt ausgefüllt. Sein Buchhaltungssystem war offenbar genauso vage wie mein eigenes.

Ich riss den alten Aktenschrank aus Blech auf und fand darin eine schmutzige Reihe von Hängeordnern. Zu meinem Entzücken waren sie alphabetisch nach Namen sortiert, und alle Namen gehörten Leuten, die ich kannte. Die Reiter waren handschriftlich etikettiert, zum Teil in einer sauberen, femininen Schreibschrift, zum Teil in einer krakeligen Klaue. War Millie hier gewesen?

Auch die Akte Garrett fand sich dort, wohin sie gehörte, und mich durchströmte ein aufgeregtes Hochgefühl, sie gefunden zu haben. Ich zog sie heraus, setzte mich auf den knarrenden, schmierigen Stuhl und breitete den Inhalt des Ordners auf dem Schreibtisch aus.

Der Stapel gelber Quittungsdurchschläge war beeindruckend. Zum Glück hörten sie im Jahre 1980 auf, und noch besser, die Quittung ganz oben auf dem Stapel war für eine Inspektion an Veronica Garretts kleinem Kabriolett. Als ich das Datum sah, atmete ich scharf ein. 10. Februar 1980. Das war ihr Todestag!

Der Wagen war also wirklich in Billies Werkstatt gewesen. Ich musste an Millies Worte denken und schloss die Augen. Bisher hatte ich sie nie ernsthaft als mögliche Verdächtige in Betracht gezogen. Bisher.

Die Rechnung war über eine allgemeine Inspektion ausgestellt worden, und ich ersah daraus, dass Billie das Öl gewechselt und den Ölfilter ausgetauscht, den Synchronriemen kontrolliert und für okay befunden, die Reifen rotiert und das Chassis abgeschmiert hatte. Außerdem hatte er eine Sicherung für die Hupe ersetzt und dem Wagen insgesamt ein einwandfreies Zeugnis ausgestellt. Er hatte sogar notiert, dass der Wagen, ein jagdgrüner 1979er Jaguar XKE mit Innenausstattung aus hellbraunem Leder, 24.005 Meilen auf dem Tacho hatte. In dem Jahr, in dem Veronica den Wagen besaß, hatte sie also eine ansehnliche Strecke damit zurückgelegt. Doch das Delta ist so weitläufig, und wenn man Einkaufstrips nach Memphis unternimmt, hierhin und dorthin auf Partys geht und außerdem zwei Kinder auf Internaten hat, kommen rasch einige Meilen zusammen, vermutete ich. Natürlich konnte sie all das Gummi auch auf dem Weg zu einem Geliebten verbrannt haben.

Durch die offene Bürotür hörte ich, wie draußen mein Wagen ansprang und der Motor leise und problemlos lief. Meine Zeit war um. Ich schloss den Ordner, hängte ihn zurück und schaffte es gerade auf einen der Plastikstühle im Wartezimmer, als Billie auch schon zur Tür hereinkam.

»Ein lockerer Zündkerzenstecker«, erklärte er.

»Was schulde ich Ihnen?« Ich zog mein Scheckbuch aus der Handtasche.

»Nichts.« Er legte den Kopf schräg. »Ich will Ihnen ja keine Angst machen, Sarah Booth, aber mir sah es ganz danach aus, als hätte jemand den Stecker absichtlich gelockert. Treiben sich bei Ihnen am Haus irgendwelche Typen rum?«

»Nur der Schuldeintreiber«, entgegnete ich lächelnd.

»Es hat sich rumgesprochen, dass Sie Geldsorgen haben«, sagte er. »Tut mir leid, das hören zu müssen.«

»Das bedeutet nicht, dass ich nicht für eine Autoreparatur zahlen könnte«, entgegnete ich ein wenig verlegen, weil er mir aus Mildtätigkeit nichts berechnen wollte. Nach dem morgendlichen Gespräch mit Hamilton war das fast mehr, als ich ertragen konnte.

»Ich berechne Ihnen nichts, weil ich den Stecker bloß wieder festgesteckt habe.« Er zog eins der rosa Taschentücher hervor, wie sie jedem Mechaniker aus der Hosentasche gucken. »Fahren Sie weiter, und alles Gute. Ich hoffe, Ihnen geht es bald wieder besser. Ich weiß selber gut, wie es ist, wenn man in der Klemme steckt.«

Nun standen mir zwei Möglichkeiten offen, von denen mich jedoch keine sonderlich reizte. Ich konnte Isaac Carter im Büro des Zinnia International Export aufsuchen. Carters Familie betrieb die Baumwollentkörnung für Sunflower County, und er hatte sich zum Zwischenhändler für Baumwolle und andere Produkte entwickelt.

Nach unserem Zusammenstoß im Maisfeld vermochte ich mir nicht vorzustellen, dass ein Besuch bei Carter sonderlich angenehm verlaufen würde. Damit blieb nur die Fahrt nach Friars Point. Das Privatsanatorium namens Glen Oaks lag in Richtung Memphis nördlich von Zinnia in einem kleinen, malerischen Flussstädtchen unweit der

Mississippi-Brücke von Helena, Arkansas. Gegen drei Uhr konnte ich dort sein, hätte genügend Zeit und könnte dennoch vor Einbruch der Dunkelheit oder kurz danach wieder zu Hause sein.

Es machte mir nichts aus, mit einer Verrückten zu sprechen; die Frauen in meinerFamilie waren zum überwiegenden Teil verrückt gewesen, sodass Wahnsinn für mich keine besondere Härte bedeutete. Was mir hingegen sehr viel ausmachte war die Frage, wie Hamilton reagieren würde, wenn er davon erfuhr, dass ich seine Schwester besucht hatte.

Er wird stinkwütend auf mich sein, dachte ich.

Na und?

Das Mississippi-Delta ist eine ganz außergewöhnliche Landschaft. So weit das Auge reicht erstreckt sich fetter schwarzer Mutterboden, so ausgedehnt und so fruchtbar, dass man kaum glauben möchte, Mississippi sei der ärmste Bundesstaat der Vereinigten Staaten von Amerika.

Auf meiner Fahrt zwischen den winterlichen Feldern hindurch blickte ich immer wieder auf die Früchte harter Arbeit. Früher hatte es auf meinem Land ausgesehen wie hier – sauber gezogene Furchen, gepflegte Zäune, Mähdrescher. Und so würde es wieder aussehen, das schwor ich mir. Das Land verlangte es. Eine Sünde, solch fruchtbaren Boden brachliegen zu lassen.

Der Gedanke an mein Erbe stärkte mich in meinem Entschluss, diesen Fall für Tinkie zu lösen. Hamilton hatte mich beschämt, doch war es keine Schande, nach der Wahrheit zu forschen. Worauf sonst sollte Tinkie die Entscheidung gründen, von der es abhing, wie der Rest ihres Lebens verlief? An meiner Arbeit als Privatdetektivin war nichts Falsches. Hamilton hatte einfach das Pech, dass alle Ereignisse ihm die Schuld zuschoben. Und wenn er kein Verbrechen begangen hatte, würde auch er mir dankbar sein, wenn ich vor der Welt seine Unschuld bewies. Oder wenigstens vor Zinnia.

Ich ließ die ebenen Felder hinter mir und hielt auf einen Damm zu, der mir verriet, dass der Mississippi nicht mehr weit war. Friars Point lag am Fluss und wurde von dem gewaltigen Damm geschützt, der erbaut worden war, nachdem das schreckliche Hochwasser von 1927 das ganze Delta mit erbarmungsloser Verwüstung überzogen hatte.

Ich kam gut vorwärts. Die ganze Zeit fragte ich mich, ob Sylvia Garrett mich überhaupt empfangen würde. Schließlich hatte sie dazu keinen Grund. Andererseits kamen ihre Besucher gewiss nicht mit Bussen angereist. Vielleicht leisteten mir Einsamkeit und Neugierde Beistand.

Ich hielt bei einem Double Quick, tankte und kaufte mir ein Coke und Erdnüsse. Außerdem ließ ich mir den Weg zur Nervenheilanstalt beschreiben. Die Frau hinter dem Ladentisch lobte Glen Oaks in höchsten Tönen und versicherte mir, jeder in Coahoma County sei froh, dass das Hundert-Betten-Sanatorium – »für Leute, für die es schwer ist, mit der Realität zurechtzukommen« – zur Gemeinde gehöre.

»Jeder spielt irgendwann einmal ein bisschen verrückt«, versicherte sie mir.

Sie war eine große Frau mit groben Knochen. Ihr gekräuseltes Blondhaar wurde an den Wurzeln schwarz, aber sie hatte die schönsten Zähne außerhalb von Hollywood. Ihre großen grauen Augen blinzelten fröhlich aus dem Gesicht, und die Mund- und Augenwinkel wimmelten vor Lachfältchen. Ich konnte sie auf Anhieb gut leiden. Ich warf mir ein paar Erdnüsse in den Mund und blieb, um mit ihr einen

Schwatz zu halten. Ich war mit meinen Gedanken zu lange alleine gewesen, und Ina Welford, wie sie sich mit einem festen Händedruck vorstellte, war einfach entzückend.

»Mein Onkel Tip hatte auch nicht alle Tassen im Schrank«, erzählte sie, zündete sich eine Zigarette an und schlürfte an ihrem starken schwarzen Kaffee. »Wir hatten ihn alle lieb, aber er konnte eine Plage sein, wenn er sich mal wieder in den Kopf setzte, die Leute aus Arkansas kämen über den Fluss und wollten unser Land stehlen.« Sie lachte glucksend. »Ich habe viele Nächte am Fluss gezeltet und Posten gestanden. Es war einfacher, auf ihn einzugehen und mitzumachen, als mit ihm darüber zu streiten.«

Plötzlich hätte ich schrecklich gern eine Familie gehabt, die am Flussufer kampierte, um die Fantasien eines verrückten alten Onkels zu befriedigen. »Was ist aus ihm geworden?«, fragte ich.

»Ach, eines Nachts ist er ertrunken. Er sah einen Baumstamm den Fluss hinabtreiben und war sich absolut sicher, dass einer aus Arkansas sich daran festhielt. Deshalb ist er in den Fluss gesprungen, um den Kerl gefangen zu nehmen.«

»Konnte er denn überhaupt schwimmen?«

»Wie ein Fisch, aber wir hatten Hochwasser, und er ist in einen Strudel geraten. Oder ein Stück Treibgut ist ihm vor den Kopf geknallt. Es war dunkel, und wir bekamen nie genau heraus, wie es passiert ist. Gefunden haben wir ihn schließlich flussabwärts. Er hatte sich in der Krone eines Baumes verfangen, der im Wasser stand. Seine Augen und sein Mund standen weit offen, als ob er immer noch nach etwas Ausschau hielt.«

»Wie schrecklich.«

»Nö, eigentlich gar nicht. Überlegen Sie mal, er hätte

doch auch irgendwo im Krankenhaus oder in einer Gummizelle sterben können. Onkel Tip hat den Fluss geliebt, und er ist im Fluss gestorben. Im Grunde kann man doch nur darauf hoffen, dass man da stirbt, wo man am liebsten ist.«

Was hätte ich dem hinzufügen können? »Danke für die Geschichte«, sagte ich und wollte zur Tür gehen.

»Schon gut. Alles Gute für Ihren Besuch in Glen Oaks. Kontrollieren Sie nur Ihren Rücksitz, bevor Sie wieder losfahren. Die Patienten dort kommen und gehen, wissen Sie. Erst an diesem Wochenende ist eine geflohen, und sie haben sie nicht vor Sonntagnacht gefunden. Wie ich hörte, ist sie bis ins Delta gekommen und da im Nachthemd mitten auf einem Maisfeld aufgegriffen worden.«

Tammy glaubte an den sechsten Sinn, und im Augenblick hätte auch ich seine Existenz nicht abgestritten – nicht angesichts der Gänsehaut, die mir die Arme hinunterlief. »Wissen Sie vielleicht, wer das war?«

»Den Namen kenne ich nicht. Sie ist schon eine Weile in Glen Oaks. Lollie – meine angeheiratete Kusine, die arbeitet dort als Hilfsschwester – jedenfalls, Lollie sagte, es wäre eine reiche Frau, die schon lange dort ist. Fast zwanzig Jahre.«

Nun bestand für mich kein Zweifel, von wem Ina sprach.

»He, Sie sind ja plötzlich so blass – alles okay?«

»Schon gut.« Ich trank das Coke aus und stellte die leere Flasche auf den Ladentisch. »Noch mal danke.«

Ich hielt mich an die Wegbeschreibung, die Ina mir notiert hatte, und gelangte in weniger als einer Viertelstunde zur Nervenheilanstalt. In Anbetracht meiner neuesten Erkenntnisse fragte ich mich, ob ich überhaupt die leiseste

Chance besaß, Sylvia Garrett zu Gesicht zu bekommen. Mich beunruhigte zutiefst, dass sie ausgerechnet an jenem Wochenende geflohen war, an dem Delo Wiley ermordet wurde. Und Delo war an der gleichen Stelle getötet worden wie Sylvias Vater.

18

Eine klügere Frau als ich hätte vermutlich gewendet und wäre nach Hause gefahren, ich aber war nicht bereit aufzugeben. Wenn ich Sylvia zu Gesicht bekommen wollte, benötigte ich allerdings eine gute Geschichte; ganz gewiss würden Andeutungen über ein Buch mir hier nicht weiterhelfen. Da ich im richtigen Alter war, um ihre Kusine zu sein, beschloss ich, es damit zu versuchen.

Mit einem breiten Lächeln auf dem Gesicht und aller Selbstsicherheit eines Daddy's Girl marschierte ich in das Gebäude. Ich hielt auf den Empfangstisch zu, wo ich mich als Sarah Booth Mason vorstellte, eine Kusine zweiten Grades von Sylvia Garrett.

»Sie stehen aber nicht auf der Liste anerkannter Besucher«, entgegnete die Krankenschwester und beäugte mich misstrauisch.

»Ich komme aus New Orleans«, erklärte ich ihr. »Im Delta bin ich schon viele Jahre nicht mehr gewesen, aber wo ich nun einmal hier bin, möchte ich Kusine Sylvia besuchen. Ich habe meiner Mama versprochen, dass ich ganz bestimmt bei ihr vorbeischaue und sehe, was sie so macht. Wir fühlen uns alle ein wenig schuldig, dass es uns einfach nicht gelingen will, häufiger einen Besuch einzurichten. Sie wissen ja, wie das ist, wenn man Kinder und einen Job hat.« Ich lächelte mein Daddy's-Girls-Verschwörungslächeln, um der Schwester zu signalisieren, dass ich, obwohl in ein Leben voller Privilegien geboren, keinesfalls besser dran war als sie.

Die Krankenschwester nickte verständnisvoll. »Meine Tante Martha in Greenwood ist krank, und ich schaffe es einfach nicht, sie zu besuchen. Dabei hat sie mich aufgezogen, als ich klein war.« Sie nahm ein Krankenblatt zur Hand. »Hier steht aber, dass ich den Doktor rufen muss, bevor ich irgendjemanden zu Miss Garrett lasse.«

»Meine Liebe, ich habe nur zehn Minuten Zeit. Ich bin auf dem Weg nach Memphis. Ich weiß ja, dass Kusine Syl ein unruhiges Wochenende hinter sich hat. Dass sie davongelaufen ist und so weiter. Ich will ihr nur Guten Tag sagen. Das kann doch wohl nicht schaden? Wenn sie sich nicht an mich erinnert, dann ist nichts weiter passiert, aber wenn sie mich noch kennt, dann tut ihr mein Besuch vielleicht gut.«

»In letzter Zeit ist sie ein bisschen schwierig gewesen«, sagte die Schwester und warf einen Blick auf die Wanduhr. »Als sie von ihrem kleinen Abenteuer wiederkam, war sie von Kopf bis Fuß mit Schlamm bespritzt. In dem großen, teuren Auto, das sie hier abgesetzt hat, muss sie eine hübsche Bescherung angerichtet haben.« Erneut musterte sie das Krankenblatt.

»Sie meinen, sie ist aus eigenem Willen hierher zurückgekehrt?«

»Ja, das ist sie. Ließ sich draußen vor dem Tor absetzen. Also schön, ich gebe Ihnen eine Viertelstunde. Vielleicht tut es ihr gut, dem armen Ding.«

Während ich der Schwester über den Gang folgte, fragte ich mich, wie lange es wohl noch dauern würde, bis man mich ebenfalls als ›armes Ding‹ bezeichnete. Dabei handelt es sich um eine Klassifizierung unverheirateter Frauen, die völlig übergeht, ob eine Frau aus eigenem Entschluss ledig geblieben ist oder nicht. Eine Frau kann als erstes weibliches Wesen den Fuß auf den Mond gesetzt oder das Heilmittel gegen den Krebs erfunden haben – wenn sie nicht heiratet, endet sie als ›armes Ding‹.

»Bekommt Kusine Syl oft Besuch?«

»In letzter Zeit mehr als sonst.« Die Schwester blieb stehen. »Hier ist ihr Zimmer.«

Sie öffnete die Tür, und ich betrat eine heimelige Suite im Stil eines englischen Landhauses. An der Frau, die vor dem zierlichen antiken Schreibtisch saß, fiel zuerst die lange Mähne aus weißblondem Haar auf, die ihr bis zur Taille hinabreichte, dichtes, glänzendes Haar, das ein ganz eigenes Leuchten auszustrahlen schien.

»Miss Garrett«, sagte die Schwester, und in ihrer Stimme lag ein gewisser Respekt, »Sie haben Besuch.« Sylvia wandte sich zu uns um.

Das Erste, was ich bemerkte, waren Sylvia Garretts silbrige Augen, die mich fixierten und aufspießten wie einen Schmetterling auf eine Korkplatte. Sie besaß die Direktheit ihres Bruders, doch damit endeten die Gemeinsamkeiten bereits. Ihr Gesicht war völlig faltenlos und von einer glatten, unglaublichen Haarpracht eingerahmt; ihre wunderschöne Haut opaleszierte. Sie wirkte wie eine Studie in Mondlicht, wie eine Frau aus Alabaster.

»Kusine Sylvia«, sagte ich, als ich mich gefasst hatte, und trat einen Schritt auf sie zu. »Erinnerst du dich an mich? An Sarah Booth?«

Sie lächelte verschlagen. »Aber gewiss, Sarah Booth. Komm herein und setz dich.«

Ich sah die Krankenschwester an, die nickte. »Nur ein paar Minuten«, ermahnte sie mich. »Und regen Sie sie nicht auf.«

Als sie die Tür hinter sich geschlossen hatte, fragte Sylvia, indem sie mich näher winkte: »Hat Hamilton Sie geschickt, um mich zu warnen, ich möge mich besser benehmen?«

»Nein.« Obwohl ich dazu erzogen worden war, niemals jemanden anzustarren, konnte ich nicht den Blick von ihr abwenden. Sylvia Garrett war wunderschön. Ihre dunklen Augenbrauen und Wimpern bildeten einen faszinierenden Kontrast zu ihrer zarten, makellosen Haut.

»Den Menschen gefällt es, mich anzusehen«, sagte sie, über meine Unhöflichkeit anscheinend nicht im Geringsten erbost.

»Entschuldigung«, murmelte ich und senkte den Blick zu Boden, der von einem erlesenen handgeknüpften Teppich bedeckt wurde. Auf dem Tisch am Bett stand ein frischer Strauß Strelitzien. Die purpurn-orangen Blüten hoben sich leuchtend von der kugeligen blauen Vase ab, die im Nachmittagslicht aus sich heraus zu glänzen schien.

Mein Interesse fiel Sylvia auf. »Die Vase ist ein Geschenk meines Vaters«, erklärte sie. »Auf Knob Hill steht eine ganze Skulptur.«

»Die rosa Dame«, sagte ich. An diese faszinierende Arbeit erinnerte ich mich sofort.

»Ja.« Mit dem Kinn wies sie auf eine Sammlung atemberaubender gefärbter Flaschen in einem gläsernen Bücherregal, und Tammys Worte kamen mir wieder in den Sinn. Das mussten die Flaschen sein, die sie mit solcher Sorge abgestaubt hatte. »Wunderschön, nicht war?« Sie ging an das

Regal und nahm eine heraus, um liebevoll darüber zu streichen.

Eine kurze Weile blickte sie durch das Fenster auf den gepflegten Garten. »Haben Sie eine Vorstellung, wie lang ein Tag hier sein kann?«, fragte sie. »Manche Tage vergehen so langsam wie Jahre, und das sind noch die guten. Die schlechten dehnen sich zu Jahrzehnten. Gefängnisse gibt es in allen Formen und allen Graden des Luxus. Ein Zimmer, ein Kontinent, eine dunkle Ecke in der Seele.«

Ich betrachtete die Regale voller Bücher und Schallplatten. Jemand hatte versucht, ihr das Gefängnis so behaglich wie möglich zu gestalten, doch Sylvia hatte Recht: Zwar hielt sie sich freiwillig hier auf, ein Gefängnis war es dennoch.

Sie schien ihr Urteil über mich zu revidieren. »Wer sind Sie, und was wollen Sie von mir?«

»Informationen. Über die Vergangenheit.«

Ihre Hand, die auf der Armlehne des Stuhles ruhte, erbebte, dann umschlossen die Finger fest das geschnitzte Holz. »Ich bin seit achtzehn Jahren hier. Woher das plötzliche Interesse an Vergangenem?«

»Als Ihr Vater getötet wurde, war ich dreizehn.«

»Was überhaupt nichts erklärt«, entgegnete sie. »Ich war siebzehn. Fort, im Internat. Als ich von seinem Tod erfuhr, hatte man meinen Vater bereits für die Beerdigung zurechtgemacht. Meine Mutter hatte bereits alles beschlossen. Sogar den Verkauf von Knob Hill und ihren Umzug.« Sie ging zu einem Stuhl, auf dem sie mir gegenübersitzen konnte.

Sylvias Zorn stand wie ein Lebewesen im Raum. Ich fragte mich, was geschehen würde, wenn man Hamiltons Schwester freien Lauf ließ.

»Was wollen Sie wissen?«, fragte sie. In ihren Augen standen Vorsicht und Aufmerksamkeit.

Viel Zeit hatte ich nicht, und sie schien keine Geduld für Umschweife zu haben. »Wissen Sie, wer Ihren Vater getötet hat?«

Sie lehnte sich zurück und entspannte allmählich ihre Hände. »Meine Sicht der Wahrheit muss doch wenigstens suspekt erscheinen. Haben Sie es denn nicht gehört? Ich bin nicht bei Verstand.«

Ich wusste nicht zu sagen, ob ihr Spott mir galt oder ihr selbst. »Ich gehe das Risiko ein, mir Ihre Version anzuhören.«

Völlig reglos saß sie da. »Ich weiß es nicht«, sagte sie. »Ich war damals, wie gesagt, im Internat. Mutter ging sehr umsichtig vor. O ja, sie ist immer sehr vorsichtig gewesen. Sie hatte Freunde, männliche Freunde, doch die kamen und gingen. Sie tanzten und lachten und spielten Karten miteinander.« Sie beugte sich vor, und ihre elfenbeinernen Wangen liefen rosa an. »Niemals gab es auch nur eine Andeutung dunkler Leidenschaft. Alles war gesellschaftlich vollkommen akzeptabel.« Sie lächelte bitter. »Aber es hat jemanden gegeben. Und sie wusste, dass ich davon wusste. Das hatte ich ihr nämlich gesagt. Und dass ich herausfinden würde, wer. Ich sagte ihr, dass ich nicht ruhen würde, bis sie für das, was sie getan hatte, bezahlt hätte. Genau das war mein Fehler: Ich habe sie gewarnt.«

Sie stieß sich so abrupt von ihrem Stuhl hoch, dass ich in meinen zurückwich. Meine Reaktion brachte sie zum Lachen. »Klug von Ihnen, sich vor mir zu fürchten. Man kann nie wissen, was ich als Nächstes tue.« Sie ging an einen Sekretär in der Ecke, und ich war gebannt von ihrer Art, sich zu bewegen. Sylvia besaß die Grazie einer Tänzerin und den Körper einer Frau, die sich fit hielt. Und dazu diese weißblonde Mähne, die ihr um die Hüfte schwang. Sie war sechsunddreißig. Achtzehn Jahre mussten für sie wie eine Ewigkeit gewesen sein. »Fragen Sie mich etwas anderes.«

»Was hatten Sie bei Delo zu suchen?«

»Ich habe nach einem vergrabenen Schatz gesucht. Irgendwo auf Delos Feldern liegt noch eine halbe Million vergraben.« Sie wandte sich mir zu und lächelte wieder. Mir lief es dabei eiskalt über den Rücken. »Jeder jagt dem Schatz hinterher. Haben Sie nicht davon gehört?«

»Ein Schatz?« Was sollte das geben – eine Fantasterei wie in ›Gilligans Insel‹? Es war doch blanker Irrsinn, sich in einer eiskalten Novembernacht auf ein Maisfeld zu stellen, wenn man nicht einen verdammt triftigen Grund dafür hatte! »Woher soll Delo denn eine halbe Million Dollar haben?«

»Das Geld hat nicht Delo gehört. Es war Schmiergeld. Für meinen Vater bestimmt.«

Ich vermochte ihr nicht zu folgen. »Ihr Vater ist zur Taubenjagd gegangen, um Bestechungsgeld in Empfang zu nehmen?«

Sie bedachte mich mit einem langen, verächtlichen Blick, der mich bis auf die Knochen frösteln ließ. »Mein Vater ließ sich von niemandem kaufen. Was wollen Sie wirklich?«

»Sie wissen, dass Delo tot ist.«

Sie wölbte eine Augenbraue. »Und Sie fragen sich, ob ich ihn ermordet habe.«

»Haben Sie?«

»Das Gewehr, das man neben ihm auf dem Boden gefunden haben wird, gehört mir. Eine Remington. Das

Geschenk meiner Mutter zu meinem zwölften Geburtstag. Meine in ein Messingschildchen gravierten Initialen hat sie auf dem Schaft anbringen lassen. Sie glaubte wohl, dass die Jagd mir gut täte. Vielleicht hat sie auch gehofft, dass ich mich erschießen würde.« Sie ergriff die Flasche, die sie schon vorher einmal in die Hand genommen hatte, und hob sie hoch ins Licht, sodass sie aufzuglühen schien. »Man gestattet mir hier ein paar harmlose Vergnügen. Eines davon ist das Sammeln. Diese Flasche habe ich erst letzten Monat auf einer Auktion in Kalifornien erstanden. Es ist immer wieder verblüffend, welche Gegenstände auf den Markt kommen. Leute geraten in Geldschwierigkeiten und sehen sich gezwungen, von geliebten Besitztümern Abschied zu nehmen. Verzweiflungstaten.« Sie trat zu mir und drückte mir die Flasche in die Hand. »Bezaubernd, finden Sie nicht auch?«

»Ja.« Die Flasche war auserlesen, doch Sylvias Gedanken wechselten rascher das Gleis als der Orient-Express. Ich glaubte nun, dass sie verrückt war.

»Geben Sie sie meinem Bruder. Richten Sie ihm aus, dass die Schlünde der Hölle sich langsam öffnen und die Knochen aus der kalten, klammen Erde kriechen. Vergeltung ist weder schnell noch gerecht, aber unerbittlich.« Ihre Augen glitzerten. »Sagen Sie ihm, das Warten sei vorbei – für uns beide.«

An die Fahrt nach Hause erinnere ich mich nur noch verschwommen. Ich spielte eine alte Kassette mit Liedern von Arlo Guthrie ab und fiel in den Gesang ein. Ich musste an meine Mutter denken, die alle seine Texte auswendig gekannt hatte. Selbst als sich die Lieder zu wiederholen begannen, sang ich beim Fahren weiter mit. Auf dem Beifahrersitz lag die hübsche Flasche, aber ich würdigte sie keines Blickes. Ich wollte nicht nachdenken, weil es einfach keine gute Richtung für meine Gedanken gab. Als ich vom alten Highway auf die Zufahrt zu Dahlia House abbog, war die Nacht eingebrochen, und einmal mehr bereute ich, im Haus kein Licht brennen gelassen zu haben. Sylvia Garrett spukte mir im Kopf umher.

Ich war an Hamilton interessiert. Sehr interessiert sogar, auf eine Weise, die Aufruhr und Schmerz in mein Leben gebracht hatte. Ich wollte ganz einfach nicht glauben, dass er seine Mutter vorsätzlich und geplant ermordet hatte. Doch Sylvia hatte mir einige sehr große Zweifel eingeflößt, was Hamilton den Fünften anging. Hatte er sie achtzehn Jahre lang in die Anstalt sperren lassen, um die Schuld auf sie abzuwälzen? Oder war sie die Mörderin? Die Mörderin ihrer Mutter *und* Delos?

Selbst wenn sie nicht zum Zeitpunkt der Ermordung Delos am Tatort gewesen war, dann doch in der Nähe, um im Schlamm zu graben. Nach achtzehn Jahren brach sie ausgerechnet an dem Wochenende aus der Anstalt aus, an dem Delo ermordet wurde. Dieser zeitliche Zusammenhang erschien doch gelinde gesagt verdächtig.

Ich parkte unter dem großen Magnolienbaum und zog rasch die Plane über den Wagen. Am nächsten Morgen wollte ich als Erstes einige der ausstehenden Raten für den Roadster bezahlen. Dank Tinkie hatte ich ja nun wieder Geld.

Als ich mit Sylvias Flasche in der Hand zur Hintertür gehen wollte, bemerkte ich plötzlich Bewegung auf der Vorderveranda. Schlagartig trat mir Hamiltons früherer Besuch vor Augen, und mein erster Impuls bestand darin, ins Haus zu flüchten und die Tür hinter mir abzuschließen. Andererseits konnte es auch Harold sein, der auf mich wartete. Also ging ich entschlossen nach vorn.

»Endlich kommst du«, ertönte die Schmollstimme von Kincaid Maxwell. »Ich glaubte schon, du hättest die Stadt verlassen und deine Schulden Harold hinterlassen, damit er sich darum kümmert. Oh, interessanter Plunder. Woher hast du den denn?«

»A: Ich bin durchaus in der Lage, meine Schulden selber zu begleichen, und B: Dich geht das überhaupt nichts an«, beschied ich sie, kaum dass ich meine Überraschung überwunden hatte. Warum suchte sie mich auf? Normalerweise verschwendete Kincaid ihre wertvolle Zeit doch nicht an eine wie mich. Es musste einen konkreten Anlass geben, und da es keine Zeugen für unsere Auseinandersetzung gab, konnten wir die Samthandschuhe diesmal ablegen. In gewisser Weise hätte es an diesem Abend für mich nicht besser kommen können. Ich hatte einen unangenehmen Tag hinter mir, und es gab niemanden, an dem ich meine üble Laune lieber ausgelassen hätte als an Kincaid.

»Ach, deswegen hat Harold Erkwell mir den Scheck für dein Essen auf dem Wohltätigkeitsball geschickt?«

»Vermutlich hat Harold ihn geschickt, weil er ein Gentleman ist, und ein großzügiger noch dazu«, erwiderte ich und wünschte mir in diesem Moment nichts sehnlicher, als Harold den Hals umzudrehen. Natürlich hatte er die Folgen seiner Freundlichkeit auf keinen Fall vorhersehen können, aber trotzdem …

»Großzügig sind sie alle, bis du einen heiratest«, entgegnete Kincaid.

»Dann hast du eben einen Fehler begangen, Kincaid, den ich zu vermeiden gewusst habe.« Es tut doch immer gut, ein wenig Salz in eine offene Wunde zu streuen.

»Das stimmt, aber dafür muss ich mich nicht wie eine Schlampe anziehen, um die Aufmerksamkeit auf mich zu lenken, wenn ich auf eine Party gehe«, versetzte sie.

Das Geplänkel begann mich zu langweilen. »Was willst du? Sag es, und dann verschwinde.«

»Ich habe gehört, du verstehst dich darauf, Dinge herauszufinden.«

Wenn ich mich nicht an das Verandageländer gelehnt hätte, wäre ich in die Azaleenbüsche gefallen. »Wie bitte?«

»Spiel mir nicht die Dumme vor. Mein Geld ist so gut wie das von Tinkie.«

Viel lieber als Harold hätte ich nun Tinkie erwürgen können. »Welche – *Dinge* soll ich denn für dich herausfinden?« Es ging schneller, wenn ich sie anhörte. Ich stieß die Haustür auf. Vor einer Woche hätte ich mich noch über den Zustand geschämt, in dem sich Dahlia House befand, und hätte mich mit Händen und Füßen dagegen gewehrt, dass ein Daddy's Girl das Haus betrat. Aber ich hatte mich verändert. »Komm rein, Kincaid. Ich spendiere uns ein wenig Moonshine.«

»Das klingt göttlich«, sagte sie und trottete mir hinterher.

Vorsichtig setzte ich Sylvias Flasche neben die Karaffe auf das Sideboard. Als ich eine Lampe einschaltete, glühte die kleine Flasche auf, als wäre sie lebendig, und ich musste wieder an Hamilton denken. Nun besaß ich einen triftigen Grund, ihn erneut aufzusuchen.

»Sarah Booth?«, sprach mich Kincaid von hinten an.

Ich teilte den letzten Whiskey zwischen uns auf. Dann entfachte ich ein Feuer mit Holz, das Harold für mich hereingeschafft hatte. Nach fünf Minuten war es im Zimmer ganz behaglich geworden.

»Es ist streng vertraulich«, begann Kincaid.

Ich fragte mich, ob sie aus Dummheit oder Verzweiflung gekommen war. »Was willst du von mir?«

»Die Angelegenheit ist sehr heikel.« Sie blickte in den Whiskey, ohne weiterzusprechen.

Ganz offensichtlich bekam sie kalte Füße. »Mann oder Geld?«, fragte ich. Für ein Daddy's Girl gab es keine anderen heiklen Angelegenheiten.

»Beides«, sagte sie durch zusammengepresste Lippen.

Da ging mir auf, dass Kincaid Angst hatte. Kincaid, die als Erste den Tennisprofi vernascht hatte, die immer das neuste Auto fuhr und die schärfsten Klamotten trug, um dann andere als Schlampen zu bezeichnen.

Ich hätte ihr gern versichert, dass mir ihre Lage keinerlei Vergnügen bereitete, aber ich hatte in der zurückliegenden Woche schon viel zu oft gelogen. Ich amüsierte mich.

»Erzähl mir davon«, forderte ich sie glattzüngig auf.

»Es ist nur wegen Chas. Wenn er das mit dem Geld herausfindet –«

Ich winkte ab. »Erzähl bitte von Anfang an«, befahl ich.

»Mein Gott, wie konnte ich nur in diese Verlegenheit geraten«, hauchte sie und stürzte den Whiskey auf einmal hinunter. Dadurch erlangte sie ein wenig vom Kincaidschen Hochmut zurück und begegnete wieder meinem Blick. »Du musst in Delo Wileys Haus gehen und den Scheck holen, den ich ihm gestern früh gegeben habe, bevor er ermordet wurde. Er hat ihn nicht einlösen können, weil Sonntag war. Wenn Chas davon Wind bekommt, dann ... – ja, dann wird er sich von mir scheiden lassen.«

19

Nun war ich an der Reihe, mir den Rest Moonshine in den Rachen zu schütten. Danach musste ich mich am Kaminsims festhalten. Ich hörte das Klingeln von Jittys Armreifen, doch ich wusste, dass Kincaid glauben würde, es handele sich um ein Windspiel, das vom böigen Nordwind bewegt wurde. Nachdem ich tief Luft geholt hatte, entschuldigte ich mich und ging in den Keller, um nach mehr Whiskey zu fahnden. Heute Abend musste meine Kehle geschmiert werden. Außerdem benötigte ich einen Augenblick, um in Ruhe nachzudenken. Kincaids Geständnis hatte zahlreichen Fragen die Tür geöffnet, und obwohl sie selbst sich nur um einen fehlenden Scheck sorgte, erkannte ich die durchaus greifbare Möglichkeit einer Mordanklage. So weit hatte Kincaid, an ihr behütetes Leben gewöhnt, wahrscheinlich noch gar nicht gedacht.

Zwischen den Gläsern voll Marmelade und Sirup erspähte ich eine der dunkelbraunen Flaschen, in die Onkel Lyle stets seinen Selbstgebrannten gefüllt hatte. Er hatte immer behauptet, dass ein Zuviel an Sonnenlicht jedem guten Whiskey den Biss nehme. Ich zog die Flasche hervor, blies den Staub herunter und ging wieder nach oben.

Kincaid stellte keine Fragen; sie hielt mir nur ihr Glas hin.

Ihre Hand zitterte. Ich schenkte uns beiden großzügig ein und setzte mich.

»Die offensichtlichste Frage lautet doch wohl, warum du Delo Geld gegeben hast«, stellte ich kühl und tonlos fest.

»Tinkie sagte, du könntest ein Geheimnis für dich behalten.«

Ich erwog, sie darauf hinzuweisen, dass die Fragen sehr hässlich formuliert und sehr öffentlich gestellt würden, wenn Deputy Gordon Walters einen Scheck von ihr in Delos Besitz entdeckte. Walters hatte keinen Sinn für die Behutsamkeit, die man einem Daddy's Girl angedeihen lassen musste. »Wenn du meine Hilfe willst, dann musst du mir alles sagen, was du weißt.«

»Dann schleichst du dich hinein und holst den Scheck? Ich bin sicher, dass er ihn irgendwo in seiner schäbigen Baracke versteckt hat.«

»Ich habe mich zu keinerlei Aktion bereiterklärt.« Kincaid war schon wieder ganz die Alte; freudig bereit, meinen Kopf zu riskieren, um ihr Problem zu lösen. »Wofür ist das Geld bestimmt gewesen?«

Kincaid stellte ihr Glas auf den Tisch und faltete die Hände. Anscheinend rang sie mit sich selbst. Als sie schließlich redete, sah sie mich dabei nicht an. »Ich habe eine seiner Hütten von ihm gemietet.«

Kincaid ging nicht auf die Jagd und neigte auch nicht gerade zum anspruchslosen Leben. Strapazen auf sich zu nehmen bedeutete für sie schon, ohne Kindermädchen in Urlaub zu fahren. Folglich traf sie sich in jener Hütte mit jemandem zu Matratzenmanövern. »Ich verstehe.«

»Delo verstand es, den Mund zu halten«, sagte sie.

»Ist dir jemals in den Sinn gekommen, dass ein Scheck nicht gerade der brillanteste Weg ist, Delo zu bezahlen?«

Sie fuhr sich mit den Fingern durchs Haar. »Normalerweise habe nicht *ich* ihn bezahlt. Es war ein Notfall. Am Sonntagmorgen bekam ich einen Anruf, dass Delo das Geld unverzüglich benötige. Ich musste es übernehmen, weil – äh, die andere Partei es nicht schaffte.«

Eigentlich brauchte ich den Namen ihres Geliebten nicht zu wissen, aber ich wollte ihn einfach erfahren. Welch seltener Genuss, Kincaid im Schwitzkasten zu haben. »Wer zahlt denn gewöhnlich?«

»Der Mann«, entgegnete sie. »An so viel erinnerst du dich doch noch, oder?« Sie hatte ihren Sarkasmus wiedergefunden.

»Und auf welchen Namen hört *der Mann?*«

»Nun«, antwortete sie, *»ich* nenne ihn Mr. Be-frie-digung.«

»Da kann ich nur hoffen, dass es so viel wert war«, meinte ich. Ganz offensichtlich hatte sie den größeren Zusammenhang noch immer nicht durchschaut. »Denke einmal über Folgendes nach, Kincaid. Außer dem Mörder bist du vermutlich der letzte Mensch, der Delo lebend gesehen hat. Delo wusste einiges über dich, was du lieber geheim halten würdest. Nun, nach allem, was ich von Strafverfolgung verstehe, sucht man nach jemandem, der über die Mittel, eine Gelegenheit und ein Motiv verfügt hat, Delo zu töten.« Meine haarkleine Darlegung der Tatsachen übte einen deutlichen Effekt auf Kincaid aus. Sie wurde totenblass. »Ich sehe dich als Hauptverdächtige im Mordfall Delo Wiley.«

»Das darf doch nicht wahr sein«, keuchte sie. Ihre Hand zitterte so heftig, dass ich den Arm ausstreckte und ihr das

Glas aus den Fingern nahm. Es hatte keinen Sinn, guten Whiskey zu verschütten.

»Es ist wahr«, entgegnete ich. Ich musste noch eine weitere kleine Zeitbombe zünden, aber ich wollte nicht, dass Kincaid in Ohnmacht fiel. Sie griff nach dem Whiskey und nahm einen großen Schluck. Ich nickte – ein wenig Courage in flüssiger Form. »Außerdem besteht die Möglichkeit, dass der Mann, mit dem du dich auf Delos Land getroffen hast, dir den Mord in die Schuhe schieben will.«

Sie verschluckte sich am Whiskey und hustete so heftig, dass ich schon fürchtete, sie dem Heimlich-Handgriff unterziehen zu müssen, doch dann beruhigte sie sich wieder und stand auf. Sie begann vor dem Kamin auf und ab zu schreiten. »Das würde er niemals tun. Nein, das kann ich mir nicht vorstellen«, sagte sie, doch ganz eindeutig sprach sie nicht mit mir.

»Hat Delo angerufen und dir gesagt, er brauche das Geld?«, fragte ich.

»Nein.« Sie blieb stehen und sah mich völlig reglos an. »Nein, das war – er. Und Delo gab sich leicht überrascht, als ich mit dem Scheck bei ihm auftauchte.«

Selbst wenn das Opfer es nicht anders verdient hat, fällt es mir nicht leicht, mit anzusehen, wie jemand verraten wird. Ich führte Kincaid wieder zu ihrem Sessel und drückte sie hinein. Sie nahm den Whiskey und trank noch einen Schluck.

»Mit wem hast du dich getroffen?«, bohrte ich.

»Das kann nicht wahr sein«, beharrte sie, und ihre Augen suchten in meinen nach irgendeinem Zeichen dafür, dass ich sie nur fürchterlich auf den Arm genommen hätte.

»Mit wem?«

»Mein Gott«, stieß sie leise hervor. »Du weißt, dass Chas mich deswegen mit absoluter Sicherheit umbringen wird.«

»Mit wem?«, fuhr ich sie an.

»Mit Isaac Carter.«

Ich träumte von einem Maisstoppelfeld. Die Stängel waren geschnitten oder abgebrochen, und tote Blätter und Lieschen raschelten im Wind. Inmitten dieser verrottenden Reste verbarg ich mich und lauschte auf die Schritte der Jäger, die sich mir näherten. Ihr Gelächter schien sich unter der frühen Morgensonne auszubreiten wie goldene Klänge, die der Wind davontrug.

Sie waren gekommen, um zu töten. Zweimal rasch hintereinander würden sie den Abzug drücken, und Vogelschrot würde in sich immer weiter ausbreitenden Streumustern durch die Luft rasen. Für sie war es ein entspannender Morgen, an dem nur zu ihrem Vergnügen bedeutungslose Tode gestorben wurden.

In den trockenen Maishülsen verborgen, spürte ich, wie Blut aus dem Boden sickerte, und flatterte in die Luft auf.

»Da ist sie! Knall sie ab!«

Ich flatterte so schnell ich konnte, dann aber blickte ich über die Schulter und schaute direkt in die grünen Augen Hamilton Garretts des Fünften. Er stand in einer Ansammlung Männer, die alle ihre Schrotflinten im Anschlag hielten. Ich hörte die Waffen aufbrüllen und spürte, wie die Druckwellen der Abschüsse rings um mich die Luft erzittern ließen.

Ich schrak aus dem Schlaf auf und rang nach Atem. Meine Bettwäsche war schweißdurchtränkt, der Wecker auf dem

Nachttischchen zeigte zwei Uhr morgens. Ich hatte das Plumeau fortgestrampelt und fror, obwohl ich schwitzte. Ich eilte ins Badezimmer und schaltete den Heizlüfter an, der mir ganz fest ans Herz gewachsen war. Nur wenige Augenblicke später hielt ich mein Nachthemd über den Lüfter, um die warme Luft in den Falten aufzufangen.

»Vor zwei Jahren hat Mary Margaret Allen genau dabei ihr Nachthemd in Brand gesetzt und ist verbrannt. Wie eine menschliche Fackel hat sie gelodert, als sie schreiend durchs Haus gerannt ist, sagen alle.« Jitty erschien auf dem Badewannenrand sitzend.

»Das war eine Tragödie«, pflichtete ich ihr bei. Nach meinem Traum wäre ich sogar zu Satan höchstpersönlich freundlich gewesen, falls er zufälligerweise auf einen kleinen Schwatz vorbeigekommen wäre. Wieder ins Bett gehen wollte ich jedenfalls noch nicht.

»Du würdest besser schlafen, wenn du mal wieder eine Nummer schieben würdest. Ruf doch Harold an. Ich wette, der steht schon draußen vor der Tür, bevor du wieder aufgelegt hast.« Als sie Harold erwähnte, begann mein Daumen niederträchtig zu pochen. Ich fing einen letzten Stoß warmer Luft im Nachthemd auf und eilte zurück ins Bett, wo ich mich sofort unter die Decken verkroch.

»Du liest zu viele alte Ausgaben von ›Cosmopolitan‹«, entgegnete ich, um meine Verwirrung zu übertünchen. »Du redest absoluten Schund.«

»Dann will ich's anders formulieren. Du bedarfst der Entspannung durch ... also, wie hieß das noch gleich in diesem Buch? – durch sexuelle Klimax«, sagte sie grinsend. »Ich hab ein paar von deinen alten Collegebüchern gelesen.«

Mir kam der schreckliche Verdacht, dass Jitty sich eventuell zu eng mit Sigmund Freud anfreunden könnte. Ich konnte mir lebhaft vorstellen, wie die beiden unten im Salon saßen und gemeinsam beschlossen, was für mich am besten sei. Ganz gewiss wollte ich von Jitty kein Wort über Penisneid hören. »Eigentlich ist die Psychologie gar keine Wissenschaft«, erinnerte ich sie.

»Und ich brauch kein Buch, das mir verrät, wie du deine scharfen Kanten abschleifen sollst.« Sie deutete auf das Laken. »Noch mehr vergeudeter Schweiß. Wenn du ihn auf Harold verwendet hättest, dann wäre unsere Zukunft gesichert.«

»Ich denke darüber nach.«

Jitty setzte sich auf die Matratzenkante, und im Leuchten des Digitalweckers erschien ihr Gesicht mir leicht aschefarben.

»Alles in Ordnung mit dir?«, erkundigte ich mich. Ich hatte sie noch nie so grau und durchscheinend erlebt.

»Ich bin ein bisschen müde. Du bist nämlich 'ne Vollzeitbeschäftigung, Sarah Booth. Du reichst wirklich aus, um jedes Gespenst fix und fertig zu machen.«

»Was du nicht sagst«, entgegnete ich. »Was glaubst du – ob Isaac Carter Delo ermordet hat?«, fragte ich sie. Seit Kincaid gegangen war, hatten wir kein Wort gewechselt, aber ich wusste ja, dass sie das Gespräch von Anfang bis Ende belauscht hatte.

»Komisch, wie Isaac Carter immer wieder auf diesem Maisfeld auftaucht. Man braucht sich nur umzudrehen, und schon steht er da am Ort der Tragödie. Vielleicht hat Delo versucht, ihn zu erpressen.«

»Aber Delo ausgerechnet an der gleichen Stelle wie Guy Garrett umzubringen? Das wäre doch –«

»Krank? Na und? Hast du eigentlich bedacht, was für ein Mann sich mit Kincaid Maxwell nackt zwischen den Laken wälzen möchte? Er hat Glück, dass er an einem Stück rausgekommen ist. Kincaid lässt sich ihr Fleisch gern portioniert vorlegen.«

»Kincaid ist doch hübsch«, fühlte ich mich verpflichtet einzuwenden.

»Hübsch mistig ist sie. Sie kommt mir überhaupt nicht vor wie der Typ, der für ein bisschen Schenkelreiben Ehe und Existenz aufs Spiel setzt. Es sei denn, sie hätte noch irgendwas anderes davon.«

»Und was?«, fragte ich, neugierig auf Jittys Gedankengang. Schon wahr, Kincaid hatte stets deutlich gemacht, dass Sex für sie eine Art Geschäft sei, ein Hilfsmittel beim Erklimmen der gesellschaftlichen Leiter. Mit dem Tennisprofi hatte sie sich nur um des Prestiges willen eingelassen – damit sie sagen konnte, ihn als Erste gehabt zu haben –, und sie hatte dabei etliche kostenlose Tennisstunden herausgeschlagen.

»Rache zum Beispiel.«

»An Chas?«

»An wem sonst? Der ist doch wirklich die Sorte Mann, die jeder Frau das Blut in den Adern gefrieren lässt. Ich will ja nun nicht von mir behaupten, 'ne Psychiaterin zu sein, aber ich wette, dass das Leben mit Chas Maxwell ungefähr so vergnüglich ist wie 'n Sommer in der Sahara.«

Tatsächlich hatte ich an Chas nie als an einen Mann gedacht. Nicht ein einziges Mal. Er war dünn, affektiert und etepetete. Außerdem Erbe des Maxwell-Besitzes und der Eisenbahnaktien. Er verbrachte viel Zeit bei Geschäftsverhandlungen mit Isaac Carter.

»Aber Carter ist doch alt genug, um Kincaids Vater zu sein«, wandte ich ein. »Er ist sogar mit ihrem Vater befreundet. Sie spielen Golf zusammen.«

»Genau«, sagte Jitty und zog die Augenbrauen hoch. Ihre Haut erhielt ihre gewohnte, satte Färbung zurück. »Man muss doch wirklich die Art bewundern, wie Kincaid Doppelschläge austeilt.«

Kincaids Besuch hatte mir Albträume beschert, aber auch genügend Munition, um das aus Glas und Holz bestehende Bürogebäude der Zinnia International Export zu betreten. Dem Treffen mit Isaac Carter hatte ich nicht gerade voll Vorfreude entgegengeblickt, aber nun war es unausweichlich fällig geworden.

Meine Klientin war Kincaid nicht. Nicht offiziell. Ich hatte dreitausend Dollar in bar als Abschlag angenommen, und diese Summe würde genügen, hatte ich ihr gesagt, bis ich mir ein Bild gemacht und entschieden hätte, ob ich ihr helfen konnte oder nicht. Ich spielte ihr nicht etwa vor, schwer zu kriegen zu sein; ich sträubte mich vielmehr dagegen, in Delos Haus einzubrechen und die Habseligkeiten eines Toten zu durchwühlen. Andererseits schien der Mord an Delo jedoch eng mit dem Fall verbunden zu sein, an dem ich ohnehin schon arbeitete.

Carter wirkte nicht gerade erfreut, mich zu sehen, obwohl er seiner Sekretärin gestattete, mich gleich in sein Büro vorzulassen. Er blieb hinter dem Schreibtisch sitzen und winkte mich zu einem Stuhl – entweder ein Fauxpas oder ein absichtlicher Affront, ein Zeichen dafür, dass er mich nicht auf der gleichen sozialen Stufe wie sich selbst stehend betrachtete. Ich nahm es als Affront und setzte ein gewaltiges Warte-nur-Lächeln auf.

»Sie haben Kincaid in eine recht üble Situation gebracht«, begann ich und beobachtete dankbar, wie seine Gelassenheit urplötzlich in schwere Bestürzung umschlug. »Wenn man ihr den Mord an Delo Wiley in die Schuhe schiebt, kommen Sie nicht ungeschoren davon. So viel kann ich Ihnen jetzt schon versprechen.«

»Wie viel verlangen Sie?«, fragte er, öffnete die Schreibtischschublade und zog ein Scheckbuch hervor.

Aha! Er glaubte, ich wäre gekommen, um ihn zu erpressen. Natürlich, das musste der erste Gedanke sein, der sich im erdnussgroßen Gehirn eines Buddy-Clubbers regte.

»Ich verlange zu erfahren, was an dem Tag passiert ist, als Hamilton Garrett der Vierte ermordet wurde«, antwortete ich und sah zu meiner Freude, dass die unerwartete Entwicklung, die das Gespräch nahm, seine Besorgnis noch vertiefte.

»Was ist denn nur los mit Ihnen, Sarah Booth? Wieso können Sie nicht ein für allemal die Finger davon lassen?«

Darauf hatte ich eine Antwort parat. »Nennen Sie es eine Gabe der Delaneys. Wir Delaneys neigen dazu, schwierige Wege zu beschreiten. Ich nehme an, dass die Wahrheitssuche nach achtzehn Jahren voller Lügen als hinreichend dorniger Pfad gelten darf.«

Er kniff die Augen zu und schnappte nach Luft. Isaac Carter war noch immer ein gut aussehender Mann, allerdings gehören Kehllappen – auch kleine – nicht zu den Attributen, die ich als sexuell stimulierend empfinde. Dennoch, als er mir meine Unverschämtheit quittierte, lag Kraft in seinem Blick und seinen Lippen.

»Edelmut ist eine teure Angewohnheit«, sagte er. »Ich hätte Sie nie in diese Kategorie eingeordnet, sondern Sie immer als, wie soll ich sagen – als hedonistisch und faul eingestuft.«

»Anders als Kincaid, die nervös und betriebsam ist?«, fragte ich. »Aber verheiratet ist sie auch, und das verleiht dem Ganzem sicher noch mehr Würze. Besonders für einen Mann, der beruflich nie ein Risiko einzugehen brauchte, weil er sich ins gemachte Nest setzen konnte?« Mir machte es nichts aus, mit Isaac Wortfechterei zu betreiben. Obwohl er zu den Bekannten meines Vaters gezählt hatte, war sein Name in unserem Haus kein einziges Mal mit Respekt erwähnt worden.

»Sie sind eine Schande für den guten Namen Ihrer Familie«, stieß er zwischen zusammengebissenen Zähnen hervor.

»Wir können den ganzen Vormittag Komplimente austauschen, oder wir können es hinter uns bringen«, sagte ich. »Ich werde nämlich nicht gehen, bevor ich bestimmte Dinge erfahren habe. Warum befand sich Guy Garrett auf diesem Maisfeld, obwohl er kein Jäger war, und wer waren die beiden Fremden, die Sie mit auf die Jagd gebracht hatten?«

»Und wenn ich Ihnen das verrate, halten Sie den Mund über Kincaid?«

»Sie haben Ihrer Geliebten einen Mord angehängt. Ich bin neugierig, was Sie dazu bewogen hat, deshalb werde ich keine leeren Versprechen abgeben. Aber ich würde meine Zustimmung erteilen, dass die Bandaufzeichnung vernichtet wird, die Kincaid von Ihrer Bitte gemacht hat, Delo zu bezahlen.«

Anscheinend brachte Isaac Carter das Beste in mir hervor, was die Arbeit als Privatdetektiv anging. Ich hatte überhaupt keine Bedenken, ihn anzulügen. *Au contraire!* Es bereitete mir sogar großen Spaß.

»Sie hat das Gespräch aufgenommen?«

Die Tête-à-têtes zwischen Kincaid und Isaac gehörten nun der Vergangenheit an. Soeben hatte ich ihr Vertrauensverhältnis torpediert. Wie schade! Aber ich hatte mir eine Möglichkeit ausgedacht, wie ich Kincaid retten konnte, weil ich wusste, dass sie Delo nicht getötet hatte. Kincaid wohnte nicht genug Leidenschaft inne, um einem Mann zweimal in den Kopf zu schießen. Außerdem, wenn sie beschlossen hätte zu morden, wäre ihr Ehemann die Nummer eins auf ihrer Liste gewesen. Für ein Daddy's Girl ist es das höchste anzustrebende Ziel, eine reiche Witwe zu werden.

Mein Plan sah vor, Isaac so sehr unter Druck zu setzen, dass er sich bereiterklärte, den Scheck zurückzustehlen, denn schließlich war er es, der Kincaid in Bedrängnis gebracht hatte. Und wenn ich ihn dazu erpressen konnte, durfte ich die dreitausend Dollar behalten.

»Als Sie beschlossen, sich ein Daddy's Girl zur Geliebten zu nehmen, hätten Sie eben auch an die Folgen denken müssen«, erklärte ich ihm. »Wir sind stets vorbereitet. Darauf können Sie sich verlassen.«

»Die Männer auf dem Feld hießen Arthur Lowry und Aubrey Malone.«

Die Namen waren mir nicht vertraut. »Sollte ich die beiden kennen?«

Sein Blick sprach Bände. Er nahm wohl nicht an, dass ich irgendjemanden von einiger Bedeutung kennen würde. Zwar war ich als Daddy's Girl geboren worden, aber ich klammerte mich nur noch mit den Fingernägeln an meinen Status.

»Beide sind Geschäftsleute aus Memphis. Sie waren hergekommen, um mit Hamilton dem Vierten über Anlagegeschäfte zu reden. Und genau deswegen war er beim Taubenschießen dabei. Es war ein Geschäftstreffen, und obwohl er kein guter Schütze war, überredete ich ihn mitzukommen. Guy erweckte manchmal den Eindruck, er wäre kein Mann, der sich in männlicher Gesellschaft wohlfühlt.«

Ich zog die Augenbrauen hoch und wartete auf eine Erklärung.

»Nicht dass er schwul gewesen wäre, nur –«

»Nur hatte er es nicht nötig, seine Männlichkeit durch alberne Macho-Touren unter Beweis zu stellen«, half ich ihm aus.

»Er schreckte die Menschen ab. Das Einzige, was einen an ihm versöhnte, war Veronica. Sie war ganz Frau, und das warf ein gutes Licht auf ihn.«

Wenn ich genügend Zeit gehabt hätte, dann hätte ich ihm gern meine Gedanken über Frauen dargelegt, die ein ›Licht‹ auf ihre Männer werfen. Doch ich hatte, wie Jitty gesagt hätte, größere Fische zu braten.

»Wer hat Hamilton erschossen?«, fragte ich.

Er machte eine Bewegung, als wolle er aufstehen, blieb jedoch sitzen. »Das weiß ich nicht.« Die Furche zwischen seinen Augenbrauen bewies seine Aufrichtigkeit. »Ich war mit den übrigen Jungs unten am Fluss. Ich wollte mich um Guy kümmern, weil ich wusste, dass das Taubenschießen nicht sein Ding war, aber dann sah ich ihn mit Lowry und Malone weggehen und blieb zurück. Wie schon gesagt, das Treffen war geschäftlicher Natur.«

Mir fiel ein, dass Sylvia Schmiergeld erwähnt hatte. »Und um welches Geschäft ging es dabei?«

Er legte sich eine Hand auf die Brust. »Ein paar von uns Männern hatten einen Gewerbeentwicklungsplan für den Bezirk entworfen. Den wollten wir beim Verwaltungsvorstand durchsetzen, bevor zu viele Fragen gestellt wurden.«

»Und Mr. Garrett steckte mit drin?«

»Eigentlich nicht.« Isaac nahm einen Kugelschreiber zur Hand und klopfte damit auf die Schreibtischplatte. »Aus dem Entwurf wurde nichts. Nach Hamiltons Tod war Pasco Walters der Meinung, wir sollten ihn unter den Tisch fallen lassen.«

»Hamilton war also gegen den Entwurf?« Das war ja langwieriger als Zähneziehen.

»Lowry und Malone sollten ihn überreden, den Entwurf zu unterstützen.«

»Was hat er denn vorgesehen?«

»Es war eben nur ein Entwurf. Es ging um eine Verschiebung im Flächennutzungsplan.«

Ich habe das Geschäftsleben stets verabscheut. Ganz instinktiv ist mir schon immer klar gewesen, dass in dem gleichen Moment, in dem sich einem die Gelegenheit bietet, einen Dollar zu verdienen, jemand daherkommt, der versucht, die Regeln zu beugen. Diese ›Verschiebung‹ im Flächennutzungsplan bot ein perfektes Beispiel dafür. Ich bedeutete Isaac weiterzureden.

»Wir hatten eine bezirksweite Änderung der Flächennutzung ausgearbeitet, bei der in einzelnen Gegenden jede Gewerbeentwicklung unterbunden und einige Wohngebiete in Gewerbegebiete umgewandelt werden sollten.«

»Alles zum Nutzen von …?«

»Stellen Sie sich nicht dumm, Sarah Booth. Was glauben Sie denn, wem es genutzt hätte!«

»Und Mr. Garrett? Wo kommt er ins Spiel?«

»Er war der Vorsitzende des Bezirksausschusses für Flächennutzung.« Isaac legte den Kuli weg und faltete die Hände. »Und er war nicht bereit, unsere Idee zu unterstützen.«

Jetzt hatte ich ihn zum Reden gebracht. »Also ...«

»Eine ganze Reihe der Änderungen betrafen den farbigen Teil der Stadt. Wir planten einen großen Vergnügungspark mit einem Kinokomplex und Bowlingbahnen und hofften, ein Glücksspielboot auf dem Fluss unterhalten zu können. Das wäre für Sunflower County sehr gut gewesen.«

»Und lassen Sie mich raten – die beste Stelle war dort, wo die meisten Schwarzen leben.« Der Grove grenzte an den Tibbeyama-Fluss. Seit Jahrzehnten galt das Land als wertlos, weil es regelmäßig überflutet wurde und die Brutstätte für Moskitos und andere Krankheiten verbreitende Insekten war. Durch die Aussicht, dort eine Spielhölle eröffnen zu dürfen, wäre es unbezahlbar geworden.

»Wir hätten einen fairen Preis für das Land geboten – den Marktwert.«

Vielleicht glaubte er das, vielleicht auch nicht. »Die Heimat eines Menschen hat keinen fairen Marktwert«, entgegnete ich.

Er erhob sich halb und lehnte sich über den Schreibtisch vor. »Sie haben gut reden, Sie haben noch nie ohne Heimat auskommen müssen. Selbst jetzt nicht, wo Sie glauben, verarmt zu sein. Aber das Geld, das wir den Leuten geboten hätten, wäre für viele von ihnen ein Segen gewesen. Sie hätten umziehen, mehr Land kaufen und sich neue Häuser bauen können. Urteilen Sie nur nicht vorschnell. Einige Leute wären vielleicht entwurzelt worden, aber auf lange Sicht hätte jeder in Sunflower County davon profitiert.«

Ich brauchte noch fünf Sekunden, um die Puzzleteile zusammenzufügen. »Sie wollten ihn also kaufen.« Nun stand mir die Szene auf dem Maisfeld glasklar vor Augen. Die Abgeschiedenheit des Feldes am Maultiersumpf, die großen Jagdwesten und Gewehrtaschen der Männer; das alles eignete sich ideal, um größere Geldmengen zu verbergen. »Wie viel?«

»Eine Million Dollar.«

Ich schluckte. »Und er hatte eingewilligt, das Geld anzunehmen?«

»Mehr oder weniger.«

»Und was geschah?«

»Das weiß ich nicht«, sagte er. »Ganz ehrlich.«

Ich war mir nicht sicher, ob ich ihm glauben konnte. »Diese beiden Männer, Lowry und Malone – waren sie die Letzten, die mit ihm sprachen?« Ich fragte mich, ob es sich bei den beiden um Geschäftsleute oder Mafiosi handelte. »Haben diese beiden ihm das Geld übergeben?«

»Soweit ich weiß, schon.« Er richtete sich auf. »Aber ich glaube nicht, dass sie ihn getötet haben.«

Mich überraschte, dass Isaac Manns genug war, zwei perfekte Sündenböcke laufen zu lassen. »Wieso nicht?«

»Tot nutzte er ihnen nichts. Außerdem ist das Geld verschwunden.« Isaac straffte die Schultern.

»Vielleicht hat Hamilton sich auf keinen Handel eingelassen, deshalb brachten die beiden ihn um und nahmen das Geld wieder mit.« Auf dieses Geld musste sich Sylvia bezogen haben. Mir kam in den Sinn, dass auch Isaac Carter durchaus dazu fähig war, mit einer glatten Million das Weite zu suchen.

Er schüttelte den Kopf. »Sie hatten es nicht mehr.«

»Wie können Sie sich da so sicher sein?«

»Sie waren ebenso bestürzt wie ich. Und sie hatten zu viel Angst, um Anzeige zu erstatten.«

»Wer hat es dann Ihrer Meinung nach genommen?«

Er begann auf und ab zu schreiten. »Ich hatte immer Veronica in Verdacht. Für sie war es doch die ideale Gelegenheit. Das viele Geld fiel ihr in die Hände, und wenn sie Hamilton loswurde, war sie eine reiche Witwe. Sie hat mir einmal gesagt, mit Hamilton verheiratet zu sein sei so ähnlich, als wäre man an einer Steinmauer festgekettet in einem Haus, das niemand je besuchte. Sie sagte, sie sei noch nie so einsam gewesen und wolle sich scheiden lassen. Ich nehme an, sie erkannte schließlich, dass eine Witwe sich finanziell viel besser steht als eine geschiedene Frau.«

»Sie glauben, Veronica wusste von dem Bestechungsversuch und ließ Hamilton ermorden?«

Er nickte. »Viele Menschen trauen es einer Frau nicht zu, einem Mann in den Rücken zu schießen. Meiner Meinung nach wäre Veronica dazu in der Lage gewesen und hätte hinterher in aller Ruhe nach Hause fahren und ein üppiges Abendessen zu sich nehmen können. Sie hatte immer einen gesunden Appetit, nach allem.«

Ich war mir nicht ganz sicher, ob er sich gerade damit brüstete, an Veronicas Füllhorn der Wonnen gekostet zu haben, oder ob er nur Tratsch weitertrug. »Irgendjemand auf diesem Maisfeld hat ihn jedenfalls erschossen, ganz gleich, was seine oder ihre Motive nun gewesen sind. Und Sie haben geholfen, die Sache zu vertuschen.«

»Ich tat, was ich tun musste«, entgegnete er. »Hamilton war tot. Wie ich es sah, hätte von einer Mordanklage niemand profitiert. Lowry und Malone hatten das Geld aus einer Vielzahl von Quellen beschafft, und keine davon legte Wert darauf, im Mittelpunkt einer Ermittlung zu stehen.«

Das war mal wieder echte Buddy-Clubber-Logik. »Und Delo, wo kommt er ins Bild?«

Isaac schüttelte den Kopf. »Ich bin mir niemals sicher gewesen, wie viel Delo wirklich gewusst hat. Aber an dem Samstag vor seiner Ermordung bekam ich von ihm einen Anruf. Er wollte Geld. Er behauptete, einiges zu wissen, was er noch nie jemandem verraten habe, und nun gebe es jemanden, der bereit sei, dafür Geld zu bezahlen. Dann verlangte er von mir Geld. Kitty und ich waren zu einer Taufe eingeladen, deshalb rief ich Kincaid an und bat sie, ihm Geld zu bringen. Ich sagte ihr, es sei für die Benutzung der Hütte.«

Ich hatte seine Sicht des Lebens gründlich satt. »Bevor Sie heute Abend zu Kitty nach Hause gehen, fahren Sie zu Delos Haus und holen den Scheck, den Kincaid ausgestellt hat.«

»Gordon Walters schnüffelt dort herum.«

»Dann seien Sie lieber ganz, ganz vorsichtig.« Ich stand auf und ging zur Tür. »Ihr Szenario hat einen kleinen Schönheitsfehler. Veronica wurde ermordet, und das Geld ist nie wieder aufgetaucht.«

20

Ich war erschöpft. Was als harmloses Herumschnüffeln in altem Tratsch begonnen hatte, hatte sich zu einem aktuellen Mordfall mit sehr vielen und sehr hässlichen Verstrickungen ausgewachsen. Ein halbes Dutzend Menschen hatte ich dazu befragt und war der Auffindung der Wahrheit um kein Stück näher als vor einer Woche, und damals war ich noch nicht einmal Privatdetektivin gewesen. Das Problem lag darin, dass ich weitaus mehr herausgefunden hatte, als ich jemals für möglich gehalten hätte. Meine anfängliche Haltung gegenüber meinem Auftrag hatte sich jedenfalls als völlig falsch erwiesen; zunächst glaubte ich, es reichte aus, ein paar Halbwahrheiten auszugraben und mit ein wenig kreativer Prosa zu garnieren. Ich hatte Truman Capote und die Heerscharen seiner Nachahmer gelesen, ich war clever, erfinderisch und mit einer gewissen untrüglichen weiblichen Logik ausgestattet. Ohne weiteres hätte ich ein Märchen ersinnen können, das Tinkies Bedürfnissen entsprach – und ihr eventuell in Zukunft sogar Kummer ersparte.

Irgendwie hatte sich alles geändert. Die Ermittlung war jedenfalls längst schon nicht mehr Tinkie-getrieben. Guy Garrett war ermordet worden. Veronica vermutlich ebenfalls. Ein großer Geldbetrag war verschwunden – und der

Verlust niemals angezeigt worden. Und Delo Wiley war tot.

Meine Gedanken kehrten immer wieder zu Sylvia zurück. Achtzehn Jahre in Glen Oaks. Auf mich hatte sie den Eindruck gemacht, als hätte sie, wenn sie nicht schon bei der Einlieferung irrsinnig gewesen war, nun auf jeden Fall den Verstand verloren. Schuld kann jemanden in den Wahnsinn treiben, überlegte ich. Fast zwei Jahrzehnte in einer Nervenheilanstalt zu verbringen allerdings auch.

Aus dem Moment heraus entschied ich, an der Bank zu halten. Ich musste unbedingt einige Raten für den Roadster bezahlen. Außerdem wollte ich zu Harold. Zwar brauchte ich nichts Bestimmtes von ihm, aber ich wollte sehen, wie er auf meinen Besuch reagierte. Mir wurde klar, dass es sich bei diesem Bedürfnis, mir meine Fähigkeit zu beweisen, eine Reaktion hervorzukitzeln, um die typische Eigenart eines Daddy's Girls handelte. Ich beschloss, dem Drang dennoch nachzugeben. Mein Besuch bei Sylvia und der dadurch hervorgerufene Albtraum hatten mir mein Verlangen nach Hamilton deutlichst vor Augen geführt. Vielleicht hatte Jitty recht. So schlimm war Harold am Ende gar nicht.

Ich betrat die Bank, ging zur ersten verfügbaren Angestellten und tat meine Absicht kund, meine ausstehenden Ratenzahlungen für den Wagen zu begleichen. Sie verschwand in den Tiefen der Bank, und nach ein paar Minuten erschien Oscar Richmond am Schalter. Er grinste mich an. »Auf Harolds Party haben Sie bildhübsch ausgesehen«, sagte er wohlgefällig nickend. »Netter Auftritt.«

»Danke.« Oscar machte keine Komplimente zu seinem Vergnügen. Er wollte etwas von mir. »Sie werden sich freuen zu hören, dass ich meine Raten für den Roadster nachzahle.« Ich holte das Scheckbuch aus der Handtasche.

»Tinkie hat mir immer noch nicht erklärt, warum Sie für Mutter Bellcase arbeiten.«

Also das wollte er von mir. Ich blinzelte ihm zu. »Mein lieber Oscar, Sie sollten wissen, dass ich das einzige Daddy's Girl bin, das ein Geheimnis für sich behalten kann.«

»Ich sorge mich Ihretwegen, Sarah Booth.«

Klar, dachte ich. Du sorgst dich, weil dir Mutter Bellcases Geld aus den Klauen schlüpft. »Was sind Sie doch für ein lieber alter Brummbär, sich um mich Sorgen zu machen«, sagte ich süßer als Pflaumensirup und mit ungefähr der gleichen Wirkung. »Aber mit mir ist alles prima. Um ehrlich zu sein, werde ich, sobald ich diese geschäftliche Angelegenheit erledigt habe, noch ein Weilchen bleiben und Harold überraschen.«

Oscar nickte. »Nun, das beruhigt mich tatsächlich, Sarah Booth. Harold trägt einen klugen Kopf auf den Schultern. Er wird nicht zulassen, dass Sie in Schwierigkeiten geraten.«

»Genau das denke ich auch«, sagte ich. Dann blickte ich auf die Summe, die die Bankangestellte auf einen Papierstreifen notiert hatte, und wäre fast zurückgetaumelt. Für den Wagen war ich mit viertausend Dollar im Rückstand. Doch stellte ich wie ein großes Mädchen den Scheck aus und lächelte, als ich ihn ihr zuschob.

Mein Gang durch den Kassenraum zu der geschlossenen Tür, hinter der sich Harolds private Domäne befand, zog eine Reihe spekulativer Blicke auf sich. Seine Sekretärin meldete mich an, und nach wenigen Sekunden schwang seine Tür weit auf. Harold trug einen grauen Nadelstreifenanzug, der sein stahlfarbenes Haar noch distinguierter wirken ließ. Er drückte mir warm die Hand.

»Welch angenehme Überraschung«, sagte er, geleitete mich in das Büro und schloss die Tür hinter uns. »Was hast du heute vor?«, fragte er. Meine Hand hatte er nicht losgelassen.

Mir kam in den Sinn, dass Harold der ideale Ansprechpartner sei, um einige Fragen zu beantworten, die mir auf der Seele brannten. »Hast du je gehört, ob im Zuge von Hamilton Garretts des Vierten Tod eine größere Geldsumme verschwunden ist?«

Harold zog die Augenbrauen hoch. »Als Mr. Garrett starb, war ich gar nicht in Zinnia.«

»Aber seitdem?«, bohrte ich. »Banktratsch beim Kaffee mit den Direktoren, dergleichen, du weißt schon.«

»Für einen Bankier ist es nicht gut, wenn er sich mit Mutmaßungen und Gerüchten befasst«, entgegnete er. »Warum interessierst du dich eigentlich so sehr für die alten Angelegenheiten der Garretts?«

Er war eifersüchtig. »Ach, Harold, sei doch nicht so spießig«, sagte ich. »Ich bin zu dir gekommen, weil ich wusste, dass du Bescheid weißt. Und ich wusste, dass du mir die Wahrheit sagen würdest.« Beinahe hätte ich hinzugefügt, dass alles andere Quatsch sei, aber ich zügelte mich rechtzeitig.

Harold zuckte mit den Schultern. »Es gab *Gerede* von Geld auf Delos Land. Ein vergrabener Schatz und dergleichen. Doch das war alles dummes Gewäsch. Manche Leute ziehen noch immer dort hinaus, wie ich gehört habe, und graben auf der Suche nach dem verlorenen Geld den Acker um.« Er senkte den Blick auf den Schreibtisch. »Wenn wirklich eine größere Summe verschwunden wäre, hätte es eine Untersuchung gegeben.«

»Hier in Zinnia werden gewöhnlich selbst Morde nicht untersucht. Warum sollte man da einem vergrabenen Schatz nachspüren?«

»Ich bezweifle, dass an irgendetwas davon auch nur ein Quäntchen Wahrheit ist, Sarah Booth«, entgegnete Harold in sanfterem Ton. »Die Garretts waren eine reiche Familie, die eine große Tragödie erdulden musste. So etwas ist immer die ideale Brutstätte für Tratsch und Legenden.«

Ich hörte Harold zwar zu, schenkte seinen Erklärungsversuchen jedoch keine weitere Beachtung. Mit meinen Gedanken war ich ganz woanders; sie sprangen von einer Frage zur nächsten. Wenn eine größere Geldsumme verschwindet, *wohin* kann sie verschwinden? Da Veronica nicht mehr lebte und Sylvia in der Nervenklinik saß, war Hamilton der Fünfte die offensichtliche Antwort. Ich blickte auf und stellte fest, dass Harold mich musterte. »Immerhin könnte es jemand auf einem von Delos Feldern vergraben haben. Vielleicht wurde Delo aus diesem Grund umgebracht. Jetzt, wo ich darüber nachdenke, erinnere ich mich an zahlreiche mysteriöse Löcher auf dem Grundstück.«

»Eine romantische Anwandlung«, entgegnete Harold, hob meine Hand und betrachtete die noch immer ringlosen Finger. »Was auch immer geschehen ist, es ist ein schlechtes Geschäft, und ich möchte nicht, dass meine zukünftige Braut sich darüber den Kopf zerbricht.« Er wies auf seinen Schreibtisch. »Komm hierher. Ich möchte mit dir über Dahlia House sprechen.«

In mir flackerte die Wut auf, bis er weiterredete.

»Ich denke, wir sollten nach der Hochzeit in Dahlia House leben«, sagte er und führte mich an einen Ohrensessel, der neben seinem Schreibtisch stand. »Du bist dort zu Hause, und ich weiß, wie sehr du es liebst. Mein Haus in der Stadt wird sich ohne Probleme verkaufen lassen. Aber meinst du nicht auch, dass wir das Land wieder urbar machen sollten? Mir kommt es wie Verschwendung vor, dass auf dieser fruchtbaren Krume nichts weiter wächst als Unkraut.«

Ihn von Dahlia House reden zu hören, als läge es ihm wirklich am Herzen und wäre nicht nur ein wertvolles Stück Grundbesitz für ihn, war beinahe mehr, als ich ertragen konnte. »Ich wusste gar nicht, dass du dich für die Landwirtschaft interessierst«, sagte ich.

»Ich bin an deinem Glück interessiert, Sarah Booth. Landwirtschaft erscheint mir erforderlich, um dieses Ziel zu erreichen.«

Bevor ich antworten konnte, klopfte es an der Tür, und Oscar trat ein.

»Gut, dass Sie noch hier sind, Sarah Booth. Gordon Walters ist draußen. Er hat einen Gerichtsbeschluss, laut dem wir ihm Ihre sämtlichen Finanzunterlagen aushändigen müssen.« Er bedachte mich mit einem finsteren Blick. »Das heißt, dass Mutter Bellcases Name möglicherweise auffällt.«

»Meine Unterlagen? Warum denn das?«

»Weil gegen Sie ermittelt wird«, erklärte Oscar ungerührt.

»Wegen was?«

»Ach, wegen Mord und anderen Kleinigkeiten.« Oscar zuckte mit den Schultern. »Sorgen Sie nur dafür, dass Mutter Bellcases Name nicht in der Zeitung auftaucht. Es geht ihr gesundheitlich nicht besonders, und ein Skandal könnte ihr Tod sein.«

Ich wollte ihn schon fragen, was er denn glaube, was ein Skandal mit mir anstellen würde, doch ich kannte die Antwort bereits: Das war ihm egal. Ich sah Harold an. »Können wir das nicht abwenden?«

»Nicht wenn der Gerichtsbeschluss rechtskräftig ist.« Er kam um den Schreibtisch herum und legte mir seine Hand auf die Schulter. »Mach dir keine Gedanken, Sarah Booth. Dergleichen passiert häufiger als die Leute glauben. Für die Polizei sind Finanzunterlagen zur Hauptinformationsquelle geworden, mit der man das Kommen und Gehen gesuchter Straftäter ermittelt.«

»Ich bin keine Straftäterin«, widersprach ich.

Harolds Griff verstärkte sich leicht, dann beugte er sich vor und flüsterte mir ins Ohr: »Selbst wenn es so wäre, es spielte keine Rolle für mich. Ich heirate dich trotzdem.«

Na toll, dachte ich. Einfach toll.

Nachdem ich zugesehen hatte, wie Walters mit meiner unerfreulichen finanziellen Vergangenheit im Pappkarton abgezogen war, erkannte ich eindeutig, dass nun nur Ketchup und Fett meine Stimmung noch aufzubessern vermochten. Deshalb schlug ich Harolds Einladung zum Mittagessen aus und ging solo in Millies Café. Ich war einfach zu deprimiert, um mit meiner Tätigkeit als Privatdetektivin fortzufahren, und wollte nur noch einen doppelten Cheeseburger mit doppelt Speck und doppelt Käse, dazu auf Cajun-Art gewürzte Kartoffelecken, ein Diät-Coke auf zerstoßenem Eis mit Strohhalm und eine Flasche Heinz-

Ketchup. In Fastfood-Restaurants erhält man in der Regel billigsten Cheddar, den man Rattenkäse nennt, weil er eigentlich nur zur Verwendung in Mausefallen taugt; bei Millie jedoch den besten gelben Cheddar, etwas völlig anderes als die Plastiklappen in den meisten anderen Imbisslokalen, und grundsätzlich nur Heinz-Ketchup. Wenn man seinen Körper schon in Ketchup und Fett versinken lassen will, dann hilft nur das Wahre Echte.

Ich pflanzte mich auf einen Hocker an der Theke und wartete, dass ich an die Reihe kam. Als ich in den Spiegel sah, bemerkte ich, dass Millie mich anstarrte. Nicht direkt – sie benutzte einen polierten Serviettenspender, um darin mein Spiegelbild aufzufangen. Meine Detektiv-Antennen richteten sich auf, und ich achtete sorgfältig darauf, weder meine Körperhaltung noch meinen Gesichtsausdruck zu ändern. Als Millie sich schließlich zu mir umdrehte, winkte ich ihr fröhlich zu und bestellte.

Im Café herrschte Hochbetrieb. Millie war ununterbrochen unterwegs und schleppte Eistee, heißen Kaffee und Teller mit Essen, das so köstlich duftete, dass mir das Wasser im Munde zusammenlief. Als sie einen knusprigen Berg aus frittierten Zwiebelringen an mir vorbeitrug, bedauerte ich, nur Kartoffelecken, aber keine Zwiebelringe bestellt zu haben.

Kein Wunder, dass Millie die Figur einer Dreißigjährigen hatte; während ich wartete, durcheilte sie das Café kreuz und quer wenigstens hundertmal. Und während der ganzen Zeit schoss sie mir immer wieder verstohlene Seitenblicke zu. Ich überlegte, ob Billie eventuell mein Herumschnüffeln in seiner Werkstatt bemerkt hätte.

Millie hetzte die Theke entlang, füllte Eisteegläser nach

und holte mein Essen an der Küchendurchreiche ab. Als sie mir den Teller vorsetzte, wich sie meinem Blick aus.

»Hast du einen Augenblick Zeit?«, fragte ich.

Sie blickte überallhin, nur nicht zu mir. »Zu viele hungrige Leute hier drin ...« Sie griff wieder in die Durchreiche und nahm zwei Teller auf, die mit Hähnchenbrustschnitzeln, Kartoffelpüree und gebratenen Okras beladen waren. Mir wollte es in diesem Augenblick so vorkommen, als wären fast alle gebräunten Speisen der Gipfel des kulinarischen Genusses. Wäre Gegrilltes die Grundgruppe am Boden der Nahrungspyramide gewesen, so hätte ich mühelos ein gesundes Leben führen können.

»Es dauert nur einen Augenblick, Millie, nicht länger. Hast du je in der Werkstatt für deinen Bruder gearbeitet?«

Ich kann nicht sagen, was genau dazu führte, dass sie die Teller fallen ließ; jedenfalls rutschten sie ihr aus den Händen und purzelten zu Boden. Sie überschlugen sich drei- oder viermal, und die Okras und die Hähnchenbrust flogen umher, während der Kartoffelbrei an den Tellern kleben blieb, bevor sie auf den Boden prallten und in Scherben gingen.

Millie stand wie vom Donner gerührt da, blickte erst auf die Bescherung und dann auf mich. Halb rechnete ich damit, dass sie mich zornig anfahren würde. Stattdessen quoll ihr aus beiden Augen je eine große Träne und rann, eine feuchte Spur hinterlassend, die Wangen hinab. Totenstille hatte sich über das Café gesenkt, und sämtliche Gäste schienen uns anzustarren.

»Ich habe nie für Billie gearbeitet«, sagte sie. »Warum kannst du dich nicht um deine eigenen Angelegenheiten kümmern, Sarah Booth? Ich höre, dass du jeden mit Fragen behelligst. Wenn du's also unbedingt wissen musst, das war Janice, meine kleine Schwester. Sie hat in dem Sommer damals für Billie gearbeitet.«

Bis dahin hatte ich nicht gewusst, dass Millie noch eine Schwester hatte. Das erklärte natürlich die feminine Schrift auf den Karteireitern.

»Lass mich dir zur Hand gehen«, bot ich ihr an, sprang vom Hocker und ging hinter die Theke, um ihr beim Beseitigen des Missgeschicks zu helfen.

»Setz dich wieder und iss dein Mittagessen.« Sie packte eine Hand voll Servietten und stand einfach da; ihre Fingerknöchel traten weiß hervor, so fest umklammerte sie die Papiertücher. »Lon, gib mir noch zwei weiße Hähnchenschnitzel mit Okras, K-Brei und Brötchen«, rief sie in die Durchreiche. Dann wandte sie sich wieder an mich. »Iss, solange dein Lunch noch heiß ist. Ich kümmere mich schon darum.«

Ich sammelte die Hähnchenschnitzel auf und warf sie in den Mülleimer. »Das macht mir gar nichts –«

»Geh!«, sagte sie und ergriff mich fest beim Arm. »Mach es nicht noch schlimmer als es schon ist. Das Letzte, was ich brauche, ist ein Daddy's Girl hinter der Theke.«

Millies Worte trafen mich tief, denn ich hatte ihr niemals irgendeinen Grund gegeben, mich so feindselig zu behandeln. Nickend zog ich mich an meinen Platz zurück. Der Geräuschpegel begann wieder anzusteigen, ein anschwellendes Getöse von Besteck- und Gläserklirren, Lachen, Getuschel und normaler Unterhaltung.

Ich ertränkte die Kartoffelecken und den Hamburger in Ketchup und begann zu essen. Es schmeckte hervorragend, aber Millies emotionales Trommelfeuer hatte mir das Vergnügen an der Mahlzeit verdorben. Ich aß langsam und sah den Stadtbewohnern von Zinnia beim Mittagessen zu. Im vorderen Teil des Restaurants standen kleine Tische, und die Theke zog sich die ganze Rückseite entlang. Dahinter lag die Küche mit den Grillen. An jedem Tisch konnten vier Personen sitzen, aber viele Leute zogen von Tisch zu Tisch, unterhielten sich und erfuhren Neues vom Tage. In diesem Café wurden Wahlen entschieden, Vaterschaften festgelegt, Menüs geplant und Ehen beschlossen oder beendet. Ich lauschte. Coleman Peters schien ein recht beliebter Sheriff zu sein. Man munkelte, dass Hamilton Garrett wieder in der Stadt sei, und diskutierte den tragischen Tod seiner Eltern. Einige sahen mich oder Millie an und dann wieder weg, aber niemand machte auch nur eine Bemerkung über unseren Zusammenstoß. Soweit ich wusste jedenfalls.

Ich tunkte die letzte Kartoffelecke in Ketchup und verschlang sie, obwohl mein Hosenbund mittlerweile so eng geworden war, dass er mir den Blutzufluss in die unteren Gliedmaßen abschnürte. Na, da unten brauchte ich sowie keine Blutzirkulation. Wichtig war nur, dass mein Gehirn mit Sauerstoff versorgt wurde. Ich legte Geld auf die Theke, stand auf, nahm meine Handtasche und wollte aufbrechen.

Auf dem Weg zur Tür zupfte mir jedoch jemand am Hemd. Ich drehte mich um und sah mich Clara Beth King gegenüber, die mir ihre Hand entgegenstreckte. Sie war mindestens neunzig, ein altes Flintenweib, das sämtliche Fieber-Epidemien und Wirtschaftskrisen überstanden hatte und das Leben mit geschärftem Blick betrachtete. Meine Mutter hatte sich immer gefreut, wenn sie zu Besuch kam. Als ich noch ein Kind war, ritt Clara Beth, die nie geheiratet hatte, oft auf ihrem großen grauen Hengst namens Spartacus nach Dahlia. Sie blieb den Vormittag und unterhielt sich mit Mutter, dann stieg sie wieder auf und ritt nach Hause, eine Entfernung von vier oder fünf Meilen. Meine Mutter hatte Clara Beth immer bewundert.

»Miss King«, sagte ich. »Sie sehen großartig aus.«

»Für eine Frau meines Alters bin ich noch ganz hurtig. Das führe ich darauf zurück, dass ich keinem Mann je erlaubt habe, sich auf Dauer an mich zu hängen. Wie ich sehe, trittst du in meine Fußstapfen.«

»Ich habe zu viel zu tun, um mir Gedanken um Männer zu machen«, antwortete ich, obwohl mir zwei von ihnen beständig im Kopf herumspukten.

»Ich wollte dir nur sagen, dass Millie nicht etwa deinetwegen so außer Fassung geraten ist, meine Liebe. Ihre jüngere Schwester arbeitete in Billies Werkstatt und verschwand dabei eines Tages. Millie und Janice standen sich sehr nahe, und niemand hat je herausgefunden, was der Kleinen passiert ist. Millie verschließt das alles tief in ihrem Innersten, und ich glaube, du hast gerade den Deckel aufgebrochen.«

Ich beugte mich zu ihr vor, damit ich leiser sprechen konnte. »Ist Janice von zu Hause weggelaufen?«

Clara Beth wiegte den Kopf und nippte an ihrem Glas Eistee. »Das weiß niemand. Janice sollte aufs Geschäft Acht geben, während Billie mit einem Kunden eine Probefahrt machte. Als er zurückkam, stand die Werkstatt sperrangelweit offen, und das Mädchen war fort. Es gab nie auch nur einen Fingerzeig darauf, was ihr zugestoßen ist. Keine Spuren eines Kampfes. Sie hat alle ihre Sachen bei Millie gelassen. Es war, als hätte sie nur ihre Handtasche genommen und wäre losmarschiert.«

Miss King nahm noch einen Schluck Tee und wischte sich behutsam die Lippen mit der Serviette ab.

»Wie alt war sie damals?«, wollte ich wissen.

»Achtzehn oder zwanzig, ein ganz junges Ding. Es hieß, sie würde sich mit einem Mann von der anderen Seite des Flusses treffen. Einem verheirateten Mann.«

Millie tat mir schrecklich leid.

»Janice war eine ganz Wilde. Nicht dass sie bösartig oder eine Unruhestifterin gewesen wäre, aber sie war sehr temperamentvoll. Ich wäre nicht überrascht, wenn sie dieses Temperament irgendwo noch immer auslebte.«

»Würde sie ihre Familie dann nicht wenigstens anrufen?«, fragte ich.

Miss King erwiderte mit einem Lächeln, das so traurig war, dass es schmerzte: »Das habe ich auch nie getan. Ich bin vor siebenundsechzig Jahren mit einem Mann hierher gekommen, den ich gegen den Wunsch meiner Familie heiraten wollte. Wir sind nie gemeinsam vor den Altar getreten, und ich habe kein einziges Mal in Hammond angerufen und irgendjemandem erzählt, wohin ich gezogen bin, nicht einmal, nachdem er mich verlassen hatte. Indem ich die Bindungen zu meiner Familie und meinem Heimatort löste, habe ich sie für immer durchtrennt. Manchmal muss man einfach davongehen, ohne je wieder zurückzublicken.«

21

Ich fuhr nach Dahlia House zurück und warf mich dort aufs Sofa. Was für ein fürchterlicher Tag! Meine Beine und mein Unterleib waren vor Völlerei und zu enger Hose taub geworden. Also öffnete ich den Reißverschluss der Jeans und zog mir ein weiches Kissen über den Kopf.

»Wenn du dich da versteckst, nutzt dir das auch nichts. Gar nichts hast du davon.«

Ich schob das Kissen beiseite und sah zu Jitty hoch. Sie war auf der Armlehne des Sofas erschienen. Ihr Afro war verschwunden und einem sorgfältig zum Pagenkopf geglätteten Haar gewichen. Sie hatte schweren silbernen Lidschatten und burgunderroten Lippenstift aufgelegt und trug ein Trägerkleid aus einem silber-metallischen Material.

»Du siehst aus wie eine durchgeknallte Astronautin, die eine neue Karriere als Hintergrundsängerin anstrebt«, verriet ich ihr.

»Dadurch, dass du mich hässlich behandelst, verschwinden deine Sorgen auch nicht.« Sie grinste, und ich bemerkte, dass sogar der Lippenstift winzige Glitzerflitter enthielt. Woher hatte sie das Zeug nur? Irgendwo musste es einen himmlischen Ramschladen geben, der unheilige Kosmetika vertrieb.

»Ich gehe heute Abend auf eine Party. Eine Diskonacht.« Sie klang entzückt.

»Also bist du hergekommen, um mir unter die Nase zu reiben, dass selbst ein Gespenst noch mehr erlebt als ich.«

Sie lachte. »Du bekommst heute Abend schon noch Gesellschaft.«

»Und wer soll das bitte schön sein? Disco Duck?« Ich setzte mich auf. »Viel Spaß wünsche ich dir.«

Sie erhob sich, ging zum Sessel und ließ sich vorsichtig auf einem Polster aus ihrer metallischen Umhüllung nieder. Ich musste zugeben, dass sie in dem Kostüm absolut großartig aussah. Die Reflexionen betonten jede einzelne ihrer Bewegungen.

»Erinnerst du dich noch an die Zeit, als du ein kleines Mädchen warst und dein Daddy Richter?«

Sehr deutlich sogar. Manchmal erschienen mir jene Tage wirklicher als das Leben, das ich gerade führte. Ich nickte.

»Hamilton der Vierte hat deinen Daddy ein paar Mal besucht. Sie waren beide keine Jäger. Sie hatten unter anderem die Liebe zur Musik gemeinsam, das weiß ich noch.«

Bei ihren Worten trat mir das Bild eines hoch gewachsenen, gut aussehenden Mannes vor Augen, der zu Besuch kam und Klavier spielte, während meine Mutter und mein Vater dabeisaßen und Wein tranken. Meine Eltern hielten viel von ›stillen‹ Abenden, an denen sie mich mit meinem Abendessen auf mein Zimmer schickten. Das war keine Bestrafung, sondern nur eine Weise, auf die sie ihren Abend unter Erwachsenen erhielten und ich gleichzeitig lernte, mit mir selbst zurechtzukommen. Erst als ich selbst erwachsen war, wurde mir klar, dass sie an diesen Abenden offen über

Angelegenheiten sprechen wollten, die mir nicht zu Ohren kommen sollten.

Ich wollte Jitty über diese Besuche ausfragen, doch als ich aufblickte, war sie verschwunden.

»Jitty?«, fragte ich leise.

Ich hörte noch das ferne Klimpern ihrer Armreifen, aber ich war allein im Haus. Vielleicht war es schon Abend in Gespenstingen, und Jitty musste auf ihre Party.

Ich dachte an Hamilton den Vierten und seine Musik, an die lebhaften Klavierklänge, welche die Treppe hinauf zu meinem Zimmer geschwebt waren. In der Zeit, an die ich dachte, war es warm gewesen, und im ganzen Haus hatten Fenster und Türen offen gestanden. Ich erinnerte mich an das Lachen, dann war meine Mutter hinaufgekommen, um nach mir zu sehen, und mein Vater und Mr. Garrett hatten miteinander geredet. Das war in dem Sommer gewesen, in dem ich dreizehn war, dem Jahr, in dem meine Eltern starben, dem Jahr, in dem Guy Garrett ermordet wurde.

Hatten seine Besuche einen ernsteren Hintergrund besessen als seine Liebe zur Musik? Mein Vater hatte als Richter den Bezirk bereist, und viele Bürger hatten ihn um Rat oder um Hilfe gebeten.

Wie ängstliche Fischlein schossen mir diese kleinen Gedanken durch den Kopf. Ich hielt nun sehr viele lose Enden in der Hand, die zu nichts führten, und die Ideen, wie ich die Wahrheit herausfinden sollte, waren mir ausgegangen. Ich beschloss, ein kleines Verdauungsschläfchen zu halten.

Als die Strahlen der tiefstehenden Spätnachmittagssonne durch die Fenster in den Salon fielen, erwachte ich wieder. Zuerst war ich ein wenig verwirrt, im Erdgeschoss in der

Kälte aufzuwachen. Ich erhob mich vom Sofa und holte die Post herein. Ohne großes Interesse durchblätterte ich die Rechnungen und Kataloge. Im Kopf war ich benommen, im Herzen betrübt. Und ich war unruhig. Das Licht kurz vor Sonnenuntergang an einem klaren Wintertag geht schwanger mit Bitterkeit. ›Die Stunde der Wehmut‹, so nannte meine Mutter es immer, wenn die Melancholie sich unbemerkt in den Raum schleicht und alles mit einer dünnen Schicht aus Schmerz überzieht.

Dann entdeckte ich den schweren, quadratischen Umschlag und drehte ihn um. Auf der Vorderseite standen mein Name und meine Adresse in kunstvoll ausgeführter Schönschrift. Augenblicklich erkannte ich das Kuvert als Einladung und riss es mit einer gewissen Erleichterung auf – ein Gegengift auf meine schwermütige Sehnsucht.

Im Brief standen die letzten Einzelheiten der Einladung zu Kincaids Wohltätigkeitsveranstaltung. Unmissverständlich wurde dargelegt, dass die Party dieses Jahr unter einem Leitmotiv stehen würde, und zwar unter ›Country‹. *Verkleidung erforderlich.*

Das sah Kincaid ähnlich, in allerletzter Minute noch Kostümierung zu verlangen. Ihre eigene Verkleidung hatte sie wahrscheinlich monatelang vorbereitet und diese kleine Überraschung so lange es ging für sich behalten, um ihre Gäste ausnahmslos in den Wahnsinn zu treiben. Vielleicht hätte ich doch lieber nicht zu ihren Gunsten eingreifen und Isaac nicht zwingen sollen, den Scheck zu holen.

Doch während ich noch vor Wut qualmte über die in letzter Sekunde von Kincaid diktierten Regeln, erinnerte ich mich an eine Party, die meine Eltern vor langer, langer Zeit einmal besucht hatten. Sie waren als Porter Wagner und

Dolly Parton gegangen, zu Anfang der siebziger Jahre die regierenden Könige der Country-Musik. Möglicherweise konnte ich bei Kincaid doch noch auf meine Kosten kommen. Vage trat mir Kleidung mit sehr viel falschen Diamanten und Fransen vor Augen.

Der Dachboden ist einer der Teile des Hauses, die ich nur selten besuche. Jitty hingegen scheint es dort sehr zu gefallen; sie liebt es, die Stapel alter Zeitschriften und die Kleidertruhen voll mit Krinolinen und Turnüren, Fischbeinkorsetts und echten Seidenstrümpfen zu durchforsten. Die Delaney-Frauen hatten es schon immer verstanden, sich zu kleiden. Ich hetzte die drei Treppen hinauf und drückte die Türe auf, die zu dem gewaltigen Dachboden führte.

Als ich in den von Zwielicht erhellten Raum trat, überlegte ich kurz, ob ich nicht lieber bis morgen früh warten sollte, bevor ich mich durch die Truhen und Kleiderschränke wühlte, doch die Zeit drängte. Das Kostüm musste bis morgen um elf Uhr gereinigt und womöglich sogar geändert werden. Besser, es jetzt aufzustöbern und die Show ins Rollen zu bringen.

Der Dachboden hatte elektrisches Licht, doch selbst nachdem ich es eingeschaltet hatte, wirkte der weitläufige Raum gespenstisch. Die nackten Glühbirnen an der Decke warfen eigenartige Schatten, und als ich einen Blick aus dem Westfenster warf, sah ich das letzte warme Rosa der Sonne verdämmern. Es war schon kalt, und nun, da die Sonne untergegangen war, würde es noch viel kälter werden.

Ich entschied mich für eine Ecke, in der ich meine Suche beginnen wollte, und öffnete Truhen, in denen ich Kleidung beiseite schob, der alte und doch feminine Gerüche anhafteten. Das Kostüm, das ich suchte, hatte ich als weiß, sexy, mit glitzernden falschen Diamanten und an den Armen dicht mit Pailletten besetzt in Erinnerung. Außerdem hatte eine blonde Perücke dazugehört.

In der fünften Truhe fand ich die Verkleidung. Als ich sie aus dem Seidenpapier zog, nahm ich den Duft von White Shoulders wahr, und einen kurzen Augenblick lang glaubte ich, meine Mutter sei von hinten an mich herangetreten. Ich hielt mir das schwere Kostüm vors Gesicht und inhalierte tief.

Die Perücke lag unter dem Dress, außerdem ein paar spitze weiße Stiefel aus gepunztem Leder mit eingelegten Rheinkieseln. Wirklich heiß! Ich raffte meine Beute zusammen und jagte ins Schlafzimmer zur Anprobe.

Unter dem Schatten des Vergangenen zu leben und sich nicht mit den Vorfahren zu vergleichen ist sehr schwierig, und als ich nun in das hautenge Kostüm stieg, das für meine Mutter maßgeschneidert worden war, erkannte ich, dass die Zeit mir eine Figur verliehen hatte, die der ihren sehr ähnelte. Ich setzte die Perücke auf und stellte das, was ich im Spiegel sah, meiner Erinnerung von früher gegenüber.

Fast, wenn auch nicht ganz, war es Elizabeth Marie Booth Delaney, die mich aus dem Spiegel zaghaft anlächelte. Meine Augen waren die einer Delaney, meine Lippen ebenfalls, die Form meines Gesichtes aber war typisch Booth. Ich war so groß wie meine Mutter, und mein kastanienbraunes Haar konnte von jedem meiner beiden Eltern stammen. Als meine Mutter diese Verkleidung getragen hatte, war sie ungefähr gleich alt gewesen wie ich, aber verheiratet und Mutter einer Tochter. Ich fragte mich, ob sie mich in diesem Moment beobachtete, und mir graute vor dem Gedanken, auf immer allein zu bleiben.

Ich legte den Kopf leicht schräg und lauschte auf Jitty. Ich stellte fest, dass mir ihre Gesellschaft fehlte. Sie wäre in der Lage gewesen, mir den Blick auf die Vergangenheit zu schärfen.

Draußen war es stockfinster geworden, und obwohl ich es zuerst nicht für möglich hielt, knurrte mein Magen nach einem Abendessen. Ich warf einen letzten Blick in den Spiegel. Das Kostüm hatte den Reißverschluss auf dem Rücken, und ich griff nach hinten, um den Schieber zu ertasten, fand ihn, zog ihn langsam hinunter und betrachtete dabei, wie das Licht sich in den angeklebten Schmucksteinen brach und glitzerte, während der Stoff sich teilte. Das Kostüm war großartig, tief ausgeschnitten und sexy.

Als das Kleid mir über die Arme fiel, spürte ich zwischen den Schulterblättern ein Prickeln. Ich spähte tiefer in den Spiegel und stellte fest, dass ich in die grünen Augen von Hamilton Garrett dem Fünften blickte. Er lehnte am Türrahmen des Schlafzimmers und beobachtete mich beim Ausziehen.

Ich erstarrte nicht etwa. Diese Phrase kann nicht annähernd die atemlose Sekunde beschreiben, die sich zu einer Ewigkeit zu dehnen schien und in der ich seinen durchdringenden Blick in mich aufnahm, seinen sinnlichen Mund, der unschlüssig zwischen Verlangen und Herausforderung schwankte, das dunkle Haar, das ihm offen auf den Kragen fiel. In dieser lang gezogenen Sekunde war ich mir der Breite seiner Schultern und der unbekümmerten Gewandtheit seiner Haltung mit den lässig herabhängenden Armen voll bewusst. Ich wollte herumwirbeln und ihm gegenübertreten, aber ich vermochte mich ehrlich nicht zu rühren.

Erst als der Dress noch weiter hinabrutschte, erlangte ich die Gewalt über meine Glieder zurück. Da der Reißverschluss geöffnet war, glitt das Oberteil über meine bloßen Brüste hinab. Ich fing den Stoff auf und hielt ihn mir vor, dann erst fuhr ich zu ihm herum.

»Was haben Sie hier zu suchen?« Eine holprige Frage und meinen üblichen Fähigkeiten überhaupt nicht angemessen, aber ich war nervös. Deshalb versuchte ich durch dramatische Betonung wettzumachen, was meine Eröffnung an Originalität entbehrte.

»Sind Sie nicht etwas zu alt, um noch Verkleiden zu spielen?« Er trat ins Schlafzimmer. »Andererseits begreife ich den Reiz des Spiels durchaus.« Selbst seine Stimme war dunkel. Mir kam es vor, als würde mir jemand mit einem schwarzen Eiszapfen langsam den Rücken hinunterfahren und auf köstliche Weise jeden einzelnen Nerv in meiner Wirbelsäule erschauern lassen.

»Raus«, befahl ich ruhig – nun ja, so ruhig, wie man als halb bekleidete Dolly Parton eben sein kann.

»Ich hätte Sie nie für eine Frau gehalten, die sich vor dem Spiegel ankleidet. Mir gefällt das.«

»Wenn Sie nicht gehen, werde ich den Sheriff rufen«, drohte ich ihm.

»Coleman Peters ist in Jackson, aber gewiss wird Deputy Walters herbeigesprungen kommen. Wo wir schon dabei sind, ich bin hergekommen, um mit Ihnen über ihn zu reden.« Er ging an mein Bett und setzte sich auf die Chaiselongue, die daneben stand. »Lassen Sie sich Zeit mit dem Anziehen«, sagte er.

Ich nahm meine Jeans und eine Bluse auf, dann stapfte ich ins Badezimmer. Die Tür schlug ich so laut hinter mir zu, wie es ging, um nur keinen falschen Eindruck zu erwecken. Der Kerl war in mein Haus eingedrungen und hatte mich in meinem eigenen Schlafzimmer gestört, vorher aber noch eine freie Peepshow erhalten, ohne sich die Mühe zu machen, seine Anwesenheit bekannt zu geben. Warum also überschlug sich mein Herz vor Hochgefühl? Vielleicht sollte ich mir einen Augenblick Zeit nehmen und noch einmal meine alten Psychologiebücher überfliegen. Ganz gewiss würde ich mich selbst finden können unter ›törichte Frauen, die einen Kitzel in der Bekanntschaft mit gefährlichen Männern suchen‹.

Ich bürstete mir das Haar, trug wenig Lippenstift auf und gab etwas Rouge auf meine blassen Wangen. Dann zog ich mir geziemendere Kleidung über und ging hinaus, um mich der Bestie zu stellen.

Er saß auf der Chaiselongue, und meine Unterwäsche lag kaum ein paar Zoll von seinem Kopf entfernt über der Lehne. Der Anblick machte mich beinahe schwindeln. Jitty hatte mich immer davor gewarnt, meine Schlüpfer im ganzen Raum herumliegen zu lassen: Eine Frau, die ihr ›Unaussprechliches‹ nicht sofort auflese, verdiene alles, was ihr widerfahre. Mit derlei Ermahnungen konnte sie ganze Tage füllen.

Hamilton richtete sich auf und klopfte auf die Bettkante. »Setzen Sie sich«, sagte er, als wären wir in seinem Haus und nicht in meinem.

»Ich hätte nicht gedacht, dass Sie sich dazu herablassen, mit einer Parasitin wie mir zu sprechen.« Was für eine erbärmliche Retourkutsche.

»Sie verfolgen einen Zweck, und dieser Zweck besteht weder im Verfassen eines Buches noch eines Zeitungsartikels«, stellte er fest, befriedigt, so viel herausgefunden zu haben.

»Vielleicht bin ich einfach nur neugierig«, entgegnete ich hitzig, »vielleicht bin ich von Ihren Angelegenheiten fasziniert, weil ich keine eigenen habe.«

»Sie können es sich finanziell überhaupt nicht leisten, Ihrer Neugierde freien Lauf zu lassen. Das ist das Vorrecht der Menschen, die schon alles haben, oder derer, die überhaupt nichts haben wollen. Sie aber streben ein Ziel an.«

Ich wünschte, ich könnte behaupten, mich völlig auf seine Vorwürfe konzentriert zu haben; dass ich ärgerlich geworden sei über sein Eindringen in mein Haus oder dass sein barscher Ton mich die potenzielle Gefahr erkennen ließ, in der ich schwebte. Zwar bildeten diese Emotionen die Melodie, nach der getanzt wurde, und doch ging noch etwas anderes vor; meine ungestüme, aufgeregte, gefährliche Körperchemie versetzte mir einen Tiefschlag. Hamilton war keinen Meter von mir entfernt. Mit ausgestrecktem Arm hätte ich ihn berühren und mit meiner Hand über sein gerades, energisches Kinn streichen können. Ich war Privatdetektivin, aber ich war auch eine Frau. Unglücklicherweise eine Frau mit einer Gebärmutter, die ihr Befehle erteilte.

»Wie ich höre, haben Sie meine Schwester aufgesucht.« In dieser Feststellung lag sowohl eine Frage als auch das Verlangen nach Aufklärung; so benahm sich ein gestrenger Dienstherr, der sein Personal für einen Verstoß gegen seine Regeln in die Mangel nahm.

»Und wenn schon?«, warf ich die Herausforderung auf ihn zurück. Die zierliche Glasflasche, die Sylvia mir für ihn mitgegeben hatte, stand außer Sicht unten im Salon auf dem Sideboard.

Obwohl Hamilton sich entspannt gab, stand ihm sein innerer Aufruhr deutlich ins Gesicht geschrieben. »Meiner Schwester geht es nicht gut. Man kann sich auf nichts verlassen, was sie sagt. Sie sollten ihr auf keinen Fall vertrauen. Sylvia könnte Sie in Schwierigkeiten bringen.«

»Sie ist sehr zornig. Ich glaube, ihr Zorn richtet sich gegen Sie.« Ich hielt den Atem an und fragte mich, ob er wohl vermuten würde, dass seine Schwester versucht hatte, ihm die Schuld zuzuschieben.

Auf diesen Köder biss Hamilton nicht an. »Sylvia ist stets … anders gewesen. Sie besaß schon immer einen sehr starken Willen.« Hamilton blickte mich an, als könnte ich eine Antwort haben, nach der er suchte. »Selbst als Kind traf sie ihre eigenen Entscheidungen und ließ sich darin niemals beirren. Mein Vater glaubte, in ihr gehe die Sonne auf und versinke dort auch wieder. Dadurch wurde eine ohnedies unangenehme Situation noch schlimmer.«

Auf die plötzliche Weichheit seines Tonfalls war ich nicht vorbereitet. »Was hatte sie auf Delo Wileys Maisfeld zu suchen?«

Ich bemerkte eine winzige Bewegung seiner Fußspitze im Schuh. Hamilton zog die Zehen abwechselnd an und lockerte sie, eine unbewusste Geste. Ich beobachtete, wie das polierte Leder sich leicht straffte und wieder entspannte.

»Sie glaubt, dass dort Geld vergraben ist.« Er beugte sich vor, als wolle er mich berühren. »Sarah Booth, was immer sie Ihnen gesagt hat, glauben Sie ihr nicht.«

»Sie sagte, das Gewehr, mit dem Delo Wiley erschossen wurde, gehöre ihr. Ich frage mich, wer sonst noch Zugang zu dieser Waffe gehabt haben könnte.«

»Hol sie der Teufel!«, rief er aus und krauste die Stirn.

Dann riss er sich zusammen und straffte die Schultern. »Sagen Sie mir die Wahrheit: Haben Sie ihr geholfen, aus Glen Oaks zu fliehen?«

Mir wurde klar, dass ich keinen Gedanken auf die Frage verschwendet hatte, wie Sylvia eigentlich von Friars Point nach Zinnia gekommen war. In einem Nachthemd. Ein Auto besaß sie nicht. »Nein. Das bin ich nicht gewesen.«

Hamilton sah mich forschend an. »Hat sie Ihnen etwas von Mutter erzählt?«

Ich war keine Verdächtige und Hamilton nicht Jack Webb. Ich entschied mich für eine Gegenfrage. »Warum haben Sie Ihre Schwester ins Sanatorium gesteckt, Hamilton? Offiziell ist niemals Anklage gegen sie erhoben worden. Sie hätte die Anstalt jederzeit verlassen können – wenn jemand bereit gewesen wäre, sie aufzunehmen. Offensichtlich hätten Sie es sich doch leisten können, für sie zu sorgen.«

Ein Schlag ins Gesicht hätte ihn nicht stärker aufrühren können. Er wurde bleich und lief sodann rot an. »Anscheinend haben Sie es sich zu Ihrer Berufung erkoren, in der Vergangenheit meiner Familie zu stochern. Das Problem ist nur, dass Sie nichts außer Halbwahrheiten zutage fördern. Ganz gewiss glauben Sie, dass irgendwo dabei Geld für Sie drin ist, aber dieses Geld wird nicht aus meiner Tasche stammen. Ganz egal, was Sie glauben, wieder ausgraben zu können.«

Seine Kavaliersallüren, was meine Reputation anging, begannen mich allmählich zu langweilen. Und ich war auch der widersprüchlichen Impulse müde, die ich empfand. Hamilton Garrett saß so nahe vor mir, dass ich ihn berühren konnte, und obwohl er mir eine Beleidigung nach der anderen an den Kopf warf, fielen mir seine dunklen Bartstoppeln und die Erschöpfung in seinen Augenwinkeln auf. Obwohl ich ihn begehrte, durfte ich nicht vergessen, dass er nur zu dem einen Zweck hierher gekommen war, mich aller möglichen anrüchigen Motive und Taten anzuklagen. Jetzt hatte ich genug.

»Sie halten mich also für eine Erpresserin, und ich glaube, Sie sind ein –« Mir blieb das Wort im Halse stecken.

»Sagen Sie es«, verlangte er heiser. Er setzte sich noch gerader hin und durchbohrte mich mit seinem kühlen grünen starrenden Augen. »Seien Sie die Eine in dieser ganzen Stadt, die es mir wenigstens ins Gesicht sagt.«

Wieder beugte er sich vor, und nun trennten uns nur noch wenige Zoll. Mir ging auf, wie dumm es von mir war, diesen Mann in meinem Schlafzimmer, ja irgendwo im Haus zu dulden. Niemand wusste, dass er hier war. Wenn er mich umbrachte und Tinkie nicht erschien, um etwas Neues zu erfahren, konnte meine Leiche hier tagelang herumliegen und unbemerkt verwesen. Und was würde dann aus Jitty werden? Ich hätte es vorgezogen, niemals herauszufinden, ob sie mich wirklich bis in alle Ewigkeit verfolgen konnte.

Doch als ich ihm in die Augen blickte und den Rhythmus seines Atmens auffing, spielte nichts davon noch eine Rolle. Jedenfalls keine so große, wie es angemessen gewesen wäre.

»Sagen Sie es, Sarah Booth«, verlangte er. Diesmal sprach er mit einer Heftigkeit, die mich von Kopf bis Fuß erröten ließ.

»Das kann ich nicht«, gestand ich.

»Jeder einzelne Mensch in dieser Stadt scheint zu glauben, dass ich meine Mutter ermordet habe. Ein besseres Tratschthema gibt es wohl nicht, die ideale Geschichte, um sie über einem Glas Wein oder einem Mittagessen mit Freunden immer wieder durchzukauen. Wenn ich hier in Zinnia ein Restaurant betrete, verstummen die Gespräche. Wenn ich mich umdrehe, um den Raum zu verlassen, höre ich die Leute flüstern. Und ich weiß, was sie reden, aber wenn Sie tatsächlich diejenige sind, die dafür sorgt, dass all das auch noch gedruckt erscheint, dann seien Sie wenigstens so ehrlich, offen auszusprechen, was alle anderen nur hinter vorgehaltener Hand tuscheln.« Er griff über die kurze Entfernung nach mir und packte fest meine Hand. »Sagen Sie es!«

Ich biss die Zähne zusammen. »Wenn Sie es für nötig hielten, sich zu verteidigen, würden die Leute vielleicht zu reden aufhören. Oder steht es unter Ihrer Würde, eine Erklärung abzugeben? Sie sind außer Landes gegangen und haben Ihre Schwester in einer Nervenheilanstalt zurückgelassen.« Ich versuchte, ihm meine Hand zu entwinden, doch er drückte noch fester zu.

»Man verlangt *Beweise*, dass ich meine Mutter nicht getötet habe. Und mit Beweisen kann ich nicht aufwarten. Deshalb habe ich es schon vor langer Zeit aufgegeben, mich um das Gerede der Leute zu scheren.« Seine Stimme wurde weicher, und auf meinem Handrücken beschrieb er mit dem Daumen langsam einen Kreis. »Aber was Sie denken, das kümmert mich schon. In diesem Augenblick ist es mir sogar sehr wichtig. Wie kann ich Sie von meiner Unschuld überzeugen, Sarah Booth?«

Er hob die andere Hand und umschloss damit die meine. »Sagen Sie mir, was nötig ist, damit Sie glauben, dass ich unschuldig bin.« Er seufzte. »Oder sagen Sie mir, dass Sie mich für einen Mörder halten. Sagen Sie es, und ich gehe auf der Stelle.«

Mein Gehirn war wie tot. Nur mein Herz meldete sich noch zu Wort, und hinter meinem Bauchnabel erklang ein merkwürdiges Gemurmel, das an gregorianische Gesänge erinnerte. »Das kann ich nicht sagen«, erklärte ich schließlich.

»Wieso nicht?« Sein Blick gab mich nicht frei und forderte eine Antwort.

»Weil es keine Beweise gibt.« Ich hätte lügen und sagen können, dass ich ihn eines Mordes nicht für fähig hielt, aber ich hatte bereits gelernt, dass jedermann zu so gut wie allem fähig ist.

»Würden Sie mir denn glauben, wenn ich Ihnen versicherte, nichts mit dem Tod meiner Mutter zu tun zu haben?«

»Das weiß ich nicht. Ich kann genauso wenig behaupten, dass Sie schuldig sind. Auch dafür gibt es keinen Beweis. Das ist ja gerade das Problem.«

Ich war erstaunt, dass er lächelte. »Wer hat Ihnen nur beigebracht, die Wahrheit zu sagen?«, fragte er. »Sie scheinen sich der deltaüblichen Ausbildung Ihrer Standesgenossinnen erfolgreich entzogen zu haben.«

»Meine Mutter war Sozialistin«, entgegnete ich und wurde von Hamilton mit einem Lachen belohnt.

»Es heißt ja immer, die Delaneys wären etwas Besonderes.« Er schien mein Gesicht genau zu mustern. »Warum haben Sie meine Schwester aufgesucht?«

»Ich muss die Wahrheit über das Vergangene herausfinden.«

»Warum? Warum können Sie es nicht ruhen lassen? Was kann es Ihnen denn bedeuten?«

Die Verzweiflung schlich sich wieder in seine Stimme

zurück, doch umschloss er weiterhin sanft meine Hand, und seine kräftigen Finger begannen, die zarte Stelle zwischen Daumen und Fingern leicht zu kneten. Sie wanderten zum Daumenballen, und die Berührung wurde zunehmend erotischer. Mein Daumen zuckte in Erinnerung an Harold einmal schwach, was ich sofort unterdrückte.

Ich konnte Hamilton unmöglich von Tinkie berichten. Sie war meine Klientin, und ich musste sie schützen. Ich umschloss seine massierende Hand mit meiner freien und drehte sie langsam um. Dann beugte ich mich vor, um die Handfläche zu untersuchen. Tammy hatte gesagt, sie trüge das Mal der Gefahr. Hamilton ließ die Hand offen, mit leicht eingekrümmten Fingern, ganz wie ein vertrauensvolles Kind. Ich fuhr mit den Fingerspitzen über die Handfläche und war erstaunt, als ich bemerkte, dass sie leicht bebte. In dem Augenblick erfuhr ich, dass die Ohnmacht keinesfalls etwas war, das Margaret Mitchell für ihre schwächlichen Südstaatlerinnen erfunden hatte: Dass ich über die Macht verfügte, Hamilton zum Zittern zu bringen, hätte mich fast das Bewusstsein gekostet.

Ich konzentrierte mich auf seine Handfläche. Sein Daumenballen war voll ausgebildet, und in der Mitte seiner Hand schuf ein ungewöhnliches Linienmuster ein M. Die Tragödie, von der Tammy gesprochen hatte, vermochte ich nicht zu erkennen, aber ich spürte Hamiltons Anspannung und seine Qual. »Ich wünschte, ich könnte die Zukunft lesen«, sagte ich.

»Ich wünschte, ich könnte die Vergangenheit ändern«, entgegnete er.

Ich nehme an, was als Nächstes geschah, war unausweichlich. Seine Hand umwanderte meinen Kopf und zog mich an sich. Meine Arme fuhren zu seinen Schultern hoch und umschlangen seinen Hals. Gemeinsam erhoben wir uns und traten aufeinander zu, um uns zu umarmen.

Gleich beim ersten Kuss war ich verloren. Hamilton kannte keine Zurückhaltung. Der Kuss war verzehrend und lebendig vor Lust und Verlangen und offenbarte den tiefen, reißenden Fluss der Leidenschaft, den man nicht durchwaten kann. Wir stürzten uns in diesen Genuss und tauchten bis auf den Grund.

Seide lässt sich nicht leicht zerreißen, doch meine Bluse teilte sich und fiel herunter. Um Knöpfe zu öffnen, hatten wir keine Zeit, zum Reden auch nicht. Er drückte mich aufs Bett, und als er sich über mich beugte, erinnerte ich mich daran, wie Jitty von Hamilton als dem ›dunklen Herrn‹ gesprochen hatte. Da hatte sie richtiger gelegen, als sie wissen konnte. In dem geheimen Innersten meines Selbst, das ich stets behütet hatte, spürte ich, wie ich ihm in einer Weise nachgab, vor der ich mich mein ganzes Leben lang gefürchtet hatte.

Noch als ich sein schweres, dichtes Haar in beide Hände nahm und sein Gesicht zu mir herabzog, erkannte ich, in welch großer Gefahr ich schwebte. Und es war mir völlig egal.

22

Ich wünschte, ich könnte nun berichten, meine Geistestrübung sei nur vorübergehender Natur gewesen, doch leider war es anders. Während ich in den Laken verheddert und mit Hamiltons Kopf an der Brust auf dem Bett lag, dachte ich über meine schlechten Entscheidungen in der Vergangenheit nach. Ich führte sie mir alle einzeln vor Augen und sagte ihnen sodann Adieu. Ich vergab mir, oft töricht, naiv und bedürftig gewesen zu sein, manchmal aber auch großzügig und stark. Obwohl mir nie klar gewesen war, wonach ich suchte, wusste ich nun, dass ich es gefunden hatte.

Nicht dass ich eine Zukunft für Hamilton und mich plante – keineswegs fantasierte ich von Heirat und gemeinsamem Altern –, aber zum ersten Mal in meinem Leben war ich bereit, in Betracht zu ziehen, dass mit einem bestimmten Mann eine Zukunft möglich sein könnte. Ja, die Hormone, die gegenseitige Anziehung und mein Alter spielten auch eine Rolle. Vielleicht waren die Bastionen bereits von Harold zermürbt worden, und Jitty hatte mich ebenfalls unablässig bedrängt, über das Familiengründen und Kinderkriegen nachzudenken. Es war ein wenig von alledem und doch noch so viel mehr. Hamilton Garrett der Fünfte hatte mich dort berührt, wohin noch nie jemand vorgestoßen war. Mein Herz – und meine Gebärmutter – erkannten ihn als ›den Einen‹.

Meinem Verstand räumte ich keinerlei Stimmrecht ein. Jetzt nicht.

Hamilton atmete tief durch und rührte sich. Er änderte seine Position, sodass mir sein warmer Atem über die Brustwarze strich. Neben meinen anderen Lastern war ich wohl auch noch gierig. Zart strich ich ihm mit den Fingerspitzen über die empfindsame Haut an der Taille und der Hüfte und spürte, zur Belohnung, wie mir seine Wimpern über die Brust kitzelten, als er die Augen aufschlug.

Seine Lippen begannen mit der Aufgabe, für die sie geschaffen waren, und drückten mir Küsse auf den Leib, während er neckend Zentimeter für Zentimeter abwärts wanderte. O ja, ich war gierig und ergab mich meinem Verlangen.

Als ich aus dem Fenster blickte, erstaunte es mich, dass die Sonne schon aufging. Wie flüchtige Augenblicke waren die Nachtstunden verstrichen, und ich fragte mich, ob das Morgenlicht die Fantasie beenden würde.

Im Hellen, wo ich ihn sehen konnte, war Hamilton ebenso ungehemmt wie im Dunkeln. Nur das Bedürfnis, etwas zu essen, ließ uns schließlich wieder unsere Umgebung wahrnehmen.

»Ich mache uns Eier und Toast«, bot ich an. Noch immer konnte ich es nicht glauben, dass er wirklich dort am kirschhölzernen Kopfende des Bettes lehnte. Plötzlich kam mir zu Bewusstsein, dass ich es zwar schon zwischen den Baumwollpflanzen und im weichen Gras am Fluss getrieben hatte, auf dem Heuboden der Scheune, in der Sattelkammer und im Kühlhaus über dem Brunnen, in den alten Sklavenbehausungen, die nun als Vorratslager dienten, und auf der Verandaschaukel, aber noch nie hatte ich jemanden unter dem Dach von Dahlia House geliebt. In gewisser Weise erschien es mir passend, dass Hamilton hier der Erste sein sollte.

»Ich muss nach Hause«, sagte er und schwang die Beine aus dem Bett. Und was für Beine das waren. Stark, muskulös, männlich dunkel behaart. Spontan beschloss ich, dass Essen gar nicht so wichtig sei.

Ich stellte mich neben ihn und genoss es noch einmal, wie mein Kopf sich unter sein Kinn schmiegte. »So eine schlechte Köchin bin ich nun auch nicht«, beklagte ich mich, denn ich wollte nicht, dass er schon ging. Sobald er sich angezogen hätte und durch die Tür verschwunden wäre, stände ich mit den Folgen meines Tuns allein da. Diesen Aspekt einer neu begonnenen Liebschaft hasste ich am meisten. Es gab noch weitere unerhörte Stadien, dieses aber war immer das schlimmste. Ich musste einen Anfall von Übelkeit erdulden, als mein Verstand kategorisch verlangte, in dieser Angelegenheit endlich gehört zu werden.

Sobald Hamilton fort war, würden die bangen Fragen, die ›Was-wenn‹ wieder auftauchen, und sämtliche bangen Fragen hatten einen Großvater, dem ich mich nicht stellen wollte: *Was, wenn der Mann, mit dem ich gerade geschlafen habe, seine Mutter umgebracht hat?*

Die gewöhnlichen Was-wenn – was, wenn er mich nicht mehr anruft; was, wenn er mir nur etwas vorgespielt hat; was, wenn er verheiratet ist – konnten dieser Großen Bangen Frage nicht das Wasser reichen.

Er drückte mich an seine Brust und blickte nachdenklich

zu mir herab. »Ich nehme eine Dusche, wenn dir das recht ist.«

»Dann mache ich Frühstück.« Ein ausgezeichneter Kompromiss.

Ich zog mir eine Jogginghose, Socken und mein altes Flanellhemd an, eilte in die Küche hinab und begann den Kühlschrank zu durchwühlen. Während des Frühstücks gedachte ich einige Fragen zu stellen, die ich schon gestern Abend hätte zur Sprache bringen sollen. Ich konnte meine Fragen beiläufig stellen, als morgendliches Plaudern, bei dem wir gemütlich Kaffee tranken und uns anlächelten. Ich hatte dem Mann gezeigt, dass ich ihm weit genug traute, um ihn in mein Bett zu lassen. Da war es doch nur vernünftig anzunehmen, dass er seinen empfindlichen Stolz endlich außer Acht ließ und ein paar Fragen beantwortete.

Als ich die Eier in eine Schüssel schlug, kam mir in den Sinn, dass er nie eindeutig behauptet hatte, seine Mutter *nicht* getötet zu haben. Er hatte mich nur gefragt, was ich glaubte. Eine Spitzfindigkeit, die einem Anwalt alle Ehre gemacht hätte. Aber sobald er auch nur ein paar Happen von meinem berühmten Omelett gekostet hätte, würde er mir alles verraten, was ich wissen wollte. Ich wusste sehr wohl, dass es an Wahnwitz grenzte, mich in meinen kulinarischen Künsten zu sonnen. Als Nächstes würde ich wohl Zehensandalen und Polyesterkleidung tragen. Trotzdem kam ich nicht dagegen an. Ich wollte den Mann satt machen, der so viel Energie darauf verwendet hatte, dass mein Unterleib nicht länger düstere gregorianische Gesänge brummte, sondern schmachtend ›*Wonderful Tonight*‹ jubilierte.

Außerdem wollte ich ihn nach dem Zeitschriftenausriss fragen, den ich auf Harolds Party in seinem Mantel gefunden hatte, und nach dem seltsamen Gespräch, das er mit dem Mann hinter der Hecke geführt hatte. Nur wollte ich ihn gar nicht wissen lassen, dass ich ihn dabei bespitzelt hatte. Ich setzte eine Kanne Kaffee auf und vergewisserte mich, dass der Orangensaft frisch war. Als ich die Herdplatte einschaltete, um Würstchen zu braten, glaubte ich, die Dusche laufen zu hören. Ich krümelte Parmesan auf die Eier.

Draußen war es hell und sonnig, ein wunderschöner Dezembertag. Ich erhaschte einen Blick auf die Stoßstange von Hamiltons Wagen. Der verschlagene Teufel hatte hinter der Scheune geparkt. Ich erwog, einen Zündkerzenstecker zu ziehen, um ihn ein wenig länger hier zu behalten. Aha, da meldeten sich wieder meine Gier und meine Unsicherheit. Vielleicht sollte ich lieber Weihnachtseinkäufe machen. Zum ersten Mal seit Jahren erfreute mich der Gedanke an die näher rückenden Feiertage. Als es an der Hintertür klopfte, hätte ich fast die Schüssel mit den Eiern fallen lassen.

»Sarah Booth!«, rief Tinkie. »Bist du schon auf?«

Ich erwog mich zu verstecken, doch da sah ich schon ihr Gesicht am Fenster, und sie erblickte mich. Sie hob Chablis und winkte mir mit ihrer Pfote zu. »Lass uns rein, hier draußen ist es kalt.«

Ich öffnete die Tür und bemerkte dabei, dass sie unverschlossen war. Hamiltons Weg ins Haus stellte also kein Rätsel mehr dar.

»Tinkie«, sagte ich und suchte eilig nach einer Ausflucht, mit der ich sie zum Aufbruch bewegen konnte, bevor sie Hamiltons Wagen sah.

»Kincaid hat beschlossen – in allerletzter Minute natürlich –, diesen Wohltätigkeitsempfang zu einem Kostümball umzufunktionieren«, sagte sie zornig. »Das sieht ihr wirklich ähnlich. Sticht alle mit einem schönen Kostüm aus, während wir Papiertüten mit Löchern tragen und versuchen, kreativ auszusehen.«

Ich musste lachen. Kincaids Party hatte ich völlig vergessen. Nicht vergessen hatte ich indes, dass Hamilton oben war, und ich wollte, dass Tinkie ging. »Zieh dir einen Overall an und binde dir ein Halstuch um«, schlug ich ihr vor.

»Das hältst du wohl für lustig. Weil dir alles egal ist. Der Kaffee riecht aber gut.« Sie öffnete den Schrank und nahm sich eine Tasse heraus. Im nächsten Moment saß sie am Küchentisch und beäugte die Schüssel mit den aufgeschlagenen Eiern. »Mein Gott, Sarah Booth, wie viele Eier willst du denn essen? Weißt du eigentlich, wie viel Gramm Fett das sind? Und dazu Käse?« Sie schnüffelte. »*Und* Würstchen? Na, gegen einen Bissen hätte ich nichts einzuwenden. Du hast genug hier für uns beide, wenn ich das mal so sagen darf.«

Verzweifelt suchte ich nach einer Möglichkeit, sie fortzuschicken. Wo blieb Jitty, wenn ich sie einmal brauchte, damit sie mit einer Kette rasselte oder stöhnte?

Tinkie setzte Chablis auf den Küchenboden ab. »Sie macht keine Schwierigkeiten«, versicherte sie mir. »Sie ist ausgebildet.«

Ausgebildet zu verwüsten, dachte ich. Ich hätte Tinkie etwas von einem gewissen Kissen und einem Paar hochhackiger Schuhe erzählen können. »Was hast du auf dem Herzen?« Ich goss das Fett von den Würstchen ab und schüttete die Eier darüber. Je eher Tinkie etwas zu essen bekam, desto schneller würde sie wieder abziehen.

»Ich habe deinen Bericht gelesen«, sagte sie.

»Es ist noch ein wenig früh, um Schlüsse zu ziehen«, wiegelte ich ab und hoffte, dass der Beweis für meine nächtlichen Begierden nicht die Treppe hinuntergeschlendert kam. Ich schlängelte mich zum Toaster und versuchte mich darin zu spiegeln und meine Ohrläppchen und meinen Hals nach Spuren der Leidenschaft abzusuchen. Als ich das verzerrte Spiegelbild von Tinkie erhaschte, die zusammengesackt am Tisch saß, dämmerte es mir, dass sie eventuell kurz davor stand, mich zu feuern.

Auf meinen besorgten Blick hin winkte sie ab. »Eine Frage lässt mich nicht los.«

Ich nahm auf einem Stuhl Platz. »Und was?«

»Warum ist Hamilton ausgerechnet jetzt nach Hause gekommen? Nach all der Zeit, meine ich? Jahrelang war er verschwunden, und nun sitzt er ganz allein in diesem großen Haus. Vielleicht solltest du den Fall auf sich beruhen lassen. Jetzt, wo Delo ermordet wurde und Sylvia Garrett eine ganze Nacht aus der Anstalt verschwunden ist, wäre es vielleicht besser, wenn wir die Finger von der Sache ließen.« Mit einer gezierten Bewegung ihrer manikürten Finger knüllte sie das Tischtuch zu winzigen Knötchen zusammen.

»Was stimmt wirklich nicht, Tinkie?« Ich nahm meinen Kaffeebecher.

»Ich habe nachgedacht. Vielleicht sollte Hamilton lieber eine Fantasie bleiben. Du weißt schon, der gefährliche Mann, in den ich mich verknallt habe … und dem ich unverletzt entkommen bin. Auf Harolds Party habe ich mit Hamilton gesprochen. Er sagte, Oscar sei ein guter Mann. Er gab mir das Gefühl, es sei okay, dass ich ihn geheiratet habe.« Sie biss sich auf die Lippe, aber diesmal war es keine dramatische Geste; sie wollte nicht weinen. »Vielleicht wäre es für alle Beteiligten besser, wenn du aufhören würdest, Fragen zu stellen.«

Mich erleichterte es sehr, dass Tinkies Interesse an Hamilton abgeflaut war. In einer bestimmten Weise erhielt ich dadurch Absolution für mein Verbrechen, ihn in mein Bett gelassen zu haben. Trotzdem hatte Tinkie noch nicht alles gesagt, was sie zu sagen hatte. »Ich kann doch nicht mittendrin einfach aufhören.«

Tinkie legte mir so unvermittelt die Hand auf den Arm, dass ich vor Schreck beinahe meinen Kaffee verschüttet hätte. »Du musst aufhören«, rief sie und starrte mich aus weit aufgerissenen Augen an; ihre Wimpern waren stachlig von ungeweinten Tränen. »Du musst augenblicklich damit aufhören, Sarah Booth.«

»Du brauchst mir den Rest der versprochenen Summe nicht zu bezahlen«, sagte ich, obwohl ich wusste, dass mich diese Prinzipienreiterei einen großen Preis kosten würde. Schließlich trat sie von dem Handel zurück, nicht ich. Eigentlich sollte sie alles bezahlen, was sie in Aussicht gestellt hatte.

»Es geht mir nicht ums Geld«, erwiderte sie. Ihre Nägel, nun nicht mehr in Red Passion, sondern Tangerine, bohrten sich in meinen Unterarm. »Es geht darum, dass du einigen hier zahlreiche Probleme bereitest.«

»Wem denn?«, fragte ich, plötzlich sehr interessiert.

»Das kann ich dir nicht sagen«, wies sie mich schniefend ab, und ich fürchtete, nun würde sie doch jeden Moment zu weinen beginnen. »Deine Eier brennen an«, sagte sie stattdessen.

Ich sprang auf und wendete das Omelett. Schon auf der

Grundschule konnte Tinkie störrisch sein wie ein Maultier. Wenn ich sie unter Druck setzte, würde ich niemals die Informationen erhalten, die ich ihr entlocken wollte.

»Okay, Tinkie, wenn du es so willst. Ich habe sowieso einen anderen Klienten.«

»Wen denn?«, fragte sie stirnrunzelnd.

»Das kann ich dir nicht sagen. Aber soweit es dich betrifft, lege ich den Fall nieder. Wenn mein anderer Fall sich zufälligerweise in die gleiche Richtung bewegt, dann werde ich auf Leute Acht geben, die ich verärgere.«

»Sarah Booth, du hältst das noch immer für ein Spiel. Hör doch, es ist kein Spiel!« Sie erhob sich. »Oscar sagte, es gab –« Sie verstummte.

»Die Eier sind fertig«, verkündete ich, um ihr weiszumachen, ich hätte ihren Schnitzer nicht bemerkt. Also war es Oscar, den ich nervös machte. Das überraschte mich wenig. Ich servierte Tinkie einen Teller. »Mein Geheimrezept«, erklärte ich.

Tinkie fasste mich wieder bei der Hand. »Sarah Booth, man munkelt, dass Hamilton auch Pasco Walters getötet hat. Du weißt sicher, dass Pascos Wagen in Memphis von der Straße abgekommen ist. Er ist in den Mississippi gestürzt, und Pasco ist ertrunken. Man hat über eine Woche nach der Leiche gesucht.«

»Hamilton war in Europa, als Sheriff Walters starb. Iss, solange es heiß ist.« Vielleicht befürchtete Oscar, Tinkie zu verlieren. Zwar besaß er viel Geld, aber das meiste davon stammte von ihr, und auch seine Stellung bei der Bank verdankte er seiner Ehe. Wenn er entdeckt hatte, dass sie auch nur einen Yen um Hamilton gab, versuchte er vielleicht einen Flankenangriff.

Tinkie stocherte mit der Gabel im Omelett. »Du musst mit dem Fragenstellen aufhören, Sarah Booth.« Sie hob den Kopf und sah mich an. Ich bemerkte echte Furcht in ihren Augen. »Es war ein Fehler von mir, überhaupt damit angefangen zu haben, und jetzt muss es aufhören. Delo Wiley ist tot. Hamilton ist hier, hier in Zinnia, und er ist ein Mann, der zu jedem Betrug, zu jedem Verbrechen fähig ist.«

Ich kannte Hamilton von einer anderen Seite. Fähig war er auf vielen Ebenen und in vielen Stellungen. In ihm loderte eine urwüchsige Kraft, die den Sex mit ihm noch verlockender machte als Pralinen. Deshalb war er noch lange kein Dreifachmörder. Nicht notwendigerweise.

»Tinkie, Oscar hat herausbekommen, dass du mir zehntausend Dollar gezahlt hast, und jetzt versucht er dich einzuschüchtern, damit du dich wieder benimmst.« Das war die logische Erklärung. Außerdem war Oscar das größte Tratschmaul in ganz Zinnia – eine echte Leistung, und ein Umstand, den ich mit Bedacht nicht anführte.

»Oscar hat das alles ja nicht mir gesagt. Ich habe gehört, wie er am Telefon mit jemandem darüber gesprochen hat.«

»Und er hat ein Geständnis auf Video, nehme ich an«, spottete ich.

Sie nahm Chablis in die Arme. Obwohl Tinkie das Interesse an ihrer Portion verloren hatte, erinnerte sich das Hündchen sehr wohl an mein im ganzen Delta berühmtes Omelett mit Würstchen und Parmesan und ließ sich so viel davon schmecken, wie es trotz vorstehendem Unterkiefer ins kleine Maul bekam.

»Ich habe so lange Zeit von Hamilton fantasiert und geträumt, er würde nach Zinnia zurückkehren und feststellen, dass er mich liebt. Dass wir das Delta für immer verlassen und woanders ein neues Leben anfangen würden, an einem Ort, wo ich mich nicht unterordnen muss – wo ich nicht so sein muss, wie man es hier von mir erwartet.« Sie schloss die Augen. »Ich würde so gern Frisuren modellieren«, gestand sie. »Ist das nicht albern? Ich, Tinkie Bellcase Richmond. Vier Jahre College, mit einem Bankier zum Ehemann, Grundbesitz und einem gesicherten Dasein für alle Zeiten. Aber was ich mir wirklich wünsche, wäre Kosmetikerin zu lernen und diese unfassbaren Haarskulpturen zu kreieren, wie sie die schwarzen Frauen tragen. Ich hätte so gern einen Friseursalon in Chicago.«

Ich war wie vom Donner gerührt. Eine Vision von Tinkie in einem rosa Kittel trat mir vor Augen, in der sie glänzendes schwarzes Haar zu Formen auftürmte, wie ich sie auf der Lampe in Sylvias Zimmer im Sanatorium gesehen hatte. Art déco. So nennt man das.

Ich ging zu Tinkie und klopfte ihr unbeholfen auf die Schulter. Tröstliche Worte hatte ich ihr nicht zu bieten. Auf keinen Fall würden ihr Ehemann oder ihr Vater es jemals gestatten, dass sie ihren Traum verwirklichte. »Vielleicht solltest du dir ein paar Perücken kaufen und daran üben, wenn Oscar arbeiten ist.« Mehr zu sagen war ich ganz einfach nicht in der Lage.

»Es ist albern. Na los, sag es schon«, forderte sie mich auf. Allmählich erlangte sie die Fassung zurück. »Eine alberne Fantasie, aber Hamilton gehörte dazu. Und jetzt, wo ich erkannt habe, wie dämlich meine Hairstylisten-Träume sind, kommt mir meine Vernarrtheit in Hamilton umso alberner vor. All diese Jahre habe ich meine Hoffungen auf einen monströsen Mörder gesetzt!«

»Tinkie«, sagte ich sanft, »du kannst Hamilton nicht einfach so als Mörder bezeichnen.« Zwar war es nicht meine Aufgabe, Hamiltons Ruf zu retten, aber wenn er häufiger auf Dahlia House war, dann wollte ich nicht, dass die Leute ihn für kaltblütig hielten. »Es gibt keinen Beweis.«

»Doch, es gibt einen. Einen greifbaren Beweis.«

»Was denn?«, fragte ich spöttisch in der Hoffnung, dass sie dann rasch das Weite suchte.

»Genau davon habe ich Oscar ja reden gehört. Veronica Garretts Bremsleitung ist durchgeschnitten worden, und zwar mit Hamiltons Messer.«

Ich stoppte sie, bevor sie sich in einen neuen Anfall steigern konnte. »Das ist doch nur Klatsch.« Die Theorie der durchschnittenen Bremsleitung hatte ich von mehreren Seiten gehört, doch niemand hatte sie je bestätigt. Genau genommen hatte Fel Harper sie allerdings auch nicht bestritten. Er hatte nur darauf hingewiesen, kein Automechaniker zu sein.

Tinkie schüttelte den Kopf. »Wenn es doch so wäre! Dieser Schlauch ist durchgeschnitten worden. Oscar hat mit Gordon Walters gesprochen, und der hat Oscar von der Bremsleitung erzählt. Und von dem Messer. Hamiltons Messer. Man hat es im Haus gefunden.«

Langsam stieg in mir der Ärger auf. »Gordon versucht nur, Staub aufzuwirbeln.« Und das machte er sehr gekonnt. Aus welchem Grund auch immer, er hatte es auf Hamilton abgesehen.

»Nein, Sarah Booth. Das versuche ich dir ja gerade klarzumachen. Gordon Walters hat zugegeben, einen Teil des Berichtes, den sein Vater geschrieben hat, aus den Akten entfernt zu haben – den Teil mit der zerschnittenen Bremsleitung. Er hatte gehört, dass du herumschnüffelst und ein

Buch darüber schreiben willst. Weil er wusste, dass sein Vater pflichtwidrig gehandelt hat, als er den Unfall nicht untersuchte, ging er ins Archiv und entfernte den Bericht. Fel wird nie ein Wort darüber verlieren, weil das einem Geständnis gleichkäme, sich an der Vertuschung eines Verbrechens beteiligt zu haben. Gordon dachte, wenn er die Berichte beseitigt, würdest du nie etwas herausfinden. Er wollte nur den guten Namen seines Vaters schützen. Siehst du, Pasco Walters hat den Mord an Veronica deswegen nicht verfolgt, weil er den Mörder kannte.«

Ich schluckte und war nur zum Teil erfolgreich darin, ein paar sehr deutliche Erinnerungen an die vergangene Nacht zu unterdrücken. »Als Sheriff hätte er Hamilton des Mordes bezichtigen und den Fall an die Staatsanwaltschaft weiterleiten müssen. Aber es ist doch lächerlich zu glauben, dass er sich entschieden haben soll, einen ihm bekannten Mörder laufen zu lassen.« Mit allem, was mir zur Verfügung stand, kämpfte ich gegen ihre Argumente an.

Sie nickte und strich Chablis über das Köpfchen. Das Hündchen lag im Cholesterin-Koma. »Überleg nur, was du sagst. Die Garretts waren eine der höchstgeachteten Familien in ganz Mississippi. Mr. Garrett war tot; Veronica ebenfalls. Sylvia behauptete, das Messer gehöre ihr. Sheriff Walters ist den Weg des geringsten Widerstandes gegangen und hat nichts unternommen. Sylvia landete in Glen Oaks und Hamilton im europäischen Exil.«

Mein Herz pochte heftig, und kalter Schweiß lief mir in Strömen den Rücken hinunter. Ich fühlte mich schwindlig, und mir war übel. Ich zeigte alle Symptome einer zutiefst Getäuschten.

»Erwartest du wirklich von mir, dass ich glaube, ein Sheriff könnte einen Mörder aus einer Laune heraus laufen lassen?«

Bevor sie antworten konnte, sprang Chablis vom Tisch und quetschte ihre sechs Unzen durch den Spalt, den die Küchentür offen stand. Aus dem Treppenhaus erklang wildes, aufgeregtes Kläffen.

Hamilton! Er war noch immer im Haus. Wahrscheinlich lauschte er an der Küchentür.

»Chablis!«, rief Tinkie und stand auf.

»Iss dein Frühstück«, sagte ich, ohne dem Umstand Beachtung zu schenken, dass ihr Teller leer war. »Ich hole Chablis, das kleine Herzchen.« Damit fegte ich aus der Küche, schloss hinter mir die Tür und jagte durchs Haus.

Im Salon hörte ich, wie die Haustür mit einem leisen Geräusch ins Schloss fiel. Ein Strahl Morgenlicht fing sich in der bezaubernden Glasflasche, die Sylvia mir für Hamilton mitgegeben hatte. Ich hatte sie aufs Sideboard gestellt, nun aber stand sie mitten auf dem Esstisch. Die Sonne schien das Glas in Brand zu setzen. Ich brauchte nicht mehr nach Hamilton zu suchen. Ich wusste, dass er gegangen war.

Jitty warnte mich vor ihrer Ankunft, indem sie hinter mir mit ihren Armreifen klimperte. Ich hatte auf der obersten Treppenstufe Platz genommen und mich in mein Hemd gekuschelt, und nun versuchte ich, nicht zu weinen. Nachdem ich Tinkie aus der Kostümierungshölle gerettet hatte, indem ich ihr zu Daisy Dukes und einem bandana-bedruckten, unter den Brüsten zusammengeknoteten Crop-Top riet, war sie endlich gegangen.

»Du süßes Chilikindchen, wonach suchst du dir nur

deine Männer aus? Sag nicht, ich hätte dich nicht gewarnt.« Sie setzte sich neben mich. »Zwanzig Generationen Delaney-Frauen drehen sich im Grab um. Und damit meine ich rotieren und Salto schlagen. Ich wette, wenn wir aus dem Fenster sehen würden, dann könnten wir sehen, dass der Friedhof bebt und erzittert und die Grabsteine umfallen.«

»Lass es bleiben, Jitty«, bat ich. »Ich weiß selber, dass ich eine Närrin bin.«

»Ja, und dickköpfig obendrein. Das ist die schlimmste Sorte von allen.«

Mir war zu elend, um mich zu verteidigen. Hamilton hatte sich an mich herangeschlichen, und ich hatte ihn zu mir ins Bett geholt. Ein Mann, ein des Mordes an seiner eigenen Mutter Verdächtiger – eine Straftat, zu der immer mehr hinzukamen –, war in mein Haus eingedrungen, und ich hatte zwölf Stunden lang den leidenschaftlichsten, intimsten Sex meines Lebens mit ihm gehabt.

Jitty blickte mich kühl und abschätzig an. »Die Chancen stehen gut, dass er nie wieder zurückkommt. Immerhin brachte er nette Erbanlagen mit sich. Warst du eigentlich geschützt?«, fragte sie.

Wäre ich nicht über mein eigenes Verhalten dermaßen entsetzt gewesen, hätte ich nach Jitty geschlagen. Andererseits war sie meine einzige Freundin. Ich konnte es mir gar nicht leisten, sie auch noch zu vertreiben.

Jitty nahm mein Schweigen als Aufforderung fortzufahren. »Ich für mein Teil würde ja Harold als Vater deiner Kinder den Vorzug geben. Er kommt mir wie die Sorte Mann vor, der bei dir bleibt, um zu sehen, wie sein Nachwuchs groß wird, die Sorte Mann, die klug investiert und ein dickes

Bankkonto anhäuft, um die Zukunft von Dahlia House zu sichern.«

»Hamilton ist schon reich«, konterte ich monoton. »Und du klingst, als würdest du eine Smith-Barney-Reklame vorlesen.«

»Hamilton *behauptet*, reich zu sein. Der Mann ist gerade erst von Europa wieder nach Zinnia hereingeschneit. Niemand hat in den letzten achtzehn Jahren etwas von ihm gesehen oder gehört. Nach allem, was wir wissen, könnte er Graf Dracula sein«, sagte Jitty eindringlich. »Harold ist eine bekannte Größe.«

»Männer sind doch keine Kaffeebohnen«, sagte ich müde. Mir war übel. Mein Magen erteilte mir bereits Warnungen, dass er sich schon sehr bald rächen werde.

»Damals, als deine X-mal-Urgroßmutter Alice noch eine alleinstehende Frau war, war es Sache der Verwandten und Nachbarn, ihr einen Mann zu suchen. Sie prüften, ob er sich eignete, bevor sie ihn ihr auch nur vorstellten. So ging das damals. Die Verwandten nahmen seine Vergangenheit unter die Lupe. Damals war eben alles einfacher. Wenn jemand mit miesem Charakter auftauchte, ließ man ihn gar nicht erst in die Nähe der unverheirateten Mädchen.«

»Klingt ganz nach ›Auf dem Ball der Wilkes macht Scarlett die Bekanntschaft Rhett Butlers‹, oder?« Ich kaufte Jitty ihre Liebesaffäre mit der Vergangenheit nicht ab. Die Vergangenheit hatte mich schließlich erst in die Bredouille gebracht.

»Das war nur ein Buch, Sarah Booth. Gewiss weißt du, dass zwischen Büchern und dem echten Leben ein Unterschied besteht.«

Ich stand von der Stufe auf. »Ja, und vergiss nie, was aus

Scarlett geworden ist.« Zum ersten Mal heute blickte ich Jitty an. Sie trug noch immer das hautenge Silberkleid, aber ihr Lidschatten war verschmiert, und der Pagenkopf hing schief. »Du siehst aus, als hättest du eine Wahnsinnsnacht hinter dir.«

»Das beruht auf Gegenseitigkeit. Du warst so beschäftigt, dass ich mir auch ein bisschen Spaß gegönnt hab. Weißt du, Sarah Booth, du musst mal häufiger richtig aus dir herausgehen. Ich hab das jedenfalls wirklich gebraucht.«

Ich kehrte ihr den Rücken zu und ging hinunter in die Küche, um mir noch eine Tasse Kaffee einzugießen. »Wenn deine sexuelle Gesundheit von mir abhängt, dann tust du mir leid«, rief ich. »Ich habe einfach kein Geschick dafür und glaube, für mich ist es am besten, wenn ich in ein Kloster eintrete.«

»Süße, du hast gerade das schnellste Pferd im Rennen geritten. Ich will einfach nur über die Ziellinie kommen.«

Als der Kaffee mich ein wenig aufgepeppt hatte, setzte ich mich an den Tisch, ohne zu beachten, wie kalt es in der Küche war. Ich stützte den Kopf in die Hand und versuchte nicht an die letzte Nacht zu denken. Wie konnte etwas so Wunderbares so rasch in einen Albtraum umschlagen? Einem Leitmotiv gleich durchzog diese Frage mein ganzes Leben.

Jitty schwebte durch die Wand. Sie trug nun purpurrote Bundfaltenjeans und ein Paisleyhemd in Pink und Purpur. Ich ahnte, dass es mir nicht gut gehen konnte, weil ich mich immer mehr an ihr schrilles Äußeres gewöhnte.

»Du hast keine Zeit, hier herumzusitzen und Trübsal zu blasen«, sagte sie, während sie vor dem Herd auf und ab schritt.

»Als ich das letzte Mal in meinen Terminkalender geguckt habe, war er leer.« Ich versank in noch tieferes Selbstmitleid.

»Reiß dich zusammen, Sarah Booth, und denk an Kincaids Wohltätigkeitsdingsda.«

Ich fuhr auf. Das hatte ich völlig vergessen. Mein Dolly-Kostüm lag im Schlafzimmer auf einem Haufen. Ich hatte zu nichts anderem mehr Zeit als mich anzuziehen und auf schnellstem Wege zu Kincaid zu fahren.

»Du wirst einschlagen wie eine Bombe«, versprach mir Jitty mit einer Gewissheit, die bewirkte, dass ich mich ein klein wenig besser fühlte.

»Ich könnte auch einfach zu Hause bleiben«, wandte ich ein.

»Ja genau, mach weiter so und verkriech dich wie ein geprügelter Hund unter der Veranda.« Jitty betrachtete mich voller Abscheu. »Dein ganzes Delaney-Blut muss dir in den Unterleib geflossen sein, denn im Rückgrat ist, scheint's, kein einziger Tropfen mehr.«

Sie hatte mir den Fehdehandschuh hingeworfen. Ich erhob mich vom Tisch. »Okay, ich gehe.«

»Tu mir 'nen Gefallen, Sarah Booth«, bat Jitty.

»Mal sehen.« Allmählich hatte ich von Jittys Anfragen die Nase voll.

»Du hast die Stalltür offen gelassen, und ein Pferd ist abgehauen. Mach die Tür nicht sofort wieder zu. Vielleicht kommt ein anderes hereingaloppiert.«

»Wenn du mir damit euphemistisch Harold ans Herz legen willst, dann lass es sein und tu es nie wieder. Ich hab von den Männern genug. Von allen!« Mein Daumen gab einen erbärmlichen kleinen Impuls von sich. Ich eilte an den

Tisch und steckte ihn in die Tasse mit dem heißen Kaffee. »Nimm das!«, brüllte ich.

»Mädchen, hast du je von einer Droge namens Halcyon gehört? Vielleicht solltest du dir 'n paar Tabletten von dem Zeug besorgen.«

Ich beschloss Jitty zu ignorieren, packte meine Kaffeetasse und ging die Treppe hinauf ins Schlafzimmer.

Wisteria Hall ist weder so groß wie Knob Hill noch so alt wie Dahlia House, doch für einen Wohltätigkeitslunch wunderbar geeignet. Kincaid hatte sich selbst übertroffen. Die riesigen Eichen längs der Zufahrt waren mit Gingham-Girlanden umwickelt, und sie hatte eine Truppe singender Liliputaner engagiert, die als Cowboys verkleidet die Gäste von der Zufahrt durch die Rosengärten zum alten Innenhof des Hauses geleiteten. Einer der kleinen Kuhtreiber pfiff anerkennend, als ich aus dem Auto stieg.

Wie mir bereits von Fel Harper zugetragen worden war, lagen allerorten Heuballen verstreut, verziert mit leuchtenden Chrysanthemen.

Mitten in dem Innenhof, der wenigstens einen halben Morgen groß war, befand sich ein Swimmingpool in der Form eines geschliffenen Smaragds. Das Wasser funkelte in hellem Blaugrün und versprach, dass der Sommer auch bestimmt wiederkehre.

»Sarah Booth«, begrüßte mich Kincaid und eilte mir in ihrem maßgeschneiderten, aus Leder und Velours bestehenden Dale-Evans-Dress entgegen. Sie hauchte mir falsche Küsse auf beide Wangen. »Woher hast du denn das Kostüm?«, fragte sie laut, dann warf sie die Arme um mich und drückte mich stürmisch an sich. »Du musst etwas unternehmen«, flüsterte sie mir ins Ohr.

»Du freust dich, dass ich deinen Hintern aus dem Feuer gezogen habe? Gern geschehen, Kincaid«, erwiderte ich gelassen, obwohl sie erstaunlich kräftig zugriff für eine zierliche Frau, die fast zum Skelett abgemagert war. Hatte sie schon wieder zehn Pfund verloren?

»Isaac, dieser Dreckskerl, hat kalte Füße bekommen und den Scheck nicht geholt.«

Ich spürte, dass aller Augen auf uns gerichtet waren. Für sie musste es aussehen, als ließe mir Kincaid die Umarmung des Jahrhunderts zuteil werden. Ich wollte mich von ihr lösen, sie aber gab nicht nach, und so tanzten wir unbeholfen einige Schritte miteinander. »Lass mich los«, befahl ich in einem Tonfall, bei dem sie ihre Umklammerung spürbar lockerte. »Reiß dich zusammen, Kincaid. So benimmt sich ein Daddy's Girl nicht.«

Ich trat von ihr zurück und betrachtete sie eingehend. Ihre gelbbraunen Augen blickten unstet, und ihre Wangen waren hohl wie bei jemandem, der hungert oder zu viel trinkt – oder beides.

»Chas will, dass ich zu einem Psychiater gehe. Dir ist klar, dass er das dann bei der Scheidung gegen mich benutzen wird.« Ihre Augen standen voller Tränen.

Eine Katastrophe drohte hereinzubrechen. Als Leslie Gore sang: ›*It's my party and I'll cry if I want to* – Ich gebe die Party, und wenn ich will, dann weine ich‹, zeigte sich unzweifelhaft, dass sie eben kein Daddy's Girl war. Es wäre unerhört gewesen, wenn Kincaid vor den Augen ihrer Gäste zu weinen begonnen hätte. Diese Blöße konnte sie sich einfach nicht geben. Ich fasste sie am Ellbogen und führte sie mit Nachdruck in Richtung Haus.

»Kincaid, meine Liebste, ich muss mich einfach selbst davon überzeugen, dass Fel den richtigen Bourbon in die Sauce gegeben hat. Komm, lass mich mal sehen«, flötete ich und winkte mit der anderen Hand den versammelten Töchtern des Südens zu. Da spürte ich Nadelstiche im Rücken. Ich drehte mich um und fand mich dem direkten Blick von Bitty Sue Holcomb ausgesetzt. Sie lächelte nicht.

Ich ignorierte alle und schob Kincaid eilig ins Haus. Kaum hatte ich sie drinnen, goss ich ihr zunächst einen Bourbon ein, den ich im Barschrank fand, und setzte sie an die Lehne gestützt auf das Sofa. »Isaac hat den Scheck also nicht bekommen?« Das war ein Problem.

»Er hatte Angst, dass man ihn ertappen könnte. Jetzt ist er mit Kitty bis über die Feiertage nach Griechenland geflogen. Sie kommen erst im neuen Jahr zurück. Und ich darf die Sache alleine ausbaden«, sagte sie bitter. »Wenn die Polizei den Scheck findet und Isaac ist fort, dann fällt doch alles auf mich zurück.«

Ich eilte in die Küche, holte zwei Papiertücher und reichte sie ihr. »Wenn du weinst, ruinierst du dir das Make-up.«

Kincaid schniefte und straffte den Rücken; sie hatte keine Zeit, sich neu zu schminken. »Wenn du den Scheck holst, gebe ich dir noch einmal dreitausend«, sagte sie und verbesserte sich sogleich: »Fünftausend. Mehr habe ich nicht auf meinem geheimen Konto.«

Die Umgebung, in der man sich als Privatdetektiv bewegen musste, ließ manchmal sehr zu wünschen übrig, aber der Stundenlohn war mehr als angemessen. Ich hatte Delos

Haus gesehen. Dort einzubrechen konnte nicht allzu kompliziert sein. Aber den Scheck zu finden, das war schwierig.

»Ich bezahle dich, wenn du nur danach suchst«, versprach Kincaid.

»Unter einer Bedingung.« Schließlich hatte ich selbst eine Achillesferse. »Ich will alles über dich und Hamilton erfahren.«

Kincaid öffnete den Mund, und sie schnappte mit einem leisen Pfeifen nach Luft. »Was?«

»Kurz bevor du Chas geheiratet hast, bist du in Europa gewesen. Ich will wissen, was zwischen dir und Hamilton gewesen ist.« Mein Herz war abgehärtet, aber nun wünschte ich mir eine kugelsichere Weste. Wenn ich jede kleine, miese, schmutzige Einzelheit über Hamilton kannte, würde mir wenigstens mein Stolz verbieten, um seinen Verlust zu trauern. Er hatte Kincaid etwas Schreckliches angetan, und ich musste erfahren, was genau. Ich erinnerte mich noch gut, wie schrecklich sie ausgesehen hatte, als sie aus Europa zurückkehrte: fast so schlimm wie jetzt.

»Wieso?« Das Wort kam zusammen mit einem Luftschwall heraus, als hätte jemand sie vor die Brust geschlagen.

»Eine andere Ermittlung.« Vielleicht meine eigene, aber das ging Kincaid nichts an.

»Dich hat doch nicht etwa Bitty Sue engagiert?«

Ich bemerkte die Furcht in Kincaids Augen. Bitty Sue war die zierlichste unter den Daddy's Girls, und man durfte keinesfalls den Fehler begehen, sie zu unterschätzen.

»Nein, Bitty Sue hat überhaupt nichts damit zu tun«, beruhigte ich sie.

Kincaid stürzte das Glas Bourbon hinunter. Außer einer Mordanklage drohte ihr wohl auch ein Alkoholproblem.

Als sie mir wieder in die Augen schaute, lag eine stählerne Härte in ihrem Blick, wie ich sie an ihr noch nie beobachtet hatte. Keine Härte im Sinne von Aggression, sondern feste Entschlossenheit. »Ich ging nach Europa, um einen Arzt aufzusuchen. Keinen Mediziner, sondern einen Nervenarzt. Ich hatte eine Essensstörung und außerdem versucht, meinen Vater umzubringen.«

Ich nahm ihr das Glas aus der Hand und sog die letzten Tropfen heraus, dann ging ich wieder an die Bar, um uns beiden einen Doppelten einzuschenken. Wenn der Scheck nicht aus Delos Haus entfernt wurde und Kincaids Vorgeschichte ans Licht kam, würde sie in der Gaskammer des Staatsgefängnisses von Parchman die bittersüße Verheißung des Lebens nach dem Tode einatmen.

Ich setzte einen beherrschten Gesichtsausdruck auf, bevor ich mit unseren Drinks zu Kincaid zurückkehrte. »Wie hast du versucht, ihn umzubringen?« Nach dem Warum fragte ich nicht, denn das spielte im Moment keine Rolle, nur das Wie. Ich hoffte, nicht mit einer Schusswaffe.

Sie schnitt eine Grimasse, die mir verriet, dass all mein Hoffen vergeblich war. »Ich habe mit seiner Schrotflinte auf ihn geschossen.«

Ich ließ mich neben sie auf die Sofalehne sinken. »Warum in Gottes Namen?« Jetzt musste ich es doch erfahren.

»Ich war in jemanden verliebt. Jemanden, mit dem Vater nicht einverstanden war. Er sagte mir klipp und klar, dass er mich enterben würde, sollte ich diesen Mann heiraten. Er drohte, er würde mich des Hauses verweisen und Mutter verbieten, meinen Namen je wieder auszusprechen. Dass ich für die Familie und für die Stadt Zinnia gestorben wäre.« Während sie sprach, wurde ihre Stimme immer kräftiger. »Ich kannte doch nichts außer dem Delta. Ich hatte nicht den Mut, woandershin zu gehen wie du.«

Forrest Gump hatte Unrecht. Das Leben ist keine Schachtel Pralinen, sondern ein Kaleidoskop. Im Handumdrehen fällt jede Realität in Trümmer, und die Welt nimmt völlig neue Gestalt an. Nicht in meinen wildesten Träumen hätte ich es für möglich gehalten, dass Kincaid sich in jemanden verlieben könnte, schon gar nicht in einen Mann, der nicht zu ihren Kreisen gehörte. Vielmehr hätte ich Dahlia House darauf verwettet, dass die einzige Leidenschaft, zu der sie fähig war, besitzraffender Natur sei – ausgerichtet auf den Erwerb von Designerkleidung oder des ideal gefärbten Nagellacks.

»Wer weiß, dass du auf deinen Vater geschossen hast?«

Kincaid stand auf und begann, im Raum hin und her zu laufen. »Mutter bekam einen hysterischen Anfall und rief den Sheriff. Pasco traf ein und rief Doc McAdams. Daddy war nicht schwer verletzt. Ich hatte mit Vogelschrot aus größerer Entfernung gefeuert, sodass seine Verletzung eher lästig als lebensbedrohend war.«

»Wurde der Fall zu den Akten genommen?«

»Nun ja, Pasco sagte, er müsste Meldung erstatten und würde einen Bericht schreiben, aber er würde es als Unfall hinstellen, so wie Daddy es wünschte.« Sie blieb stehen. »Weißt du, Daddy war wütender auf Mutter, weil sie den Sheriff gerufen hat, als auf mich, obwohl ich doch geschossen habe.«

Nach einer Woche als Privatdetektivin verstand ich das ohne weiteres. Schriftliche Berichte, offizielle Berichte –

dergleichen Aufzeichnungen sind gefährlich. Ein kleiner Fehler kann einen Menschen bis ans Lebensende verfolgen. In Kincaids Fall diente ein Zwischenfall aus ihrer Jugend dem Staatsanwalt möglicherweise als Grundlage einer Mordanklage. Kincaid hatte bereits auf einen Mann geschossen – auf ihren Vater. In ihrer Vorgeschichte hatte sie folglich versucht, ihre Probleme durch Gewalt zu lösen. Ich konnte nur hoffen, dass Pasco nie dazu gekommen war, besagten Bericht zu schreiben. Da er nicht mehr lebte, konnte er durch seine Aussage die nackte Tatsache eines Mordversuchs nicht mehr abmildern.

»Welche Rolle hat dann Hamilton gespielt?«

»In Europa kam ich in eine Art Krankenhaus, das ich nicht verlassen durfte. Ich durfte auch keine Telefonate führen oder mich von Freunden besuchen lassen. Meine Eltern haben mir nicht einen einzigen Brief geschickt. Ich war einsam und todunglücklich, und eines Tages versteckte ich mich im Kofferraum eines Autos, und so gelang mir die Flucht.«

Ich gab mir größte Mühe, mir meine Verblüffung nicht ansehen zu lassen. »Und wohin bist du geflohen?«

»Ich kannte ja niemanden in der Schweiz. Ich hatte aber meine Eltern über Hamilton reden gehört – dass er in Paris ein Vermögen verdiene. Also bin ich dorthin gegangen.«

»Ohne Geld und nichts?«

»Ich fand Hamilton im Telefonbuch und rief ihn an. Er hat mich abgeholt und mir geholfen. Ich habe mich ihm dafür an den Hals geworfen, aber er hat mich niemals angerührt. Er meinte …« Die Stimme versagte ihr, doch sie fing sich und sprach weiter: »Er sagte, dass es unmoralisch wäre, wenn er meine Lage ausnutzte. Deshalb behielt er mich bei sich im Haus und schützte mich mehrere Wochen lang, bis ich mit meinem Vater handelseinig geworden war: Wenn ich Chas heiratete, durfte ich nach Hause kommen.«

»Aber jeder glaubt, du und Hamilton, ihr hättet –«

»Die Geschichte von der stürmischen Affäre mit Hamilton habe ich erfunden, weil ich mich so sehr dafür schämte, wo ich gewesen und was geschehen war. In Wirklichkeit hat Hamilton mir Furcht eingeflößt, obwohl er immer sehr freundlich gewesen ist. Er war so zwingend. Und bei jedem Gespräch kam er auf seine Schwester Sylvia. Was auch immer in dieser verrückten Familie vorgefallen ist, er war in noch schlimmerer Verfassung als ich.«

Wir hörten, wie sich trippelnd Schritte näherten. Kincaid deutete auf die Fotografie einer alten Baumwollentkörnungsmaschine an der Wand. »Chas sagt, dass Emerson Glade eines Tages berühmt sein wird. Er mag, wie er das Licht einsetzt.«

»Ich habe Schwarzweißfotografie immer bevorzugt«, stotterte ich rasch in dem Versuch, in Kincaids Täuschungsmanöver einzufallen.

»Also, ich mochte sie noch nie«, sagte Bitty Sue und stellte sich mitten in den Raum. »Kincaid Maxwell, draußen sind gut hundert Leute, und alle halten sie Ausschau nach dir. Es sind *deine Gäste*«, fügte sie betont hinzu, »falls du vergessen haben solltest, dass du die Gastgeberin der größten Wohltätigkeitsveranstaltung der Saison bist.«

Sie blickte mich an. »Sie kenne ich doch auch«, sagte sie langsam. »Sie sind ...« Sie krauste ihr Kaninchennäschen.

»Sarah Booth Delaney«, antwortete ich und befahl meiner Körpersprache, meine Erschöpfung nicht zum Ausdruck zu bringen. »Wir sind zwölf Jahre miteinander zur

Schule gegangen, Bitty Sue. Du erkennst mich vermutlich deswegen nicht, weil ich eine blonde Perücke trage und meine Familie finanziell ruiniert ist.«

An sie war aller Sarkasmus verschwendet. Sie bedachte mich mit einem sauren Blick. »Wenn du mit dem Verlust deines Geldes auch den Umgang mit Menschen verlernt hast, so ist das dein Problem, Sarah Booth. Kincaid hingegen hat in dieser Gemeinde eine Position aufrechtzuerhalten. Sie ist eine Maxwell, und wir sind hier auf *dem* Wohltätigkeitsfest des Jahres. Du solltest aufhören, sie davonzuzerren, nur um mit ihr alberne Bilder von Baumwollfeldern zu betrachten.« Sie nahm Kincaid bei der Hand. »Deine Gäste erwarten dich.«

Kincaid blickte mich an, und ich bedeutete ihr mit einem Schulterzucken, Bitty Sue zu folgen. Ich hatte mehr als erwartet herausgefunden.

23

Den Rest der Party ließ ich über mich ergehen – einschließlich der ausgedehnten Rede Kincaids, welche sie mit jener gewohnten kühlen, gehässigen Fassade hielt, die ich nun an ihr bewundern konnte. Ich erduldete die Modeschau der zwanzigjährigen Mannequins, den frittierten Katzenwels und die frittierten Teigbällchen, die abwägenden Blicke der vielen Daddy's Girls, die fürchteten, meine Verarmung könnte auf sie abfärben, und die singenden Liliputaner-Cowboys, die außerdem eine Squaredance-Darbietung im Programm hatten.

Ich wartete nur auf meine Chance, Fel Harper in die Enge zu treiben. Kincaids nebenbei fallen gelassene Bemerkung über Hamiltons Zuneigung für seine Schwester hatte mich erschüttert. Ich hatte es satt, die Nette zu spielen. Ich brauchte Antworten, und ich wollte sie sofort.

Als Fel hinter dem Haus verschwand, um seine transportable Küche in den Anhänger zu laden, folgte ich ihm. Er beugte sich gerade über einen Bottich voll heißem Frittierfett, als ich ihm von hinten auf die Schulter tippte.

»Heilige Scheiße«, rief er und wirbelte für einen Übergewichtigen sehr behände herum. »Fast hätt ich mich verbrannt.«

»Schlechtes Gewissen?«

Er sah mich finster an und begann, polternd Zangen und Schöpflöffel in den Anhänger zu werfen.

»Wer hat Hamilton Garrett den Vierten ermordet?«, verlangte ich zu wissen.

»Du weißt doch, dass Mr. Garrett bei einem Unfall ums Leben gekommen ist.« Er schöpfte ein krustiges Teigbällchen aus dem Fett und betrachtete es eingehend.

»Er ist ermordet worden, das wissen Sie ganz genau. Delo wusste ebenfalls Bescheid, und nun ist er tot.« An sich hatte ich nicht damit gerechnet, dass meine Worte irgendwelche Wirkung zeigen würden, doch Fel machte schmale Augen und blickte an mir vorbei, als erwartete er, dass sich jemand von hinten an mich anschlich.

Dass er mir seine Hand schwer auf den Arm legte, kam ebenfalls unerwartet und war mir zudem recht unangenehm. »Die Vergangenheit aufzuwühlen ist ein gefährliches Unterfangen, Sarah Booth. Für dich und viele andere. Mr. Garrett ist seit achtzehn Jahren tot und begraben. Dadurch, dass du in seinem kalten Grab buddelst, machst du ihn auch nicht wieder lebendig. Lass die Finger davon, Sarah Booth, bevor noch jemand darunter zu leiden hat.«

Eigentlich sprach er sehr einschüchternde Worte, nur waren sie nicht als Drohung gemeint. Vielmehr signalisierten sie Nervosität.

»Wovor haben Sie Angst, Fel?«, fragte ich. »Vor Gordon Walters?«

Er trat von mir zurück und blickte sich um. »Wenn du alte Knochen ausgräbst, dann kann's passieren, dass sie sich erheben und davongehen«, sagte er. »Und ich fürchte mich vor Gespenstern, Sarah Booth. Gespenster von der Sorte, die sich nachts in dein Haus schleichen und neben dein Bett stellen. Die Sorte, die dir mit einem freundlichen Lächeln das Kissen aufs Gesicht drückt.«

Mein Herz überschlug sich. Anders lässt sich dieses Gefühl nicht beschreiben, dieser Eindruck von rasendem Puls und zu Eis erstarrten Gliedern. Fel konnte nichts von Hamiltons Besuch in meinem Haus wissen. Daran klammerte ich mich so fest ich konnte.

Fel schaute sich erneut um und beugte sich zu mir vor. »Delo ist tot. Er hat mit dir gesprochen, und dann wurde er erschossen. Ich halte es für keinen Zufall, dass er an der gleichen Stelle starb wie Mr. Garrett, und ich will nicht, dass mir das Gleiche passiert.« Er legte ein Filtersieb über den Fettbottich und hob ihn an. Als er das Fett in den Transportbehälter zurückgoss, gab es ein prasselndes Geräusch. »Komm mir nicht wieder zu nahe«, sagte er.

Bislang hatte ich noch nicht in Erwägung gezogen, eventuell für Delos Tod verantwortlich sein zu können. *Dass seine Ermordung auf meinen Besuch hin erfolgt war.* Ich stellte doch für niemanden eine Bedrohung dar, ich doch nicht, Sarah Booth Delaney, die als Daddy's Girl, als Schauspielerin, als Erbin und als Frau gescheitert war und sich seit einer Woche als Privatdetektivin betätigte. Ach ja, und verrückt war nach Liebe.

Bei der Erinnerung an Delo, wie er Holz hackte und sich um seine eigenen Angelegenheiten kümmerte, drehte sich mir der frittierte Katzenwels im Magen um. Delo war ein wortkarger alter Redneck gewesen, der mein Geld annahm und dafür Klatschgeschichten aus der Vergangenheit erzählte; dass man ihm den Kopf wegschoss, hatte er nicht verdient gehabt.

»Was wissen Sie über das Messer, mit dem Veronica Garretts Bremsleitung durchgeschnitten wurde?« Hier bewegte ich mich auf vertrautem Boden, denn eine ähnliche Frage hatte ich Fel schon einmal gestellt, aber ich hoffte, dass er sich seine Antwort noch einmal überlegte.

»Kein verdammtes bisschen. Wenn Delo beherzigt hätte, dass man bestimmte Dinge lieber vergisst, könnte er heute noch leben.« Er schob den Rest der Ausrüstung in den Anhänger und wollte sich schon in seinen Pickup-Laster setzen, als ich ihm die Hand auf die Schulter legte.

»Pasco Walters ist in Memphis ertrunken. Was steckt dahinter?«

Fel überlegte einen kleinen Moment. »Wenn ich dir das erzähle, lässt du mich dann zum Teufel noch mal in Ruhe?«

Ich nickte.

»Pasco hatte eine Freundin in Memphis. Am Wochenende hat er sie immer besucht. Ich glaube, beide haben sie gern einen über den Durst getrunken. Auf jeden Fall ist er bei ihr gewesen und soweit wir herausfinden konnten am späten Sonntagabend aufgebrochen. Höchstwahrscheinlich hatte er einiges getrunken. Er fuhr offenbar mit überhöhter Geschwindigkeit, als sein Wagen vor der Brücke von der Straße abkam und in den Fluss stürzte. Es war ein sehr regnerischer Frühling, und die Leiche ist eine ganze Woche lang nicht aufgetaucht. Ich schätze, sie war irgendwo hängen geblieben.« Er blickte mich an. »Bist du jetzt zufrieden?«

»Wer war diese Freundin?«

»Woher zum Teufel soll ich das wissen?«, fragte Fel gereizt. »Pasco war ein Weiberheld. Er hat sich dabei aber auf Memphis beschränkt, damit seine Frau und seine Familie nicht darunter zu leiden hatten.« Er zuckte mit den

Schultern. »Mir kam es vor, als hätte Pasco alle paar Monate eine Neue gehabt.«

»Gab es irgendeinen Hinweis, dass bei seinem Tod etwas nicht mit rechten Dingen zugegangen ist?«

Er blickte mich wachsam an. »Bei Pasco? Meines Wissens nicht. Da musst du dich bei der Polizei in Memphis erkundigen. Der Unfall ist in ihrem Amtsbereich passiert, und mir kam die Untersuchung sauber und gewissenhaft vor. Pasco hatte einen ziemlich hohen Blutalkoholspiegel, und man hat das aus Rücksicht auf seine Familie mehr oder weniger unter den Tisch fallen lassen. Mehr weiß ich nicht.«

Bevor ich noch eine Frage stellen konnte, knallte er die Wagentür hinter sich zu und fuhr davon.

Der Mittagsempfang war noch immer voll im Gang – die Damen schrieben schweigend Gebote für die diversen vorgestellten Garderoben auf Zettel. Wenn ich jetzt aufbrach, würden alle denken, ich ginge, weil ich mir nichts davon leisten konnte. Ich machte einen Bogen um das Haus und floh.

Vor Anbruch der Nacht konnte ich nicht riskieren, in Delos Haus einzudringen, deshalb fuhr ich nach Hause und zog mich um. In Jeans und schwarzer Lederjacke fuhr ich zum Courthouse. Ich prüfte, welche Wagen auf dem Parkplatz des Sheriffbüros standen, um mich zu vergewissern, dass Gordon Walters Streifenwagen fehlte. Wir hatten frühen Nachmittag, und ich nahm wohl zu Recht an, dass er in der Nachtschicht von dreiundzwanzig bis sieben Uhr arbeitete. Ich benötigte Einsicht in einige alte Akten und musste den Sheriff sprechen.

Im Courthouse wurde mir gesagt, dass Coleman wegen eines Notfalls nach Hause gefahren sei. Der Deputy hinter der Theke fügte recht indiskret hinzu, dass Carlene oft mit falschen Notfällen anrief, damit Coleman nach Hause kam und sie ihn in einen Streit verwickeln konnte.

Zunächst suchte ich nach einem Bericht über den Schuss auf Jameson O'Rourk, Kincaids Vater. Wenn Pasco seine Drohung, den Vorfall schriftlich niederzulegen, wahrgemacht hatte, so gelang es mir jedenfalls nicht, die entsprechende Akte zu finden. Ich empfand eine gewisse Erleichterung für Kincaid und richtete meine Aufmerksamkeit auf die Akten über Guy Garretts Ermordung. Immer wieder las ich mir die Berichte durch und verbrachte einige Zeit damit, die Fotos der Leiche zu inspizieren. Die Leichen von Delo und Guy Garrett hatten in ähnlichen Stellungen gelegen – absichtlich, wie ich glaubte. Hier schien man es mit einem wiederkehrenden Thema zu tun zu haben. Und sehr wahrscheinlich mit dem gleichen Mörder. Niemandem außer mir schienen die Zusammenhänge aufzufallen.

Das Beste hob ich mir für den Schluss auf – Veronica. Mit einem Ohr auf Gordons Rückkehr lauschend, studierte ich die Akte gründlich. Es gab keine Erwähnung der durchschnittenen Bremsleitung, aber ich fand Spuren eines herausgetrennten Blatts. Die Arbeit war geschickt ausgeführt worden, offenbar mithilfe einer Rasierklinge.

Die fehlende Seite konnte durchaus gedankenlos hingekritzelte Männchen enthalten haben und sonst nichts. Oder Pasco Walters hatte dort seine Beobachtung einer durchtrennten Bremsleitung niedergelegt und Einzelheiten zu einem mysteriösen Messer. Oder – auch diese Möglichkeit musste ich in Betracht ziehen – Gordon Walters hatte eine unwichtige Seite herausgetrennt, um die Spekulationen um Sylvia und Hamilton noch weiter anzustacheln. Aus einer

Reihe von Gründen gab ich letzterer Erklärung den Vorzug, unter anderem deswegen, weil Gordon von sich aus behauptet hatte, die Seite herausgeschnitten zu haben.

Ich ging geistig die Mordverdächtigen durch. Das Problem bestand darin, dass ich es mit drei Einzelmorden zu tun hatte, vielleicht sogar vier, wenn Pasco doch nicht bei einem Unfall ums Leben gekommen war, und alle schienen sie miteinander in Zusammenhang zu stehen. Für den Tod Hamiltons des Vierten kamen Veronica in Betracht, ihr unbekannter Liebhaber, Isaac Carter und seine Geschäftsfreunde aus Memphis, Pasco Walters, Fel Harper und Sylvia. Und Hamilton. Bei dem Gedanken an ihn wurde es mir abwechselnd heiß und kalt, doch ich zwang mich, weiterzuüberlegen.

Mögliche Mörder Veronicas waren Hamilton der Fünfte, Sylvia, Pasco und, zumindest als Mitwisser, Fel.

Für Delos Tod standen als Verdächtige Isaac, Hamilton, Sylvia und erneut Fel als entfernte Möglichkeit zur Debatte. Auch Gordon Walters kam infrage. Vielleicht hatte Delo etwas gewusst, das den Namen Walters befleckte, dann konnte Gordon ihn ermordet haben, um ihn ein für allemal zum Schweigen zu bringen.

Ein Motiv für den Tod Pascos wäre gewesen, dass er zu viel wusste. Je mehr ich allerdings über Fels Erzählung nachdachte, wie er ertrunken war, desto mehr wollte es mir vorkommen, als hätte doch Pascos Lebensweise letztendlich ihren Zoll gefordert.

In jedem der Mordfälle gab es typische Verdächtige, und ob es mir nun passte oder nicht, sie hießen Hamilton, Sylvia und Isaac. Sie alle hatten Mittel, Motiv und Gelegenheit.

Ich schlug das staubige Aktenbuch zu und ging drei

Blocks zum Rathaus. Mein Traumberuf Schauspielerin hatte mir vieles beigebracht, doch die Grundlagen der Staatsbürgerkunde erlangte ich durch die Konversation beim Abendessen unter der Leitung meines Vaters, des Bezirksrichters.

Stadtrats- und Ausschusssitzungen mussten protokolliert und archiviert werden, deshalb bat ich um Einsicht in die Protokolle von 1979. Für die nächsten Stunden stand mir langweilige Lektüre bevor.

Ich nahm den schweren Leinenband entgegen und setzte mich in den Sitzungssaal. Seite um Seite überflog ich die maschinengetippten Aufzeichnungen von Zinnias Weisen. Ich bemerkte, dass es sich ausnahmslos um Männer handelte.

Erst in den Eintragungen für den März fand ich einen Antrag auf Änderung des Flächennutzungsplans für das Land im Nordosten der Stadt erwähnt. Das entsprach in etwa dem Schwarzenviertel, schätzte ich. Antragsteller war ein gewisser Aubrey Malone, Bauunternehmer. Er bat um die Umwandlung eines Wohngebiets in ein Gewerbegebiet und die Genehmigung, dort einen Anlegeplatz errichten zu dürfen. Genau wie Isaac gesagt hatte.

Als mir Isaac einfiel, blickte ich auf die Uhr. Wir hatten 16.30 Uhr. Noch eine halbe Stunde, bis das Rathaus schloss, und danach würde es rasch dunkel werden. Dann konnte ich zu Delos Haus fahren und nach Kincaids Scheck suchen. Wenn ich ihn gefunden hatte, wollte ich ihn in viele kleine Stückchen reißen und Isaac Carter zwingen, sie zu fressen.

Der Gedankengang traf an eine Weggabelung und nahm die linke Abzweigung. Von allen Verdächtigen hatte Isaac als einziger zwei Motive, Delo zu töten: in der Vergangenheit und der Gegenwart. Da ich gut wusste, wie Frauen nach dem Sex Kontakt suchten, fand ich es sehr wohl vorstellbar, dass Kincaid ihm im Nachglühen alles über ihren kleinen Abstecher nach Psycholand in der Schweiz und den Schuss auf ihren Vater erzählt hatte. In diesem Licht erschien Isaacs Verhalten, was den Scheck betraf, doppelt verabscheuungswürdig.

Ich wandte mich dem Protokollbuch wieder zu und las weiter. Am 14. März 1979 erschien eine Bürgergruppe vor dem Ausschuss, um gegen den beantragten neuen Flächennutzungsplan zu protestieren. Die Gruppe wurde von James Levert und Bessie Mae Odom angeführt. Bei letzterem Namen zuckte ich zusammen. Bessie Mae Odom – das war Tammys alte Großmutter. Zu meiner Schulzeit war die Frau schon älter gewesen als Methusalem. Und doch hatte sie dem Ausschuss eine vorbereitete Erklärung vorgelesen. Ich überflog die Mitschrift und konnte dabei fast hören, wie sie mit ihrer knarrenden Altfrauenstimme von ihrem Erbrecht und ihrer Heimat sprach. Sie fasste meine Gefühle für Dahlia House in Worte, für mein Land und meine Familie. Sie schwor, sich bis zu ihrem Tode an ihr Häuschen auf ihrem Flecken Land zu klammern, ganz gleich, ob es mit einem Mal auf Gewerbegebiet stand oder jemand kam und ihr Geld bot, damit sie Sunflower County verließ.

Es klopfte zögernd an der Tür, und eine Angestellte steckte den Kopf herein. »Wir schließen jetzt«, sagte sie.

Mir brannten die Augen, und ich musste mir ein wenig die Beine vertreten und nachdenken. Deshalb reichte ich ihr das Buch zurück und ging in die Innenstadt, auf die sich der Abend herabsenkte.

Längs der Main Street schlossen die Läden, und Männer und Frauen zogen die Mäntel enger um sich und beeilten sich, zu ihren Autos zu kommen. Noch war der Wal-Mart nicht bis Zinnia vorgedrungen, doch nach den Worten von Oscar Richmond und seinesgleichen zu urteilen, dauerte es nicht mehr lange, und unser typisches Kleinstadtleben fand ein Ende.

Ich fuhr zum Sweetheart Drive-in und belohnte mich mit einer echten Schokoladen-Malzmilch, dann fuhr ich weiter zu Delos Haus. Alles in mir sträubte sich gegen mein Vorhaben; der Gedanke, ins Haus eines Toten einzubrechen, behagte mir nicht im Mindesten. Doch gleichzeitig verspürte ich einen unwiderstehlichen Drang, Kincaid zu schützen, den ich nicht erklären konnte. Ich wollte nicht einmal versuchen, ihn zu erklären. Möglicherweise empfand ich ein Schuldgefühl, weil ich mehr Glück gehabt hatte als sie. Meine Eltern waren zwar tot, aber sie hätten mich nie zu einer Heirat mit einem Wicht wie Chas Maxwell gezwungen.

Zuerst fuhr ich an Delos Land vorbei, wendete und passierte es erneut. Ich konnte das Haus von der Straße aus nicht sehen, und Gordon Walters und eine ganze Hundertschaft Deputys konnten mir am Ende der Zufahrt auflauern, ohne dass ich es von der Straße aus bemerkte.

Zum Haus war es noch eine Dreiviertelmeile. Trotzdem stellte ich den Wagen auf einem alten Farmweg ab und überquerte die Maisfelder zu Fuß. Der Mond war zwar noch nicht voll, warf aber genügend Licht, und außerdem ist mein Orientierungsvermögen sehr ausgeprägt. Ich brauchte nur wenige Morgen Land zu durchqueren und wusste, dass ich dicht an Delos Haus herauskommen würde.

Mein Atem bildete vor mir Wölkchen und schien in der kalten Abendluft stehen zu bleiben. Das Maisfeld wirkte im blassen Mondlicht abgerupft, und ich war darauf gefasst, dass ich einen Schwarm Wachteln oder Wildtauben aus dem Winterschlaf aufschrecken konnte. Die Dunkelheit war klar und kalt, aber auch still bis auf das leise Knirschen gefrorener Pflanzenteile unter meinen Füßen und meinem schnellen, regelmäßigen Atem.

Ich war gute zehn Minuten gelaufen, als die Hunde anschlugen. An die Hunde hatte ich überhaupt nicht gedacht, obwohl ich sie, mühsam von den beiden Schwarzen im Zaum gehalten, bei Delos Leiche gesehen hatte. Es waren Jagdhunde, üblicherweise eine gesellige Hunderasse. Ich pfiff ihnen leise zu und wurde mit sehnsüchtigem Winseln belohnt. Nach Delos Tod waren sie zurückgeblieben, und ich konnte nur hoffen, dass jemand daran gedacht hatte, ihnen Futter zu bringen. Als ich den Zwinger erreichte, entspannte ich mich und streckte eine Hand aus, die mir warme Zungen ableckten.

Im Mondschein sah ich ihre traurigen Augen. Sie waren keine Chablis, doch andererseits bin ich auch keine Tinkie. Ob es mit einem oder zwei Hunden auf Dahlia House etwas gemütlicher wäre?, überlegte ich, zog mich von ihnen zurück und schlich ums Haus. Es wirkte sehr verlassen. Von dem gelben Band, das im Fernsehen immer in ganzen Rollen verbraucht wurde, keine Spur. Andererseits war das Haus auch nicht der Tatort des Mordes. Mich zur Ordnung rufend – *nun bloß keinen Panikanfall!* – ging ich zur Haustür und drehte den Türknauf. Die Tür schwang an Angeln auf, die nur sehr leise quietschten.

Drinnen war es stockduster. Ich tastete mich vor, schloss

hinter mir die Tür und hielt den Atem an. Hörte ich irgendjemanden? Völlige Stille umgab mich.

Ich glaube nicht an Gespenster, jedenfalls nicht an die formlose Variante, die als flackernder Spuk kleine Kinder terrorisiert und den Sterblichen üble Streiche spielt. An Jitty glaube ich durchaus, denn Jitty ist mein Bindeglied zur Familiengeschichte und meine ganz private Kriegsgöttin. Trotzdem war ich, wie ich zugeben muss, verängstigt. Jitty war wohlwollend; sie gehörte zur Familie. Delo musste unweigerlich ziemlich sauer sein. Wenn er sich dazu hinreißen ließ, mir in ätherischer Form zu erscheinen, dann jedenfalls nicht, um mich in Sachen Kleidung oder Liebesleben zu beraten.

Ich war klug genug gewesen, eine kleine Taschenlampe mitzubringen. Ich knipste sie an und richtete ihren Strahl auf den Boden. Die eigenartige Beleuchtung verlieh dem Raum ein Aussehen wie auf einer Theaterbühne, und das beruhigte mich ein wenig. Ich ging zu den Schubladen und dem Stapel ungeöffneter Post, den jemand sorgfältig auf den Küchentisch gelegt hatte. Dann beschäftigte ich mich mit den Küchenregalen und den Behältern darin, hoffte, irgendwo auf eine Ansammlung von Krimskrams zu stoßen, einen Ort zur vorübergehenden Aufbewahrung von Schriftverkehr.

Während ich mich durch Delos Habseligkeiten wühlte, fragte ich mich, ob Gordon Walters und die anderen Deputys schon vor mir hier gesucht hatten. Die offensichtlichen Stellen hatten sie ganz gewiss durchforstet. Ich verschwendete meine Zeit in diesem kalten Haus und holte mir außerdem den Tod.

Trotzdem suchte ich weiter, entschlossen, mir weder von

Ungeduld noch Unbehaglichkeit den Erfolg oder Misserfolg diktieren zu lassen.

Die Küche war recht klein, und ich quetschte mich am Tisch vorbei, auf dem noch zwei Kaffeetassen standen. Als ich mich abwandte, verfing sich mein Jackenärmel an einem Aschenbecher und riss ihn vom Tisch. Mit ohrenbetäubendem Gepolter landete er auf dem Boden. Der Aschenbecher bestand aus dickem Glas und zerbrach nicht, aber ein Zigarettenstummel und ein Streichholzbriefchen purzelten auf die Eichenbohlen. Ich sammelte alles auf und stellte es zurück.

Der Stummel stammte von einer Marlboro, und als ich mit von der Kälte halb tauben Fingern das Briefchen aufhob, spürte ich verwundert die erhabenen Buchstaben. Ich richtete die Taschenlampe darauf. ›*La Tour d'Argent*‹.

In Zinnia gab es kein französisches Restaurant. In ganz Sunflower County nicht. Die Zigarettenmarke war die gleiche wie bei dem Stummel hinter Harolds Eibenhecke. Das und die Streichhölzer deuteten auf die gleiche Person hin: Hamilton Garrett den Fünften.

Ich hatte mich von der Überraschung über meine Entdeckung noch nicht ganz erholt, als ich die Eingangstür quietschen hörte. Augenblicklich schaltete ich die Taschenlampe aus und wurde von völliger Schwärze verschluckt. Ganz langsam erschien der Abendhimmel als hellerer Keil, der sich vergrößerte, als die Tür aufgedrückt wurde. Eine hohe, dunkle Gestalt trat in die Öffnung.

Ich stand völlig reglos da und betete, der Eindringling möge mich nicht sehen, wenn ich mich nur nicht rührte. Meine Muskeln bebten vor Anspannung. Ohne irgendeine Möglichkeit, mich zu verteidigen, beobachtete ich, wie der

Schattenriss sich bewegte, und dann bemerkte ich den Schimmer des Sternenlichts auf schlankem, brüniertem Metall. Langsam wurde der Schrotflintenlauf auf Brusthöhe gehoben, dann schwang er herum und zielte genau auf mich.

24

Keine Bewegung.«

Eine Männerstimme, jedoch so weich wie warme Baumwolle. Das war weder Hamilton noch Gordon. Ich fühlte süße, wenngleich beschränkte Erleichterung.

»Ich bin Sarah Booth Delaney«, sagte ich, ohne mich zu rühren. Der Eindringling war ein junger Schwarzer, und wir waren nicht in Chicago oder Los Angeles. Die Chancen standen gut, dass der junge Mann wusste, wer ich war, obwohl ich ihn nicht kannte. Am Tag, als Walters mich zu Delos Leichnam brachte, hatte ich die beiden Schwarzen gesehen, die sich um Delos Hunde kümmerten. Der ältere hieß James und der jüngere ... »Cooley?«, fragte ich.

»Ja, Ma'am«, antwortete er und senkte leicht den Gewehrlauf. »Kommen Sie nach draußen, wo ich Sie sehen kann. Was machen Sie in Mr. Delos Haus?«

Er trat rückwärts durch die Tür, sodass ich ihm auf die Veranda folgen konnte. »Ich suche etwas.«

»Viele Leute behaupten, dass sie im Haus eines toten Mannes Sachen verloren hätten.«

Gesunde Skepsis ist ein Zeichen für Intelligenz, und ich trat noch einen Schritt vor, damit er mich im Mondlicht sehen konnte.

»Ich suche nach einem Scheck, den Kincaid Maxwell ausgestellt hat.« Meine Augen hatten sich an die Dunkelheit gewöhnt, und ich konnte Cooleys Miene erkennen.

Er zog die Brauen zusammen, was Vorsicht signalisierte. »Mr. Delo hat gesagt, er würde diese Hütten für Geld vermieten. Anscheinend schuldete sie ihm das Geld.«

»Ich will die Schuld auch gar nicht abstreiten, aber eigentlich hätte sie jemand anderes begleichen müssen.« Ich überlegte, was ich sagen sollte. »Wenn der Sheriff den Scheck findet, dann ist Mrs. Maxwell verdächtig, Delo ermordet zu haben. Aber sie hat ihn nicht getötet. Wenn man gegen sie ermittelt, dann werden einige Dinge aufgedeckt, die besser geheim blieben, und Unschuldige hätten darunter zu leiden.«

Er senkte das Gewehr. »Wenn Sie davon sprechen, dass sie sich mit diesem alten Mann in der Hütte getroffen hat, nun, daran hätte sie doch denken können, bevor sie sich erwischen ließ.« Er ließ ein leises, verächtliches Schnauben hören. »Und Sie sind nur hier, um Ihrer Freundin zu helfen.«

Einer der Hunde jaulte jammervoll. »Meine Freundin ist Kincaid nicht gerade. Sie ist meine Klientin.«

»Ich finde, sie sollte herkommen und selber ihren Hals riskieren.«

Da hatte er Recht, aber ich brauchte das Geld, und Kincaid hätte sich dabei noch ungeschickter angestellt als ich. »Sie bezahlt mich dafür.«

Er nickte und winkte mich vom Haus fort. »Also halten Sie's für okay, in das Haus eines toten Mannes einzubrechen und seine Sachen zu durchwühlen, um 'nen Beweis zu finden, der vielleicht gegen Ihre Klientin spricht.«

Dumm war er nicht, und mit Sarkasmus kannte er sich

aus. »Es ist mir schon klar, dass es gegen das Gesetz verstößt. Aber so wie ich es sehe, würde ein größeres Unrecht geschehen, wenn Kincaid fälschlich angeklagt wird.«

»Was, wenn sie ihn doch umgebracht hat?«

»Das hat sie nicht. Darüber habe ich lange nachgedacht. Es gibt zwei Männer, die Kincaid getötet hätte, bevor sie auch nur in Erwägung gezogen hätte, Delo umzubringen: ihren Mann und Isaac Carter. Kincaid hätte versucht, Delo zu kaufen.«

Im Gegensatz zu den meisten Männern schien Cooley meine Einschätzung als realistisch hinzunehmen. Er nickte vor sich hin, als würde er sich immer mehr mit der Weisheit meiner Worte anfreunden, je länger er darüber nachdachte. »Vielleicht haben Sie ihn erschossen«, sagte er dann.

Damit hatte ich nun überhaupt nicht gerechnet. Doch ganz von der Hand zu weisen war es nicht, mein Verhalten derart zu interpretieren. »Wenn Sie das glauben würden, dann würden Sie immer noch die Waffe auf mich richten«, bemerkte ich.

Ein flüchtiges Lächeln huschte über sein Gesicht.

»Kümmern Sie sich um die Hunde?«

»James und ich. Delo hat seine Hunde lieb gehabt. Niemand sonst hat nach ihnen gesehen.« Er schüttelte den Kopf. »Delo hätte nie geglaubt, dass sie ihn überleben.«

»Warum nehmen Sie sie nicht mit zu sich nach Hause?«, schlug ich ihm vor. Wenn die Hunde in die Mühlen des Justizapparats gerieten, wurden sie möglicherweise eingeschläfert.

»James und ich haben davon gesprochen, aber wir wollen nicht als Diebe angezeigt werden.«

In diesen simplen Worten hing ein ausgedehntes, kompliziertes Netz aus Andeutungen. »Was, wenn ich sie einfach freilasse?«

»Wir wohnen auf der anderen Seite vom Feld«, sagte er und zeigte darauf. »Ich wette, wenn Sie den Zwinger öffnen, dann finden diese Hunde schon den Weg zu meinem Haus.«

»Mir sehen sie danach aus, als bräuchten sie dringend Auslauf«, sagte ich, ging an den Zwinger und untersuchte das Schloss. Es bestand lediglich aus einer Überfalle, von der die Drahtgittertür zugehalten wurde. Ich zog sie vor und öffnete die Tür. Die vier Hunde drängelten sich als wimmelnde Masse heraus. Ihre Schweife schlugen mir gegen die Beine, und mit ihren Zungen fanden sie jede einzelne unbedeckte Hautstelle. Kaum hörten sie Cooleys klaren Pfiff, stürmten sie zu ihm.

»Kommen Sie mit«, sagte er leise.

Sein Weg führte zwar nicht gerade in die Richtung, in der mein Auto stand, aber ich glaubte schon gar nicht mehr daran, dass Kincaids Scheck sich noch in Delos Haus befand. Und ich hatte einige Fragen an Cooley. Ich trottete zu ihm hin und passte mein Tempo ihm und den Hunden an, die entzückt über ihre wiedergewonnene Freiheit durch die Baumwollfelder hetzten und sich vor purer Lust am Schnüffeln und Rennen schier überschlugen.

»Haben Sie irgendjemanden Delo besuchen sehen? Jemand Ungewöhnlichen?«

»Delo hat nicht viele Freunde gehabt. Die einzigen Leute, die je mit ihm schwatzten, das waren James und ich. Bis vor kurzem jedenfalls.« Cooley schlug trotz der unebenen Reihen ein beträchtliches Tempo an. Vor uns erhaschten die Hunde irgendeine Witterung und schossen bellend und winselnd davon.

»'n Waschbär wahrscheinlich«, meinte Cooley, ohne langsamer zu werden.

»Wer hat denn vor kurzem mit Delo gesprochen?«, stocherte ich.

»Sie waren die Erste, die vorbeigekommen ist. Dann die Frau mit dem Scheck. Der Hilfssheriff ...«

»Gordon Walters?«

»Ja, genau der.«

»Und wer noch?«

»Mr. Garrett. Er ist am Sonntagmorgen hier gewesen.«

Hamilton war hier gewesen? Ich hatte einen korrekten Schluss gezogen. »Und was hat er gewollt?«

»Mr. Delo hat mit mir nie über seine Angelegenheiten gesprochen. Ich weiß nur, was ich gesehen hab.«

Voraus strahlte hell ein erleuchtetes Haus. Vom Waldrand her hörte man das Bellen der Hunde. Cooley blieb stehen und rief sie mit Pfiffen herbei. Als er die Stufen hinaufstieg, verkrochen sie sich unter der Veranda.

»Die Tiere können hier bleiben, und es wird für sie gesorgt, ja?«, vergewisserte ich mich.

»Es wird ihnen an nichts fehlen.«

Ich zögerte, weil ich mir nicht sicher war, ob er wollte, dass ich mit ihm ins Haus ging. Als er die Tür öffnete, drang gelbes Licht heraus und spielte auf mir. Cooley wartete. »Kommen Sie?«

Ich eilte nach drinnen, froh über die Wärme und die allgemeine Behaglichkeit des Raumes. Zuerst bemerkte ich den älteren Schwarzen gar nicht, der lesend in einem großen Lehnsessel saß. Er blickte mich über den Rand seiner Brillengläser hinweg an. »Miss Delaney«, sagte er leise. »Was führt Sie zu uns?«

»Sie hat bei Delo eingebrochen. Deshalb haben die Hunde so 'n Lärm gemacht.«

Ich hatte James bereits auf dem Maisfeld gesehen, damals aber nicht bemerkt, wie alt er wirklich war. Sein Haar war grau, sein Gesicht voller tiefer Falten. Er betrachtete mich auf eine Weise, die mir verriet, dass er mich kannte und sich von mir nichts sagen lassen würde, ungeachtet gleich welcher gesellschaftlichen Verhältnisse, an die zu glauben ich erzogen worden war.

»Würdest du uns was Kaffee machen, Cooley?«, bat er höflich, ohne den Blick von mir zu nehmen.

»Klar.« Cooley ließ uns allein, und James winkte mich in den Sessel neben sich.

»Ich hab Ihren Daddy gekannt«, sagte er. »Wir hatten geschäftlich zu tun. Und ich kannte Ihre Mama.« Er lachte leise, und die Falten in seinem Gesicht verschoben sich und bildeten neue Grabensysteme. »Das waren welche!« Er lachte tiefer. »Ein hübsches Ding war sie, und Feuer hatte sie in den Augen. Sie rief den Leuten ins Gesicht: ›Gib was drum!‹ Damit hat sie manchen ganz schön auf die Palme gebracht.«

»Solche Geschichten habe ich viele gehört«, stimmte ich ihm zu.

»Das waren keine leichten Zeiten damals.«

Ich fragte mich, wohin dieses Gespräch führen würde. Ich roch den frischen Kaffee und spürte, wie die Wärme des Kaminfeuers meine kalten Knochen in Gelee verwandelte. James hatte eine wohltuende Stimme, ausdrucksstark und doch vom Leben gezeichnet.

»Als Ihre Mama mit Ihnen schwanger wurde, beschloss Ihr Daddy, etwas aus seinem Abschluss in Jura zu machen.

Er kam hierher zu mir und sagte, an sich hätte er niemals praktizieren wollen. Er liebte das Land, hat er gesagt, und wollte es bestellen. Aber die Zeiten waren schwer für Großgrundbesitzer. Das Wetter und die Wirtschaft hatten sich gegen sie verschworen. Er machte sich auch wegen Ihrer Mama Sorgen. Sie brachte Leute gegen sich auf, aber sie hielt es für ausgeschlossen, dass ihr jemals einer etwas wegen ihrer Überzeugungen antun könnte. Das wusste Ihr Daddy besser, deshalb praktizierte er ein wenig, meistens kostenlos, und dann wurde er zum Richter gewählt.«

»Haben Sie ihn gut gekannt?«

Er nickte. »Das würde ich schon sagen.« Er veränderte seine Position im Sessel, um mich besser ansehen zu können. »Ich hab Ihrem Daddy ab und zu einen Rat erteilt, und ich will auch Ihnen einen geben. Halten Sie sich von Delos Haus fern. Halten Sie sich aus allem raus, Sarah Booth. Es ist noch nicht vorbei, und Sie sollten auf keinen Fall in der Nähe sein, wenn es zu Ende geht.«

Er versuchte nicht etwa, mich einzuschüchtern. »Was geht denn vor?«

Nun schüttelte er den Kopf. »In seinem ganzen Leben hat Delo Wiley niemandem was zuleide getan. Wenn er den Mais eingebracht hatte, ließ er die Reichen auf seinen Feldern jagen und nahm dafür ihr Geld. Ich hab ihm gesagt, er soll dieser Mrs. Maxwell nicht die Hütte vermieten. Aber für ihn war es leicht verdientes Geld, und er amüsierte sich königlich darüber, dass auch so hochwohlgeborene Herren und Damen sich nicht besser benahmen als die, die sie immer das arme weiße Pack nennen.«

Kincaids Gründe, sich mit Isaac Carter zu treffen, waren zu kompliziert, um sie in Kürze zu erklären. Ihr ging es mehr um Macht und Rache denn um Lust und Sex. Vielleicht galt das für die meisten Ehebrecher. Ich schüttelte den Kopf. »Kincaid hat Delo nicht ermordet.«

James nickte. »Delo wurde ermordet, damit Geheimes geheim bleibt.«

Mein Herzschlag beschleunigte sich. »Was für Geheimnisse denn?«

»Wollen Sie morgen wiederkommen und in diesem Sessel einen toten alten Neger finden?«

»Isaac Carter und sein Speichellecker Deputy Walters sind schon hier gewesen und wollten mit James über die guten alten Zeiten sprechen«, warf Cooley von der Küche aus ein. »Selbst ein Blinder hätte den Wink mit dem Zaunpfahl erkannt.«

James beachtete den Ausbruch des Jüngeren nicht. »Eigentlich hat Delo gar nichts gewusst. Er hatte seinen Verdacht, aber gewusst hat er nichts. Als ich den erwachsenen Sohn des toten Mannes vor mir stehen sah, da wusste ich, dass es Ärger geben würde. Und dann die Schwester draußen im Maisfeld, die wie eine Irre am Graben war. Sie hätte Cooley fast zu Tode erschreckt mit ihrem langen silbernen Haar und ihrem Nachthemd, das im Wind flatterte. Ein Wunder, dass sie sich in der Kälte nicht den Tod geholt hat.«

»Sie haben Sylvia auf dem Maisfeld gesehen?«, fragte ich.

»Gegen Mitternacht stieg sie aus einem Auto. Es fuhr davon, und sie begann mit dem Graben.«

Ich erinnerte mich an Hamiltons Frage nach dem Transportmittel seiner Schwester. »Was für ein Auto denn?«, erkundigte ich mich.

»Ein großes Auto. Dunkel.« James blickte an mir vorbei,

während er nachdachte. »Ein älterer Lincoln«, sagte er. »Mit einem großen, ruhigen Motor. Das weiß ich, weil ich mich erinnern kann, wie ich hinausging, weil die Hunde bellten, und dabei dachte, dass der Wagen sehr gut eingestellt sein musste, in bestem Zustand. Die Frau stieg aus dem Auto aus, und bevor sie auch nur die Tür zugemacht hatte, fuhr es schon wieder ab.«

»Man hat sie einfach abgesetzt?« Dann musste Sylvia einen Treffpunkt verabredet haben, an dem man sie wieder auflas, denn sie war von selbst nach Glen Oaks zurückgekehrt. Sie mochte verrückt sein, auf jeden Fall war sie umsichtig. Sehr umsichtig sogar.

»Ein kalter Wind wehte, und sie ging über das Maisfeld. Hinter ihr bauschte sich ihr Nachthemd. Der Anblick hat mir wirklich Angst gemacht. Nach einer Weile schickte ich Cooley zu ihr, damit er sie reinholt, bevor sie erfror. Als sie ihn kommen sah, floh sie in den Wald. Ich schätze, deshalb ist ihr Bruder ganz früh am Morgen hier aufgetaucht. Er hat nach ihr gesucht.«

»Wie lange ist Hamilton geblieben?«

James blickte mich lange prüfend an. »Ich sah, wie Delo mit ihm ins Maisfeld ging. Dann bin ich mit Cooley in die Kirche gegangen. Ich war eine Weile fort, weil ich Leute besuchte, und als ich wiederkam, da war Mr. Garrett fort und Delo wahrscheinlich schon tot.«

Die Bilder, die seine nüchternen Worte heraufbeschworen, schmerzten wie spitze Nägel, die sich in die Haut bohren. Cooley kam mit einem Tablett ins Wohnzimmer, auf dem drei Kaffeebecher standen, dazu drei Teelöffel, Zucker und Milch. Ich nahm meinen Kaffee schwarz und lehnte mich zurück. »Haben Sie dem Sheriff davon erzählt?«

Cooley gab wieder das leise verächtliche Schnauben von sich, das ich schon einmal von ihm gehört hatte. »Wir sagen der Polizei gar nichts. Wenn Sie schwarz wären, dann würden Sie auch mit keinem sprechen, der 'ne Uniform trägt. Seit achtzehn Jahren kommen die Idioten nun schon immer wieder mitten in der Nacht hierher, graben im Mais und auf den Feldern. In letzter Zeit ist es besonders schlimm. Sie ruinieren Delos Ernte und unsere auch. Als hätten wir's vergraben. Wir haben ein paar Mal die Polizei gerufen, aber Sie können sich denken, was dabei rausgekommen ist: nichts nämlich. Sie suchen nach diesem –«

»Das reicht, Cooley«, unterbrach James ihn sanft, aber mit einer Spur von Härte in der Stimme. »Miss Delaney möchte von diesen Torheiten nichts hören. Bestimmt würde sie sich lieber erzählen lassen, wie ich mit ihrem Vater die große getigerte Katze aus dem Fluss gerettet habe. Fast hätte das Vieh unser Boot zum Kentern gebracht.«

Eine Geschichte von meinem Vater wollte ich mir gern anhören, aber noch mehr interessierte mich, wer in dem Maisfeld zu graben pflegte. Ein Blick auf James' Gesicht genügte mir jedoch, und ich wusste, dass ich von ihm nichts weiter zu diesem Thema erfahren würde. Ich lehnte mich zurück, nippte an meinem Kaffee und hörte dem alten Mann zu.

Jitty schwebte über dem Küchentisch, das normalerweise heitere Gesicht von Sorge entstellt. Den ganzen Tag und den besseren Teil der Nacht war ich fort gewesen, und im Haus war es eiskalt. Ich hatte den Backofen auf Grillen gestellt und die Klappe weit geöffnet, und trotzdem kam es mir vor, als habe sich alle Flüssigkeit in meinem Leib in Schneematsch verwandelt. Schaudernd seufzte ich auf und umklammerte die Suppentasse fester, die ich erst erhitzt und auf die ich nun keinen Appetit mehr hatte.

»Du hast die ganze Zeit gewusst, dass er verdächtig ist.« Jitty schlug wieder diesen bevormundenden Ton an, als wäre ich ein ungezogenes Kind, das sich wehgetan hatte, während es gegen die Regeln verstieß.

Ich schob die Suppentasse von mir fort, ohne sie angerührt zu haben, und rückte vom Tisch ab. Mit dem, was Jitty sagte, hatte sie leider Recht: Hamilton der Fünfte war von Anfang an der Hauptverdächtige für den Mord an seiner Mutter gewesen. Nun stellte sich heraus, dass er Delo nur wenige Stunden, bevor dessen Leiche aufgefunden worden war, besucht hatte.

»Das ist doch nur, weil du für ihn die Schlüpfer runtergelassen hast«, sagte Jitty und nickte wissend. »Du musst es so sehen, Sarah Booth: Du hast schon mit übleren Männern geschlafen. Und er hat dir nichts getan. Um ehrlich zu sein, hast du deinen Spaß gehabt, und den hattest du dringend nötig.«

»Hör auf!«, fauchte ich sie an. Ich hasste es, wenn sie Sex zu einer Art Physiotherapie für Einsame herabwürdigte. Ich kuschelte mich stärker in die Jacke; es war zu kalt, um sie auszuziehen.

Jitty beugte sich auf beide Arme gestützt über die Tischplatte zu mir vor. »Wenn du es nicht benutzt, dann nimmt Gott es dir fort! Eine Frau muss es wenigstens zweimal im Monat besorgt bekommen, sonst trocknet sie aus.« Angesichts meines schockierten Gesichtsausdrucks rückte sie noch näher. »Ich hab davon in einer von den Illustrierten gelesen. Es würde dir wirklich nicht schaden, wenn du auch mal in die eine oder andere Frauenzeitschrift gucken würdest. Dann erinnerst du dich vielleicht mal an die Bedürfnisse deines Körpers!«

Ich stöhnte. Mit Jitty zu streiten war sinnlos. In einem Monat würde sie mir meine Nacht sexueller Freizügigkeit wieder unter die Nase reiben, aber im Augenblick war sie entschlossen, eine ›moderne‹ Sicht des Umstands anzustreben, dass ich mit einem Mann geschlafen hatte, der durchaus einen Haufen Leute umgebracht haben konnte.

Selbst als mir diese Gedanken durch den Kopf gingen, sah ich schlaglichtartig die gemeinsam verbrachte Nacht vor mir. Ein Mann wie Hamilton konnte einfach kein Mörder sein.

Natürlich kann er das, sagte mir mein Verstand. Nicht alle Killer haben schlechte Zähne und sind hohläugige Desperados, die ihre Kinder züchtigen und ihre Hunde treten. Im Staatsgefängnis von Parchman sitzen alle Sorten Männer ein, die alle denkbaren Verbrechen begangen haben. Darunter werden einige gut aussehend, charmant und clever sein.

Wie Hamilton.

Ich spürte Jittys Blick und drehte mich zu ihr um. Sie hatte die Fäuste in die Hüften gestemmt und funkelte mich wütend an.

»Wenn du dich noch tiefer hängen lässt, dann kann ich dich auch gleich begraben«, sagte sie.

»Ich will einfach nicht, dass er ein Mörder ist«, gestand ich endlich und war schockiert, wie erbärmlich ich klang.

»Na, dann hör auf, dich im Selbstmitleid zu suhlen, und finde heraus, wer es getan hat.«

Ein fabelhafter Ratschlag! Darauf war selbst ich schon gekommen. Die große Frage war das *Wie*.

»Vielleicht solltest du dir Hilfe suchen«, meinte Jitty.

Mir kam Coleman Peters in den Sinn. Schließlich war er der Sheriff, und ich hatte ihn immer für einen anständigen Kerl gehalten. Wenn ich ihm meinen Verdacht darlegte, würde er mich vielleicht unterstützen. Doch im gleichen Moment erkannte ich, wie dumm die Idee war. Coleman Peters konnte es sich nicht leisten, Isaac Carter und die Buddy-Clubbers gegen sich aufzubringen, indem er einen Mordfall wiederaufnahm, der achtzehn Jahre zurücklag und dazu angetan war, ihre Geschäftspraktiken in einem zweifelhaften Licht erscheinen zu lassen. Von den Morden und massiven Vertuschungsmanövern, die ans Licht kommen konnten, ganz zu schweigen.

»Jeder, der mir helfen könnte, ist selber verdächtig«, jammerte ich.

»Deine Mama hat zwar nie die Hand gegen dich erhoben, aber wenn sie jetzt hier stehen würde, dann würde sie dich ohrfeigen!«

Jittys ärgerlicher Ausruf übte den beabsichtigten Effekt aus. Ich setzte mich gerade hin und hob das Kinn. Jitty hatte Recht. Mutter war freundlich, mitfühlend und geduldig gewesen – doch Gejammer konnte sie auf den Tod nicht ausstehen.

»Benutze deinen Verstand, Sarah Booth. Jemand befand sich in dem Sommer vor Mr. Garretts Tod im Hause Garrett. Jemand mit Augen im Kopf.«

»Tammy«, sagte ich und erhob mich halb. Vergessen hatte ich sie nicht; ich hatte nur nicht in Betracht gezogen, dass sie verwertbare Informationen besitzen könnte. Doch sie war jeden Tag im Haus gewesen. Und ihre Großmutter hatte gegen die Änderung des Flächennutzungsplans gekämpft.

»Danke, Jitty«, rief ich, und diesmal war es mir gleich, dass sie damit noch Monate prahlen und mir auf die Nerven gehen würde.

»Mach dich auf den Weg«, entgegnete sie.

Ich sprang auf, zog die Handschuhe aus den Jackentaschen und suchte nach den Autoschlüsseln. Als ich die Handschuhe herausschüttelte, fiel ein Stück Papier auf den Fußboden, das säuberlich zu einem Quadrat zusammengefaltet worden war. Ich hob es auf und öffnete es. Es handelte sich um einen auf Delo Wiley ausgestellten und von Kincaid unterzeichneten Scheck.

Wie betäubt hielt ich ihn einen Augenblick in den Händen. Dann begriff ich, dass Cooley ihn mir zugesteckt haben musste, während er mich über die abgeernteten Maisfelder zum Auto brachte. Ich spürte noch seine Hand an meinem Ellbogen.

»Da soll mich doch der Teufel holen«, sagte ich leise. Als ich mich nach Jitty umblickte, war sie verschwunden. Dafür klopfte es draußen an der Hintertür, die in die Küche führte.

Für einen törichten Moment hoffte ich, es könnte Hamilton sein, und sprang auf. Ich schlich mich ans Fenster und lugte hinaus. Auf den Stufen vor der Tür stand Harold.

Mein Daumen protestierte kläglich, dann sprang mir der große Affe des Schuldgefühls auf den Rücken. Überall betasteten mich die kleinen Affenpfoten. Ich hatte Harold alles andere als fair behandelt.

Ich stellte mich der Tatsache: Obwohl mein Daumen für Harold pochte, sehnte sich der Rest meines Körpers nach

Hamilton. Er mochte ein Mörder sein, aber ich war ihm verfallen. Zwar beabsichtigte ich nicht, dem Dunklen Herrn von Knob Hill nachzustellen, doch andererseits kam Harold für mich als Partner nicht mehr in Betracht.

Und feige wie ich war, konnte ich ihm nun nicht ins Gesicht sehen.

Mit der Faust umklammerte ich die Autoschlüssel und schlich mich aus der Küche zur Haustür. Dann eilte ich durch den Vordergarten, sprang in den Wagen und fuhr los.

25

Zunächst hatte ich erwogen, ziellos umherzufahren, bis Harold wieder gegangen war, und dann ins Schlafzimmer zu gehen, mich aufs Bett zu werfen und vor Wut zu schreien und zu weinen und um mich zu treten. Als ich vier oder fünf war, schien dieses Verhalten unerträgliche Dinge erträglicher zu machen. Aber damals hatte ich noch meine Eltern, die abwarteten, bis sich der Sturm verzogen hatte, und kamen, um mich mit Streicheleinheiten und der Stimme der Vernunft zu beruhigen. Oft beschrieb diese Stimme Strafen und Einschränkungen, die ich mir durch mein Benehmen zugezogen hatte, aber das war mir gleich; nach einem Gefühlsausbruch hatte ich die Vernunft bitter nötig.

Nun gab es niemanden mehr, der vernünftig auf mich einredete, sobald der Anfall vorüber war. Den einzigen Mann, dem ich genügend bedeutete, um es wenigstens zu versuchen, hatte ich soeben aus meinem Leben katapultiert – weil ich einen anderen begehrte.

Bevor ich in den Niederungen der Scham und der Selbstverachtung versank, betrachtete ich lieber die Wolken, die sich am nächtlichen Himmel zusammenballten. Riesig und grauschwarz waren sie, und der Donner, der in ihnen grollte, trug zum Reiz und Vergnügen des Roadsterfahrens bei. Für den Moment gehörte dieses Auto mir ganz allein.

Darauf musste ich mein Augenmerk richten: nicht darauf, anständig oder nett, beliebt oder edel zu sein – auf die Solvenz kommt es an. So geht es in der Welt eben zu, wenn man ein Schmarotzer ist wie ich.

Ich fuhr zu Tammy.

Anders als nachmittags, wenn die Leute auf den Veranden saßen, wirkte das Viertel nun wegen des nahenden Unwetters wie verrammelt. Die Straße war eigenartig leer, und ich fuhr langsam, wich einem Mülleimer aus, der auf die Straße rollte, und einer streunenden Hündin, die durch mein Fernlicht hastete, wobei ihre Zitzen fast über das Pflaster schleiften. Ein großer Town Car kam mir aus dem Grove entgegen, und ich erhaschte einen Blick auf blassblondes Haar hinter dem Lenkrad. Überaus wahrscheinlich eine späte Kundin Tammys.

Auch Tammys Haus wirkte verrammelt und abweisend, doch ich bemerkte Licht auf der Rückseite. Was Tammy wohl trieb? Claire war nach Mound Bayou zurückgefahren und widmete sich ihren Mutterpflichten. Tammy lebte, genau wie ich, allein.

Statt an der Haustür zu klopfen, ging ich ums Haus zum Licht. Vielleicht benahm ich mich töricht; Tammy konnte mich für einen Einbrecher halten. Die Klänge einer zerkratzten Billie-Holiday-Platte drangen aus dem Haus: ›*Lover Man*‹. Nicht gerade aufmunternde Musik. Ich klopfte an die Hintertür zur Küche.

Drinnen ging das Licht an, und die Tür öffnete sich eine Winzigkeit. Tammys Gesicht erschien im Spalt. Sie war sehr geübt im Verbergen ihrer Reaktionen und ließ sich nichts anmerken, als sie die Tür aufzog, um mich hineinzulassen.

»Hast dir eine kalte Nacht ausgesucht, um Häuser zu

umschleichen«, bemerkte sie, als sie mich durch einen Vorbau in die Küche führte. Am Herd roch es nach Brathähnchen, und im Nebenzimmer wünschte Billie Holiday dem Kummer einen guten Morgen.

»Störe ich?«, fragte ich. Mir kam es vor, als wäre unsere Freundschaft mehr oder minder verkümmert. Früher, für kurze Zeit, waren wir so vertraut miteinander gewesen, dass wir uns lächelnd die größten Geheimnisse beichten konnten. Mein Leben war in die eine Richtung verlaufen, Tammys in eine andere. Trotzdem hatte ich nie wieder eine Freundin gehabt wie sie, weder auf dem College noch in New York. Ich war Mädchen und Frauen begegnet, die ich mochte, aber mit keiner entstand eine vertraute Beziehung wie zu Tammy.

»Ich nähe Kleidchen für Dahlia«, erklärte sie und führte mich ins Nebenzimmer. Eine Nähmaschine stand auf dem Tisch, daneben zierliche Stoffstücke in Rot, Gelb und Blau, helle Sommerfarben.

»Sonnenkleider«, sagte Tammy. »Bevor du dich's versiehst, haben wir wieder Sommer.«

»Wer ist Claires Vater, Tammy?« An sich hatte ich nicht vorgehabt, so unverblümt zu fragen. Eigentlich hatte ich gar nicht danach fragen wollen.

»Das kannst du einfach nicht auf sich beruhen lassen, was?«

Ich schüttelte den Kopf. »Ich habe einiges über mich selbst erfahren, das ich lieber nicht wüsste. Nun will ich alles wissen.«

Sie ging zum Plattenspieler, einem alten Koffergerät, wie ich es schon seit Jahren nicht mehr gesehen hatte, und stellte ihn ab. In der plötzlichen Stille klang ihre Stimme müde.

»Wir alle erfahren manches über uns, das wir uns nicht gerne eingestehen.«

»Bitte sag es mir.«

»Wenn du es schon vor langer Zeit hättest wissen wollen, dann wäre alles vielleicht anders gekommen. Wenn irgendwer außer meiner Granny daran gedacht hätte, mir diese Frage zu stellen, wäre mein Leben vielleicht anders verlaufen. Sie starb in dem Glauben, meine Schwangerschaft wäre ihre Strafe dafür, dass sie ihr Haus behalten wollte und gegen die Landentwicklung kämpfte. Ich hatte zu viel Angst, um die Wahrheit zu sagen.«

Sie ging an den Tisch und nahm das Kleidchen für Dahlia in die Hand. »Dein Daddy hat meine Granny beraten. Er half ihr, und Mr. Garrett half ihr, aber das ist alles lange her.« Sie hob den Kopf und sah mich an. »Ich wollte, dass Claire es besser hätte, und das habe ich geschafft. Sie hat sich in einen Jungen verliebt, und zusammen haben sie ein Baby gemacht. Wenigstens hatten sie Spaß dabei. So ist es bei mir nicht gewesen.«

»Wie ist es passiert?« Ich fürchtete mich vor der Antwort, und mir wurde bewusst, dass wahrscheinlich die ganze Zeit über diese Furcht meiner Neugierde zu schweigen befohlen hatte.

»Du weißt noch, dass ich in dem Sommer, bevor Mr. Guy starb, auf Knob Hill gearbeitet habe?«

Ich nickte.

»Ich habe tagsüber mit Tilda und Missy im Haus gearbeitet und Mr. Henry im Garten geholfen. Spätabends, wenn alle schon schliefen, ging ich mit Hamilton zum Pool, und er brachte mir das Schwimmen bei. Vor dem schönen blaugrünen Wasser habe ich mich nämlich gefürchtet. Am

Tag, wenn ich Wäschekörbe trug oder im Spülbecken Gemüse putzte, hab ich Mrs. Garrett oft beim Schwimmen beobachtet. Sie war schlank und nass; sie hat mich immer an ein Tier mit einer besonderen Begabung erinnert. Ich wollte auch spüren, wie mir das Wasser über den Körper spült. Ich wollte einen Bikini tragen und aus dem Pool steigen, sodass das Wasser an mir herunterlief und kleine Pfützen um meine Zehen bildete. Aber ich hatte immer Angst, es könnte mich packen und bis zum Abfluss hinunterziehen.«

Sie legte das Kleidchen hin und strich geistesabwesend mit der Hand über den Stoff.

»Hamilton hat mir das Schwimmen beigebracht, und spät in der Nacht bin ich in Unterwäsche in den Pool gestiegen und ausgiebig geschwommen. Ich übte alle Züge, die er mir zeigte. Schließlich konnte ich ziemlich gut schwimmen, ohne das Wasser aufzurühren oder ein Geräusch zu machen, ganz sauber, genauso, wie er es mich gelehrt hatte.«

Ich rührte mich nicht. Jede Bewegung hätte sie verstummen lassen.

»In diesem Sommer hab ich zum ersten Mal die Träume bekommen. Anfangs drehten sie sich um Kleinigkeiten. Einmal hab ich von frischen Erdbeeren mit Zucker und Sahne geträumt, und genau das gab es am nächsten Tag zum Nachtisch. Oder ich sah im Traum ein Muster vor mir, und dann brachte Mrs. Garrett eine neue Tapete in genau dem Muster mit. Das machte mir Spaß. Ich erzählte Missy und Tilda davon, und sie lachten darüber, aber ich merkte, dass es ihnen auch Unbehagen bereitete. Dann fing es mit den Träumen von den Tauben an.«

Sie bemerkte, dass sie Dahlias Kleidchen noch immer streichelte, unterbrach die Bewegung und schob sich die

Hände in die Hosentaschen. Dann seufzte sie auf. »Denk dran, du wolltest es hören, Sarah Booth.«

Ich sagte nichts. Ich brachte kein Wort hervor. Tammy ging an mir vorbei in die Küche. Während sie eine Kanne Kaffee aufsetzte, redete sie weiter.

»Die Träume wurden immer schlimmer, und schließlich kam ich jeden Morgen angespannt und hohläugig in die Küche, weil ich nicht schlafen konnte. Deswegen schwamm ich nachts noch mehr. Das beruhigte mich und erleichterte mir das Einschlafen. Eines Nachts, als ich schwamm, hörte ich Stimmen. Mr. Guy war verreist, und Mrs. Garrett war ein paar Tage in Memphis zum Einkaufen gewesen. Im Haus war es so ruhig gewesen, und ich hatte nicht bemerkt, dass sie wieder da war. Jetzt aber war sie in ihrem Schlafzimmer über dem Pool, und ein Mann war bei ihr. Sie sprachen davon …«

Sie verstummte und drehte sich zu mir um.

»Sie sprachen davon, Mr. Garrett zu ermorden, nicht wahr?«

Sie nickte. »Und sie planten es genau so, wie es dann passiert ist.«

»Wer war der Mann?«

»Das kann ich nicht sagen«, flüsterte sie. Als sie nach der Zuckerdose griff, zitterte ihre Hand so stark, dass ich aufstand und sie ihr abnahm.

»All die Jahre hätte ich es so gern jemandem gesagt, und jetzt kann ich nicht«, flüsterte sie. »Ich kann seinen Namen nicht aussprechen.«

»Warum nicht?«, fragte ich. »Hast du Angst, dass er dir etwas antut?«

»Das kann er nicht mehr. Auf jeden Fall nicht mehr, als

er mir schon angetan hat«, antwortete sie leise. »Er ist tot. Aber sein Blut lebt weiter. Vor dem Sohn habe ich solche Angst.«

Nun brauchte sie mir den Namen nicht mehr zu nennen. So viele tote Leute es in Sunflower County auch gab, Tammy konnte nur von einem sprechen: von Pasco Walters. Wahrscheinlich ahnte ich schon eine geraume Weile, wie er ins Bild passte. Und auch Gordon Walters war ganz gewiss ein Mann, der sein Amt zu seinem eigenen Vorteil missbraucht hätte.

»Ich weiß, wen du meinst«, beruhigte ich sie. »Du brauchst seinen Namen nicht auszusprechen.«

Sie schaute zu mir hoch. »In meinen Träumen kommt er zu mir, und ich weiß, was das bedeutet: dass ich sterben muss. Deshalb habe ich Claire zu meinem Vetter in Mound Bayou geschickt. Ich wollte sie außer Gefahr bringen. Ich will nicht, dass ihr Halbbruder sie ermordet.«

Ich hatte gestanden und die Zuckerdose in der Hand gehalten. Nun stellte ich sie behutsam auf den Tisch und zog einen Stuhl für sie und einen für mich heran. Als wir beide saßen, griff ich über den Tisch und nahm ihre Hand.

»Pasco Walters ist Claires Vater?«

Tammy nickte zögernd. »Er muss mich im Pool gesehen haben, als ich ihn und Mrs. Garrett zufällig belauschte. Ich bin aus dem Wasser gestiegen und ins Haus geflohen. Lange Zeit glaubte ich, ich wäre noch einmal davongekommen. Aber nach Mrs. Garretts Tod wartete er nach der Schule auf mich. Als ich auf dem Nachhauseweg war, befahl er mir, in seinen Streifenwagen zu steigen. Dann fuhr er mit mir nach Knob Hill hinaus. Niemand war mehr dort. Alle hatten sich zerstreut. Nur er und ich waren da, und er fragte mich, ob ich schwimmen könne. Da wusste ich, dass er mich gesehen hatte – und dass er mich umbringen würde. Er hat mich gezwungen, mich auszuziehen und in den Pool zu steigen und ihm alle Schwimmzüge zu zeigen, die Hamilton mir beigebracht hatte. Dann hat er mich vergewaltigt und mir gedroht, er würde es immer wieder tun, wenn ich den Mund nicht hielt. Und ich hab nie jemandem etwas gesagt. Niemand hat mich je danach gefragt, außer Omas Freund, Mr. Levert.«

»Es tut mir leid, Tammy. Es tut mir so leid.«

»Mr. Levert hat geahnt, dass etwas nicht stimmte, aber er hat mich nicht bedrängt. Er wusste, dass ich nicht die Sorte Mädchen war, die sich so mir nichts, dir nichts die Zukunft verbaut, und er wusste auch, dass ich Angst hatte. Granny und er waren damals ständig um Rathaus und kämpften gegen die Änderung des Nutzungsplans, und deshalb hatte ich auch Angst um sie.«

Sie zitterte am ganzen Leib, und ich hielt ihre Hand wie eine Rettungsleine. Als die ersten Tränen ihr die Wangen hinunterkullerten, stand ich auf, ging zu ihr und nahm sie in die Arme. Während sie weinte, ließ ich sie nicht los.

»Es tut mir so leid, Tammy«, sagte ich und strich ihr über das Haar. »Verzeih mir bitte.«

»Am Ende musste es ja herauskommen. Mr. Levert war heute Abend hier und hat mir Fragen über damals gestellt. Auch sein Freund ist auf diesem Maisfeld ermordet worden.«

»Delo Wiley?«

Sie schniefte und nickte. »Delo hat ihm das Land verkauft, als sonst niemand verkaufen wollte. Sie waren Nachbarn.«

»James Levert?« Endlich knüpfte ich die Verbindung. »Der alte Mann, der zusammen mit deiner Granny das neue Gewerbegebiet bekämpft hat?«

»Kennst du Mr. James?«

»Allerdings«, sagte ich und dachte wieder an die Protokolle im Rathausarchiv.

»Er ist ein guter Mann. Ein Mann mit vielen Sorgen.«

»Tammy, ich muss gehen«, sagte ich und erhob mich. »Kommst du ohne mich zurecht?«

Sie nickte. »Ich musste es endlich jemandem sagen. Bin ich froh, dass du es warst.«

»Hätte ich dich nur früher danach gefragt. Und es tut mir leid, dass ich das alles ausgegraben habe. Ich hatte wirklich geglaubt, ich bräuchte nur ein paar Gerüchten nachzugehen, um Tinkie zufrieden zu stellen.«

»Irgendwann musste es ja einmal ans Licht kommen. Knochen können nicht in Frieden ruhen, wenn die Wahrheit neben ihnen begraben liegt.«

Allmählich schien sie die Fassung wiederzuerlangen, und ich fühlte den Drang, etwas zu unternehmen. Zwar war ich unschlüssig, was denn nun zu tun sei, aber ich musste handeln. Ich drückte Tammy ein letztes Mal an mich und ging zur Tür. Da fiel mir der große Town Car wieder ein.

»Tammy, ist von hier jemand aufgebrochen, kurz bevor ich kam?«

Der vertraute abweisende Ausdruck trat in ihr Gesicht. »Ich spreche nicht über meine Kunden.«

Am liebsten hätte ich sie am Kragen gepackt und geschüttelt. »Es ist aber wichtig.«

Tammy musste meine Verzweiflung gespürt haben und kam zu mir an die Tür.

»Millie war es«, sagte sie. »Wenn sie kommt, kommt sie spät, nachdem sie das Café geschlossen hat.«

Ich wollte Tammy noch etwas anderes fragen, doch da hatte sie die Tür schon hinter mir geschlossen. Ich hörte, wie der Riegel vorgelegt wurde. Eigentlich benötigte ich Tammys Bestätigung gar nicht, denn für mich stand mittlerweile fest, dass Millie es gewesen war, die Sylvia von Glen Oaks nach Zinnia gebracht hatte. In gewisser Weise ergab das sogar einen verdrehten Sinn. Wie James und Cooley hatte auch die Krankenschwester von einem großen Wagen gesprochen. James hatte sogar einen Lincoln erwähnt. Millie fuhr einen Lincoln Town Car und war bis über beide Ohren in Hamilton den Vierten verliebt gewesen. Sylvia war für sie das letzte Bindeglied zu ihm gewesen, ihr letztes Mittel, seinen Tod zu rächen.

Zeit, mit Millie ein ernstes Wort zu reden.

26

Aus der Ferne ließ sich leises Donnergrollen vernehmen, als ich vor Millies Haus parkte. Den großen Lincoln Town Car konnte ich nirgends sehen, also war Millie vermutlich nicht zu Hause. Ohne die nasskalte Nacht zu beachten, klopfte ich an Millies Tür, bis meine Fingerknöchel sich abgeschürft hatten und geschwollen anfühlten.

Eine Frage ging mir nicht mehr aus dem Sinn: Warum sollte Millie Sylvia im Nachthemd auf Delo Wileys Maisfeld absetzen? Daraus ergab sich automatisch die nächste Frage, nämlich, worin die Verbindung zwischen Millie und Sylvia eigentlich bestand. Waren sie befreundet oder Komplizen in einem Mord? Oder noch Schlimmeres?

Wieder musste ich daran denken, dass Millie sehr wohl in der Werkstatt ihres Bruders Veronicas Bremsleitung zerschnitten und danach den jungen Garretts das Messer untergeschoben haben konnte. Dann hätte ihr Motiv, Sylvia bei der Flucht zu helfen, darin bestanden, sie erneut zum Sündenbock zu machen – diesmal für den Mord an Delo.

Widerstrebend fuhr ich von Millies Haus zu dem einzigen Menschen in der ganzen Stadt, der mir noch zu helfen vermochte.

Cece Dee Falcon wohnte in einem charmanten viktorianischen Haus an der Longpull Street. Obwohl *long pull* so viel wie ›ermüdende Steigung‹ bedeutet, ist die Straße nach einer Baumwollsorte benannt und nicht nach ihrem Gefälle. Ich bog auf Ceces Grundstück ein, froh, im Wohnzimmerfenster Licht zu sehen. Als ich die gemauerte Treppe zur Haustür hinaufeilte, hörte ich den schnarrenden Ton eines Fernsehers. Mit einem erwartungsvollen Lächeln auf dem Gesicht öffnete Cece gleich beim ersten Klopfen. Kaum hatte sie mich erkannt, da verschwand das Lächeln.

»Was willst du denn hier?«, fragte sie, ohne die Tür auch nur einen Spalt weiter zu öffnen.

»Ich muss mit dir reden. Um genau zu sein, muss ich unbedingt ein paar alte Ausgaben der Zeitung einsehen. Mrs. Kepler schließt mir um diese Zeit auf keinen Fall die Bibliothek auf. Ich hatte gehofft, du könntest mich ins Redaktionsgebäude lassen.«

»Würde ich gern tun, mein Schatz, aber heute Abend habe ich wirklich was anderes vor.« Sie spähte in die Nacht hinaus.

»Cece, das ist wirklich ernst und dringend.« Ich bemerkte ihr Kleid – eine hautenge, aufreizende Angelegenheit –, das ihren schmalen Hüften und ihrer graziösen Kehle volle Gerechtigkeit widerfahren ließ. Sie erwartete jemanden, und ganz offensichtlich hegte sie romantische Absichten.

»An jedem anderen Tag würde ich dir freudig bei den Recherchen für dein Buch helfen, aber heute Abend nicht, Sarah Booth.«

»Ich recherchiere überhaupt nicht für ein Buch«, gestand ich, denn ich war die Lügengeschichte endgültig leid. »Ich ermittle in einem Mordfall.«

Sie lächelte mich an. »Ich habe es immer gewusst, du verstehst ein gutes Garn zu spinnen. Deshalb wirst du auch eine gute Autorin abgeben. Also, in welchem Mordfall schnüffelst du herum?«

»Dem an Veronica Garrett.«

Sie zog eine ihrer aufgestellten Augenbrauen hoch. »Ja, es gab viel *Gerede,* Veronica Garrett sei ermordet worden, aber einen Beweis hat noch keiner gefunden. In einem Roman natürlich ... Lass uns morgen darüber sprechen.«

»Ich muss ins Zeitungsarchiv.« Ich konnte sehr hartnäckig sein. »Ich bleibe hier, bis du mich hineinlässt.«

»Das kannst du doch nicht machen«, wisperte sie nervös. »Du kannst doch nicht auf meiner Türschwelle kampieren.«

»Das kann ich, und das werde ich. Oder gib mir den Schlüssel zur Redaktion. Ich will wirklich nur ins Archiv.«

Cece zögerte. »Aber dann gehst du?«

»Wenn ich fertig bin, werfe ich dir den Schlüssel in den Briefkasten.«

»Augenblick.« Sie schloss mir die Tür vor der Nase, kehrte aber gleich darauf mit einem Schlüssel an einem Band zurück. »Wage es ja nicht, einen Computer einzuschalten oder mein Büro zu betreten.«

»Pfadfinderinnenehrenwort«, sagte ich und fragte mich, ob Cece sich wohl noch daran erinnerte, dass man mich bei den Pfadfinderinnen hinausgeworfen hatte, weil ich allzu gerne Chinaböller mit Lagerfeuern kombinierte.

Sie reichte mir den Schlüssel durch den Türspalt und blickte mir nach, als ich in die Nacht hinaushastete. Es hatte gerade begonnen, elend kalt zu regnen.

Das Schöne an einer Kleinstadt ist, dass man nirgendwohin länger als fünf Minuten braucht. Blitzschnell war ich beim ›Dispatch‹. Um niemanden neugierig zu machen, parkte ich hinter dem Gebäude und musste feststellen, dass Ceces Schlüssel nicht in die Hintertür passte. Gegen die feuchte Wand gepresst schlich ich mich nach vorn und schloss auf. Vorsichtig umging ich im dunklen Redaktionsbüro, wo ich kein Licht einschaltete, Schreibtische, Stühle, Bücher- und Papierstapel. Ab und zu schien durch eins der Fenster das Flackern eines Blitzes, das mir die Orientierung zumindest ein wenig erleichterte. Das Archiv lag im hinteren Teil des Gebäudes, ein fensterloser Raum. Dort konnte ich es wagen, eine Lampe einzuschalten.

Die Ausgaben von 1978 und früher gab es nur noch auf Mikrofiches, doch die, auf die es mir ankam, waren noch gedruckt vorhanden. Die Seiten fühlten sich dünn und brüchig an, und ein Geruch nach Staub und alter Druckerschwärze stieg von ihnen auf. Erneut arbeitete ich die Reportage über den Tod Hamiltons des Vierten durch. Ganz wie ich mich erinnerte, bezeichnete man es als tragisches Jagdunglück.

Ich ging zum 10. Februar 1980 vor, zu Veronicas Autounfall, und las den Artikel sorgfältig dreimal. Nicht die leiseste Andeutung auf ein Verbrechen. Auto trifft Baum – Ende der Geschichte. Alles ganz sauber.

Ich ging kritisch Pasco Walters' Aussagen durch, mir stets bewusst, dass er Veronicas Geliebter und Helfershelfer bei der Ermordung ihres Ehegatten gewesen war – wenn er nicht sogar persönlich abgedrückt hatte.

Pascos Aussagen waren sorgsam aufgezeichnet worden. Er nannte den Autounfall eine Tragödie und wies darauf hin, wie sehr die Gemeinde die Wohltätigkeit Mrs. Garretts vermissen würde. Eine persönliche Bemerkung fehlte, es gab keinerlei Anzeichen für Trauer oder Kummer.

Gut möglich, dass die Beziehung zwischen den beiden die Ermordung von Guy Garrett nicht lange überlebt hatte. Sobald Veronica einmal hatte, was sie sich ersehnte – Geld und Freiheit –, konnte sie den gut aussehenden Sheriff als lästig empfunden haben.

Dann las ich den Bericht über das Begräbnis, eine geschmackvolle Trauerfeier auf dem Familienfriedhof der Garretts. Veronica war an der Seite ihres Ehemannes bestattet worden. Der Journalist erging sich für meinen Geschmack etwas zu ausführlich in der Beschreibung der Kränze und Blumen, doch die Wahl des Kirchenlieds stimmte mich nachdenklich. ›*Swing Low, Sweet Chariot*‹ erschien mir für das Opfer eines Autounfalls sehr unpassend.

Als ich gerade umblättern wollte, um zu schauen, ob in den Tagen nach dem Unfall weitere Artikel dazu erschienen waren, fiel mir ein Foto am unteren Ende der Seite ins Auge. Es zeigte Millie Roberts, die neben einer bezaubernden blonden jungen Frau stand und ihr einen Arm um die Schultern gelegt hatte. Beide lächelten sie glücklich. Das Foto gehörte zu einer kurzen Meldung über das spurlose Verschwinden der neunzehnjährigen Janice Wells. Die Meldung umfasste nur drei Absätze und schilderte in knappen Worten die nackten Tatsachen. Gegen Mittag war Janice aus Billie Wells' Werkstatt verschwunden. Niemand hatte sie gehen sehen, und sie hatte nur ihre Handtasche mitgenommen. Weil sie kein Auto besaß, wurde angenommen, sie sei zu Fuß unterwegs.

Millie hatte auf Informationen, die zur Auffindung ihrer Schwester führten, eine Belohnung von dreitausend Dollar ausgesetzt – vermutlich die Ersparnisse ihres ganzen Lebens. Das Sheriffbüro betrachtete Janice als Ausreißerin.

Ich musterte die Züge der beiden Frauen, die auf dem Foto eindeutig als Schwestern zu erkennen waren. Janice war offenbar ein paar Jahre jünger als Millie, aber sie zeigte das gleiche gelassene Lächeln und den neugierigen Ausdruck in den Augen wie ihre ältere Schwester.

Ich bemerkte, in welch beiläufiger Weise Janice den Arm um die Schulter ihrer Schwester geschwungen hatte, und von diesem Augenblick an stand für mich fest, dass sie nicht mit einem Mann durchgebrannt sein konnte. Ich war keine Madame Tomeeka, ich erhielt keine Visionen und konnte auch nicht aus der Hand oder einem Stoß Karten die Zukunft oder die Vergangenheit lesen. Doch dieses Foto kündete so unmissverständlich von der tiefen Liebe zwischen den beiden Schwestern, dass mir eins völlig klar war: Janice musste ein tragisches Ende gefunden haben. Hätte sie noch gelebt, dann hätte sie ihrer Schwester eine beruhigende Nachricht zukommen lassen.

Ich blätterte durch den Rest des Monats, doch es gab keine Folgeartikel zu Veronicas Unfall oder Janices Verschwinden. Beide Geschichten verliefen im Sande; die eine wurde mit Vorbedacht begraben, die andere ohne weiteres ignoriert, weil Janice im Gesellschaftsgefüge der Stadt keine gewichtige Rolle gespielt hatte.

Kein Wunder, dass Millie mich so kurz abgefertigt hatte. Wäre ein Daddy's Girl verschwunden, so hätte jeder Mann und jeder Hund im ganzen Bezirk ihre Spur verfolgt und würde wahrscheinlich noch heute nach ihr Ausschau halten.

Ich klappte die gebundenen Zeitungsbände zu und stellte sie säuberlich ins Regal zurück, dann ging ich durch das dunkle Büro zur Tür. Als ich an den Spiegelglasfenstern vorbeiging, erhaschte ich einen Blick auf einen Streifenwagen, der wie ein Hai durch die stürmische Nacht glitt. Ich glaubte, Gordon Walters' Profil zu erkennen. Seine gebrochene Nase war unzweifelhaft das Andenken an einen Faustkampf. Ohne diese Nase hätte er Claire bemerkenswert ähnlich gesehen. Die Antwort hatte mir die ganze Zeit über vor Augen gestanden.

Der Streifenwagen patrouillierte langsam durch die Straße. Walters spielte in diesem Fall eine Rolle, und zwar eine bedeutende. Die Haie waren unterwegs und suchten nach Beute. Ich musste sehr vorsichtig sein.

Zwar zog es mich nun sehr nach Dahlia House, doch ich musste unbedingt nach Friars Point. Vermutlich hatte Hamilton Recht, wenn er sagte, seine Schwester sei in der Tat verrückt. Auch wenn er die Glasflasche, die ich ihm von Sylvia geben sollte, in Dahlia House zurückgelassen hatte, besaß sie für ihn offenbar eine Bedeutung, und ich musste erfahren, welche. Mit quietschenden Reifen machte ich auf dem Parkplatz des Redaktionsgebäudes eine Kehrtwendung.

Ich fuhr mit erhöhter Geschwindigkeit, als plötzlich eine dunkle Gestalt hinter einem Müllcontainer hervorkam und auf die Straße trat, ein großer Mann. Mit aller Kraft trat ich auf die Bremse. Der Nieselregen hatte den Asphalt gerade feucht genug gemacht, um Schmier und Sand zu lösen. Der Wagen geriet ins Schleudern, und während ich versuchte, ihn wieder unter Kontrolle zu bekommen, vergaß ich alles andere. Fünfzig Meter schlingerten wir in wildem Kampf, doch am Ende siegte ich und erlangte die Gewalt über den Roadster zurück. Als der Wagen schließlich angehalten hatte, weigerten sich meine Hände, das Lenkrad loszulassen, und deshalb saß ich nur bebend da, zu müde und zugleich zu aufgeregt, um mich zu bewegen.

Als es an das Beifahrerfenster klopfte, blickte ich auf und sah Hamilton, der mich anstarrte. Bevor ich die Zentralverriegelung betätigen konnte, öffnete er die Tür und stieg ein.

»Deinetwegen hätte ich mich fast selber umgebracht«, fuhr ich ihn an. Ich war stinkwütend über seinen halsbrecherischen Auftritt. »Hast du so dafür gesorgt, dass deine Mutter gegen den Baum fährt?«

Sein Gesicht verdunkelte sich vor Zorn, doch als er sprach, klang seine Stimme streng beherrscht und förmlich. »Du hast dich in meine Angelegenheiten eingemischt, und nun steckst du bis zum Hals tief drin. Gordon Walters sucht nach dir, er hat einen Haftbefehl gegen dich, wegen Mordes an Delo Wiley. Ich rate dir, fahre nach Memphis, such dir ein hübsches Hotel und bleib dort ein paar Tage, bis das hier vorbei ist.« Von dem kurzen Sprint, den er hingelegt haben musste, leuchtete sein Gesicht merkwürdig, und seine Augen funkelten.

Ich überlegte, ob ich aus seiner Stimme einen Anklang von Genugtuung herausgehört hatte. »Das sieht dir ähnlich, Weglaufen als beste Lösung anzusehen.« Unter den vielen Aspekten, die mir an der Ausbildung zum Daddy's Girl nicht gefallen, sticht die Betonung von Stolz und Würde ganz besonders hervor. Hamilton hatte mich benutzt. Er hatte mit mir geschlafen und mich auf seine Seite gezogen, dann war er ohne Erklärung oder auch nur Verabschiedung davongelaufen. Ausgenommen hatte er mich, und ich war wütend darüber. Und verletzt. Und nun wollte ich mich revanchieren.

»Sarah Booth, du bist mir ein Stachel im Fleisch und eine Plage gewesen, seit du eingewilligt hast, meine Vergangenheit für Tinkie zu untersuchen. Gordon ist nicht in der Stimmung, sich von dir irgendetwas gefallen zu lassen.«

Eine merkwürdige Ruhe senkte sich über mich. »Seit wann weißt du, dass ich für Tinkie gearbeitet habe?«

»Nach deinem Besuch auf Knob Hill habe ich mich deiner wahren Motive vergewissert.«

Also hatte er es bereits gewusst, als er mit mir schlief. Nickend nahm ich es hin, dass er der dunkle Meister war – der Meiter der Beeinflussung, der Befriedigung und der Hoffnung; Meister sämtlicher *-ungs,* die eine Frau verwundbar machen und sie verletzen. Ich nahm die Schultern zurück und bedachte ihn mit einem kühlen Lächeln.

»Nun, wir haben beide sehr viel Energie darauf verwendet, aber ich bezweifle, dass einer von uns genügend Informationen zusammengetragen hat.« Niemals würde ich ihm verraten, dass ich eine Nacht lang an ihn geglaubt hatte, an seine Unschuld und an seinen Platz in meinem Leben.

Selbst unter der trüben Beleuchtung durch das Armaturenbrett konnte ich sehen, wie ihm die Röte ins Gesicht schoss. »Was genau hat Sylvia gesagt, als sie dir die Glasflasche gab?«

»Erkläre mir zuerst, welche Bedeutung die Flasche besitzt.«

Einen Augenblick lang sann er nach, als überlege er, ob er antworten solle oder nicht. »Meine Mutter sammelte Glas und Schmuckarbeiten des Künstlers René Lalique. Die Flasche und etliche weitere Stücke verschwanden am Tag ihres Autounfalls. Seit Jahren inseriert Sylvia in diversen Kunstzeitschriften und sucht nach dem Besitz unserer Mutter. Als die Flasche auf den Markt kam, wusste sie, dass der Mörder sich endlich sicher genug fühlte, um seine Beutestücke zu veräußern. Sylvia erhielt auf eine ihrer Annoncen eine Antwort und rief mich nach Hause, um ihr beim Stellen der Falle zu helfen.«

Endlich wusste ich, was der Zeitschriftenausriss in seiner Manteltasche zu suchen hatte, und begriff auch seine plötzliche Rückkehr nach Sunflower County. »Also ist Sylvia doch nicht verrückt. Sie ist nur …«

»Vom Wunsch nach Rache besessen. Manch einer würde es als Irrsinn bezeichnen, dass sie ihr ganzes Leben der Rache opfert und sich jedes Vergnügen versagt, damit sie nie in Versuchung gerät, das Unverzeihliche zu vergessen. Vielleicht ist sie verrückt; das kann ich nicht sagen. Ich weiß allerdings, dass sie intelligent, geduldig und entschlossen ist. Sylvia wusste, dass diese wertvollen Stücke eines Tages zum Verkauf angeboten würden. Darauf hat sie all die Jahre gewartet.« Er blickte mich an, und mich überfiel abrupte Trauer. Welche Vergeudung! Hamilton im Exil, seine Schwester in Glen Oaks.

»Was hat Sylvia zu dir gesagt?«, drängte er.

»Sie sagte, die Zeit sei abgelaufen, für euch beide.«

Vehement drückte Hamilton die Tür auf und wollte aussteigen. Ich packte ihn am Arm und hielt ihn zurück. Unter dem Stoff seiner Jacke spürte ich seinen Unterarm. Er verharrte und drehte den Kopf zu mir. Die Erinnerung daran, wie er seinen Mund über meine Haut wandern ließ, traf mich so intensiv, als geschähe es eben in dieser Sekunde. Und dennoch klaffte eine große Distanz zwischen uns, als wäre Hamilton in die Leere zurückgetreten.

»Wenn du die Vergangenheit nicht loslässt, wird sie dich

vernichten«, wiederholte ich, was Tammy, Jitty und Tinkie mir klarzumachen versucht hatten. »Bitte, Hamilton ...« Die Erinnerung an die gemeinsame Nacht schien den ganzen Wagen zu erfüllen. »Komm mit mir nach Dahlia House.«

»Hast du denn gar keine Angst, dass ich mitten in der Nacht aufstehen und dich ermorden könnte?«, fragte er in einem arroganten Ton, der zu besagen schien, er sei zu allem fähig.

»Du würdest mich schon nicht umbringen. Damit hättest du schließlich nichts zu gewinnen.«

Die zynische Bemerkung brachte ihn zum Lachen, und erneut empfand ich das Aufwallen ungezügelten Verlangens. An ihm war etwas Wildes, Verletztes, und ich konnte nicht anders, als darauf zu reagieren. In Hamilton hatte ich einen Widerpart gefunden, der meiner Leidenschaft würdig war, und ich wollte nicht, dass er wieder aus meinem Leben verschwand.

Seine Hände fuhren von meinen Schultern an meine Schlüsselbeine und bewegten sich langsam hinab. Ich unternahm keinen Versuch, ihn zu berühren; ich wartete ab. Seine Hände schlüpften in meine Jacke und streichelten mir schließlich über die Brüste. Sein Atem war wie meiner kurz und schnell geworden. Und trotzdem konnten wir nicht den Blick voneinander lösen.

»Sarah Booth ...« Er strich mit den Fingern wieder höher und legte mir die Hände auf die Schultern. »Ich habe versucht, gegenüber dir und dem, was dir passiert, eine gleichgültige Haltung einzunehmen. Ich habe versucht, dir Angst zu machen und dich zu vertreiben. Beides hat nicht funktioniert. Jetzt frage ich dich: Willst du denn wirklich nicht irgendwohin gehen, wo es sicher ist, und dort bleiben? Geh ins Peabody in Memphis. Ich habe dort ein Zimmer. Warte da auf mich.«

»Ich kann jetzt nicht einfach davonlaufen«, erwiderte ich. »Das werde ich nicht tun.«

Er öffnete die Beifahrertür und stieg aus, bevor ich ihn aufhalten konnte. Zu meiner Überraschung hockte er sich neben dem Wagen nieder. Ich benötigte einen Augenblick, um zu begreifen, was er tat. Als ich ausgestiegen war und den aufgeschlitzten Reifen betrachtete, war Hamilton bereits zwischen den regennassen Gebäuden der Innenstadt von Zinnia verschwunden.

27

Mir blieb keine Wahl – also begann ich meinen Fußmarsch zu Ceces Haus unverzüglich. Bevor ich auch nur einen Häuserblock weit gekommen war, öffnete der Himmel seine Schleusen. Nach dreißig Sekunden war ich bis auf die Haut durchnässt. Meine Lederjacke wurde immer schwerer und gab, während ich mich weiterschleppte, beängstigende Laute von sich. Das kalte Wasser trug nicht das Geringste dazu bei, mein Gemüt ein wenig abzukühlen. Ich hegte große Pläne mit Hamilton Garrett dem Fünften, und ausnahmslos schlossen sie Qual und Folter ein.

Plötzlich strahlte Fernlicht von dem großen Schaufenster des *Steppin' Out* zurück, und ich entschied mich, das Risiko einzugehen, dass Gordon Walters in diesem Auto saß und nur nach mir suchte. Ich setzte ein Lächeln auf, hob den Daumen und blieb stehen. Mein Haar klebte an meinem Schädel. Mein Spiegelbild in der Schaufensterscheibe ließ mich an eine Figur aus einem schlechten Zeichentrickfilm denken. Zu meiner Überraschung hielt der Wagen an.

Als das Beifahrerfenster des großen Cadillac herabfuhr, begrüßte mich schallendes Gebell.

»Chablis!«, rief ich aus, denn das große Bellen der winzigen Hündin erkannte ich auf der Stelle.

»Soll das eine neue Methode sein, um Gewicht zu verlieren?«, fragte Tinkie, die sich zur mir vorlehnte. »Du siehst aus wie jemand aus einem John-Carpenter-Film.«

»Ich habe Schwierigkeiten mit dem Auto«, sagte ich. Verwunderlich, dass Tinkie etwas von Horrorfilmen verstand. Immer deutlicher traten sie hervor, die verborgenen Seiten der Tinkie Bellcase Richmond.

»Spring rein«, sagte sie und entriegelte die Tür. »Ich habe dir ja gleich gesagt, kauf dir einen amerikanischen Wagen. Diese ausländischen Modelle sind viel zu unzuverlässig.«

Mir war es zu kalt, um über die Taktiken der Automobilindustrie zu diskutieren, deshalb stieg ich ein, richtete einen Heizungslüfter direkt auf mich und ließ mich in die bequemen Lederpolster sinken. Wir würden noch rasch einen Abstecher zu Cece machen müssen, denn ich hatte versprochen, ihr den Schlüssel in den Briefkasten werfen.

»Ich war gerade zu dir unterwegs, um dir von Sylvia zu berichten«, sagte Tinkie und drückte das Gaspedal bis zum Anschlag durch. Schnurrend durchstieß der Caddy die Nacht; umgab mich mit Leder und Luxus und fraß den Asphalt. Amerikanische Autos hatten in dem Moment durchaus etwas für sich.

»Was ist mit Sylvia?« Meine Zähne hatten fast zu klappern aufgehört, aber es würde sehr viel Zeit ins Land gehen, bevor mein Herz sich von Hamiltons Verrat erholt hätte.

»Sie ist weg.«

»Sie ist weg aus Glen Oaks?«, vergewisserte ich mich in der Hoffnung, mich verhört zu haben. Eine vergebliche Hoffung. Mir fiel ein, dass auch Millie nicht zu Hause gewesen war.

Blitze zuckten über den Himmel, und rollender Donner schien das Firmament spalten zu wollen. Mit dem Geräusch zuschlagender Fäuste trommelte der strömende Regen aufs Wagendach. Ich nahm die zitternde Chablis auf und hielt sie beruhigend in den Armen.

»Ich liebe Unwetter«, sagte Tinkie. »Ich liebe diese wilde Energie. Oscar hasst Unwetter. Er fürchtet sich vor ihnen. Er ist ins Jagdcamp unten am Fluss gegangen, um Geschäftliches zu besprechen und ein paar Enten zu schießen. Weißt du, ich möchte nur ein einziges Mal erleben, dass sie eins ihrer gottverdammten Geschäfte abschließen, ohne dabei rituell ein paar arme Tiere zu ermorden.« So plapperte sie, während sie in Richtung Longpull Street über die regennasse Fahrbahn raste.

»Bieg ab«, verlangte ich plötzlich.

»Entschuldige mal«, entgegnete sie. »Du könntest deinem Befehl ruhig ein klitzekleines ›Bitteschön‹ folgen lassen.«

»Bieg bitte ab. Schnell«, sagte ich. »Wir müssen zu Tam... zu Madame Tomeeka.«

Tinkies Verstimmung war wie weggeblasen. »Warum sagst du das denn nicht gleich?«, fragte sie besänftigt. »Kein Wunder, dass du plötzlich so herrisch bist. Ich weiß schließlich selber, wie es ist, wenn man dringend eine Sitzung nötig hat.« Sie warf mir einen knappen Seitenblick zu. »Ich hätte nicht gedacht, dass du an Madame Tomeeka glaubst.«

Ich drückte mir Chablis vors Gesicht und hielt den Mund. Innerlich drängte ich Tinkie, sich zu sputen. Auf keinen Fall wollte ich ihr den wahren Grund für meine Unruhe verraten.

Die Chancen standen gut, dass vor Ende der Nacht noch jemanden ein tragisches Schicksal ereilte.

Vor Tammys Haus parkte ein alter, mitgenommener Pickup-Laster, und ich verfluchte im Stillen unser Pech. Tinkie hingegen schien die Aussicht, warten zu müssen, nicht weiter zu stören. Chablis schützend in die Bluse gesteckt, schoss sie zur Haustür und wischte sich kichernd die Regentropfen aus dem Gesicht.

Tammy kam an die Tür, und ich hatte den Eindruck, dass sie uns fortschicken wollte, doch bevor sie etwas sagte, trat James Levert hinter sie.

»Lass sie rein«, sagte er sanft und ging in die Dunkelheit des Hauses zurück. Tammy öffnete die Fliegengittertür und winkte uns, ihr zu folgen.

Wir durchschritten das Wohnzimmer und den Raum, in dem Tammy die Kleidchen für die kleine Dahlia genäht hatte, und gelangten schließlich in die Küche. Kaffee lief durch, als hätte Tammy uns erwartet. Ich setzte mich auf den Stuhl, den sie mir anwies. Das Schrotgewehr, das am Geschirrschrank in der Ecke lehnte, war nicht besonders augenfällig, stand aber griffbereit. Ich bemerkte, dass James Levert mich musterte.

»Eine schlimme Nacht«, sagte er mit seiner weichen, höflichen Stimme. »Gut, dass die beiden jungen Damen hereingekommen sind. Trotzdem ist es nicht gerade zu empfehlen, heute Abend ausgerechnet hier in diesem Haus zu sein.«

Ich wies mit einer Kopfbewegung auf das Gewehr. »Geht hier etwas vor, was ich wissen sollte?«

»Tammy hat geholfen, eine Falle zu stellen. Und wenn die Falle nicht richtig zuschnappt, kann es Ärger geben.«

Er brauchte nur den Arm auszustrecken, um das Gewehr zu ergreifen, und hatte sich so gesetzt, dass er Vorder- und

Hintertür des schmalen Hauses gleichzeitig im Auge behalten konnte.

»Tammy«, sagte ich. Ich musste sie allein sprechen.

Sie beachtete mich nicht und verteilte den Kaffee auf eine Reihe von Tassen.

»Tammy, Sylvia Garrett ist aus Glen Oaks verschwunden«, sagte ich leise. Der Kaffeeguss geriet ins Schwanken, und eine Tasse lief über, doch Tammy unterbrach das Einschenken nicht. Als sie alle Tassen gefüllt hatte, stellte sie sie paarweise auf den Tisch. Meine setzte sie direkt vor mir ab.

»Du brauchst ein Handtuch«, sagte sie, verschwand in einem Durchgang und kehrte mit einem fröhlich rot und gelb gestreiften Bündel zurück, das sie mir reichte.

Ich stand auf. »Tammy, ich muss mit dir sprechen«, sagte ich. Das Handtuch drückte ich mir an die Brust.

»So weit musste es ja kommen«, sagte sie, und ihr Gesicht zerfiel in ein Geflecht aus Falten der Erschöpfung. »Sylvia in Glen Oaks eingesperrt, die Männer graben auf dem Maisfeld, weil sie glauben, dass Mr. James oder Delo das Geld hätten. Die ganzen Jahre haben sie danach gesucht und sich gegenseitig beschuldigt. Sie konnten einfach nicht hinnehmen, dass das Geld tatsächlich verschwunden war. Dabei hat Großmutter ihnen gesagt, dass ein Acker, den man mit Blut düngt, seltsame Ernte trägt. Ich habe versucht, dich da herauszuhalten, Sarah Booth.«

Ich blickte zu Tinkie hinüber, im gleichen Moment, als Chablis den Kopf aus ihrer Jacke streckte und freundlich bellte. Tinkie begriff nicht im Entferntesten, wovon wir sprachen.

Ich hatte mir eine Theorie zurechtgelegt, und darin spielte auch James Levert eine Rolle. »Warum sucht Guy

Garrett, ein Mann, der niemals auf die Jagd geht, sich ausgerechnet ein Taubenfeld aus, um dort ein Geschäft abzuschließen?«, fragte ich ihn.

Seine alten Augen ruhten lange auf mir, dann nickte er fast unmerklich. »Ich sollte mich auf diesem Feld mit Mr. Garrett treffen. Er wollte mir das Geld geben, mit dem wir den Kampf gegen die Umwandlung des Grove in ein Gewerbegebiet führen sollten. Ein raffinierter Plan, die Spekulanten mithilfe ihres eigenen Geldes zu schlagen.«

Vor allem ein gefährlicher Plan, doch ich empfand noch größere Achtung vor Guy Garrett.

»Auch Ihr Vater war darin verwickelt«, sagte James. Seine Augen hinter den Brillengläsern waren konzentriert auf mich gerichtet. »Ihm und Mr. Garrett gefiel es gar nicht, wie die Spekulanten versuchten, mit einem schmutzigen, hinterhältigen Trick Leute um ihr Land zu bringen. Mr. Garrett ist selbst mit seiner Idee zu uns gekommen, das Schmiergeld von einer Million Dollar zu nehmen und so zu tun, als würde er für die Nutzungsplanänderung stimmen. In Wirklichkeit wollte er das Geld uns geben, damit wir Anwälte engagieren und gegen die Umwandlung kämpfen konnten. Dann wollte Mr. Garrett behaupten, das Geld nie erhalten zu haben. Außer den Leuten, die ihn bestochen hatten, gab es keine Zeugen. Und sie hätten keine Anzeige erstatten können, weil sie selbst das Gesetz gebrochen hatten.«

Ich musste an das Gespräch denken, in dem Jitty mich an Guy Garretts Besuch in Dahlia House erinnert hatte. Damals war er also zu meinem Vater gekommen, um zu besprechen, wie sich die Umwandlung des Grove in ein Gewerbegebiet verhindern ließe. Ich warf einen Blick auf

Tinkie und bemerkte ihre völlige Verwirrung. Uns fehlte die Zeit, sie ins Bild zu setzen.

Ich wandte mich wieder James Levert zu. »Nach Mr. Garretts Tod wurde der Antrag zurückgezogen. Wieso?«

»Das habe ich nie verstanden«, gab James zu. »Die Spekulanten hätten es durchboxen können. Wir hatten nicht die Mittel, uns dagegen zu wehren, nachdem Ihr Vater umkam und Mr. Garrett ermordet wurde. Trotzdem haben sie den Plan fallen gelassen.«

Selbst Chablis betrachtete fasziniert den alten Mann. »Und als Sie zu Mr. Garrett ins Maisfeld gingen, um das Geld zu holen, war er schon tot.«

James nickte langsam. An seiner Miene erkannte ich, dass er sich gerade an den klaren Oktobertag erinnerte und daran, wie er Guy Garrett zwischen den Maisstoppeln gefunden hatte. »Und das Geld war weg«, sagte er. »Es war keine Menschenseele in Sicht, deshalb bin ich gleich in den Wald gegangen. Ich ging zu Delo und erzählte ihm, was passiert war, und er sagte, es wäre am besten zu warten, bis jemand anders die Leiche findet.«

Natürlich – Delo hätte den idealen Sündenbock abgegeben. Er wäre nach Parchman gewandert, und es wären nie wieder Fragen gestellt worden.

»Und wer hat nun das Geld?«, fragte ich.

»Diese Frage schwebt nun schon seit achtzehn Jahren über uns«, sagte James. »Meiner Meinung nach ist wegen dem verschwundenen Geld nichts aus dem Gewerbegebiet geworden.« Er gestattete sich ein angespanntes Lächeln. »Sie hatten sich alle gegenseitig in Verdacht. Mr. Isaac, die beiden Männer aus Memphis und die übrigen Investoren, jeder von ihnen glaubte vom anderen, Mr. Garrett getötet und das Geld beiseite geschafft zu haben. Dann hieß es plötzlich, Delo hätte es versteckt, und sie stellten ihn pausenlos unter Beobachtung. Deshalb wussten sie auch davon, dass Sie zu ihm rausgefahren waren und mit ihm gesprochen hatten. Sie glaubten, das Geld wäre irgendwo im Maisfeld, deshalb fuhren sie in Vollmondnächten hinaus und gruben danach. Soweit ich weiß, hat nie jemand das Geld gefunden, aber jeder glaubt, es müsste noch irgendwo liegen.« Er seufzte. »Nun ist Miss Sylvia verschwunden und hat alles noch schlimmer gemacht. Jetzt gibt es noch mehr Geschichten über das versteckte Geld, weil sie wie eine Verrückte mitten in der Nacht aufs Feld gekommen ist.«

Die Vorstellung, dass der Geldbetrag an irgendeiner Stelle vergraben lag, musste die Männer, die den Plan ausgeheckt hatten, zur Raserei gebracht haben, doch ich glaubte nicht, dass irgendeiner von ihnen Hamilton den Vierten ermordet hatte.

»Ich bin mir ziemlich sicher, dass Guy Garrett von Pasco Walters ermordet worden ist«, sagte ich in den stillen Raum hinein. Ich sah Tammy an, um ihr mit Blicken zu versichern, ihr Geheimnis nicht enthüllen zu wollen. Pascos Taten verdienten Verurteilung, aber es war nicht an mir, als Geschworene und Richterin zu fungieren.

Nur Tinkie wirkte überrascht. »Der Sheriff? Den habe ich immer für ziemlich nett gehalten.«

»Pasco und Veronica hatten ein Verhältnis miteinander«, erläuterte ich ihr. »Sie haben Guy ermordet, um ihn aus dem Weg zu schaffen und damit Veronica sein Vermögen erbte.«

»Die Garretts waren zwanzig Jahre lang verheiratet. Sie hatten zwei Kinder!«, rief Tinkie und blickte von einem von uns zum anderen. »Zwanzig Jahre, und er soll keine

Ahnung gehabt haben, was für ein Mensch sie wirklich war?«

»Ich glaube, das wusste er sehr wohl und liebte sie trotzdem«, entgegnete ich; ich vermochte sehr gut nachzuvollziehen, wie Menschen mit mittlerem bis hohem IQ in diese Falle gehen konnten.

»Wer hat Veronica getötet?«, fragte Tinkie und betrachtete mich forschend.

»Pasco könnte es gewesen sein«, antwortete ich. »Da bin ich mir nicht ganz sicher.«

»Ist Pasco auch ermordet worden, oder war das nur mein Glückstag?«, erkundigte sich Tammy mit deutlich hörbarer Anspannung.

»Das weiß ich ebenfalls nicht.« Ich hatte jedoch auch eigene Fragen zu stellen. »Mr. Levert, können Sie denn sicher sein, dass Garrett das Geld bereits im Empfang genommen hatte?«

»Er muss es schon gehabt haben. Wir hatten abgesprochen, dass er sich erst dann zu diesem alten Baumstumpf begeben sollte, wenn er das Geld von Mr. Carter und seinen Geschäftsfreunden erhalten hatte. Der Stumpf steht nicht weit vom Waldrand, und dort habe ich mich versteckt und gewartet. Sobald Mr. Garrett mit dem Geld ankam, sollte ich zu ihm hinüberrennen, er würde es mir übergeben, und dann sollte ich wieder weg zwischen die Bäume. Das Geld sollte verschwinden, ohne eine Spur zu hinterlassen, und Mr. Garrett hätte dann behauptet, es nie erhalten zu haben. Es sollte danach aussehen, als hätten sich die Spekulanten gegenseitig übers Ohr gehauen.«

Bevor jemand etwas darauf erwidern konnte, knurrte Chablis wütend und sprang von Tinkies Arm. Tinkie griff nach dem Hündchen und versuchte es zu packen, und dass sie sich dabei vorbeugte, rettete ihr das Leben.

Der Schuss aus dem Schrotgewehr zerschmetterte das Fenster und pfiff über Tinkie hinweg. Augenblicklich tauchten Tinkie, James, Tammy und ich unter den Tisch.

»Haben Sie etwa *darauf* gewartet?«, fragte ich James.

»Davor habe ich mich gefürchtet«, entgegnete er. »Wenn jemand schon einmal getötet hat, überlegt er beim zweiten Mal nicht lange.«

Ich hätte eine bessere Erklärung vorgezogen, aber uns blieb keine Zeit. Ich wandte mich der Hintertür zu und fegte mich überschlagend und taumelnd auf die hintere Veranda in den Regen.

Was ich zu erblicken erwartete, kann ich nicht mehr sagen; jedenfalls hatte ich nicht mit dem großen Lincoln gerechnet. Der Wagen setzte gerade mit quietschenden Reifen aus der Einfahrt zurück. Dieses Auto gehörte Millie, und hinter dem Lenkrad saß eine blonde Frau.

Jedem Daddy's Girl ist die Ansicht zu eigen, dass niemand es jemals wagen würde, sich an ihrem Auto zu vergreifen – deshalb war ich mir gewiss, während ich durch die Dunkelheit und durch den Schlamm auf Tinkies Cadillac zueilte, dass der Schlüssel im Zündschloss steckte. Ich schob mich auf den Fahrersitz und spürte, wie etwas Nasses, Behaartes an meiner Wade vorbeiglitt. Mit einem munteren leisen Bellen sprang Chablis auf den Beifahrersitz.

Ich ließ den Wagen an und fuhr los. In zwei langen Strahlen wurde der Schlamm von den Rädern geschleudert. Der Lincoln befand sich bereits außer Sicht, doch kaum war ich um die Ecke gebogen, als ich die roten Hecklichter wiedersah. Millies Wagen hielt, so schnell es ging, auf den Highway zu.

Beim Lenken versuchte ich zu begreifen, was zu Millies Verstrickung in diese gewalttätige Geschichte geführt hatte. Natürlich lag der Verdacht nahe, dass sie Veronicas Tod auf dem Gewissen hatte. Dann wäre es kein kaltblütiger, vorsätzlicher Mord gewesen, sondern die Rache einer enttäuschten Frau an der glücklicheren, die den Mann geheiratet und getötet hatte, den sie, die Enttäuschte, noch immer liebte.

Halb rechnete ich damit, dass Millie zu ihrem Café zurückkehren würde, doch sie durchquerte ohne Umweg die Stadt und fuhr weiter nach Süden. Während ich den Wagen vor mir im Auge behielt, wurde mir klar, dass Millie mehr und mehr an Vorsprung gewann: Kaum hatte sie die Stadt verlassen, gab sie Gas. Ich trat das Gaspedal des Caddys bis zum Anschlag durch und stellte fest, dass ich mit hundertzehn Meilen pro Stunde, fast hundertachtzig Stundenkilometern, über die regennasse, glatte Fahrbahn schoss. Noch immer ging ein leichtes Nieseln nieder, und zu beiden Seiten verschluckte die schwarze Nacht die ausgedehnten Weiten des Deltas.

Ich bemühte mich tatkräftig, sämtliche Gedanken an Hamilton zu vermeiden, doch dieser Vorsatz erwies sich alles andere als leicht durchführbar. Zwar hielt ich ihn nicht mehr für einen Mörder, doch war es fraglich, ob auf lange Sicht überhaupt eine Rolle spielte, was ich dachte. Mir schwebte ein Leben vor, in dem ich mich in einen Mann verliebte und mit ihm im Bett landete – oder meinethalben auch umgekehrt –, in dem er mich allerdings auch anrief und mich bat, mit ihm zu Abend zu essen, und in dem wir abends auf der Veranda saßen und zusammen Moonshine tranken und lachten. Ob er ein Mörder war oder nicht, Hamilton würde sich niemals in dieses Bild fügen. Gerade die Ungezügeltheit, durch die ich mich angezogen fühlte, bedingte, weshalb er sich nicht dazu eignete, eine Frau zu umwerben.

In der tiefen Schwärze der Nacht und in meinen nicht minder schwarzen Gedanken verloren, weiß ich nicht mehr genau, wann ich die Bremslichter des Wagens vor mir aufblitzen sah. Ich bremste ab und ließ den Abstand zwischen uns größer werden; ich hoffte, dass Millie noch nicht bemerkt hatte, dass ich ihr folgte. Zu meiner Überraschung bog der Wagen nach links ab. Vorsichtig lenkte ich den Caddy näher.

Wir befanden uns an Delo Wileys Farm.

Das ergab durchaus Sinn. Bei Delo hatte alles begonnnen; vermutlich gab es keinen passenderen Ort, den Fall ein für alle Mal abzuschließen. Nur wie ich ihn beenden sollte, das hatte ich mir noch nicht überlegt. Vielleicht genügte es, wenn ich Millie im Auge behielt und den Sheriff anrief.

Der Lincoln fuhr an Delos Haus vorbei und holperte über die Maisreihen. Er hielt auf das Feld am Maultiersumpf zu. Ich stellte den Cadillac am Straßenrand ab. In der Dunkelheit hatte ich zu Fuß eine größere Chance.

Beim Aussteigen fiel mir ein, dass ich auf keinen Fall Chablis allein auf dem Beifahrersitz zurücklassen durfte. Alles Mögliche konnte passieren.

»Jetzt ist nicht der richtige Augenblick, um herumzutollen«, warnte ich das Hündchen, als ich es aufnahm und in meine feuchte Jacke steckte. Weil sie selber bereits durchnässt war, spielte das auch keine Rolle mehr. Dann begann ich mit der Überquerung des Feldes.

Oft ist die Einbildungskraft der schlimmste Feind eines Daddy's Girls. Während ich über das nebelbedeckte Feld stapfte, kam mir Sylvia Garrett in den Sinn, wie sie im Nachthemd durch die Dunkelheit schweifte. Erneut war sie aus der Nervenklinik verschwunden, und ich konnte nur hoffen, dass sie nicht ausgerechnet in dieser Nacht auf Delos Hof zurückkehrte, um ihren hasserfüllten Mais-Tanz aufzuführen. Ein solcher Anblick wäre für mein armes, geplagtes Herz zu viel gewesen.

28

Delos Haus wirkte stockfinster – ein Ausdruck, der für mich nunmehr eine völlig neue Bedeutung erhalten hatte. Stolpernd überquerte ich die Maisreihen und erreichte endlich die Veranda. Als ich die Tür aufschob und sie knarrte, verlor ich beinahe die Nerven. Nur der Gedanke an Millie, die mit einem geladenen Schrotgewehr in ihrem Town Car über das Maisfeld ratterte, trieb mich weiter voran. Ich musste nur ein Telefon finden. 9-1-1. 9-1-1. Wie ein Mantra betete ich den Notruf vor mich hin, während ich meinen widerstrebenden Körper zwang, sich weiterzubewegen.

Eins stand fest: Sobald am nächsten Morgen das Eisenwarengeschäft öffnete, würde ich mir eine Taschenlampe kaufen, die in die Jackentasche passte. Dann würde ich beim Pfandleiher halten, bei Johnny's *Pawn-o-Rama,* und dort ein Handy erwerben und, ich konnte meinen Entschluss noch immer nicht ganz fassen, eine Pistole. Während ich mich nun in Delos Haus vortastete, wünschte ich, wenigstens eine Dose Tränengas dabeizuhaben.

Einen Schritt nach dem anderen tastete ich mich ins Wohnzimmer vor und hielt auf den Tisch zu, auf dem ich bei meinem ersten Besuch eine Lampe gesehen hatte. Zwar war es ziemlich gefährlich, nun ein Licht anzuschalten, aber im Dunkeln konnte ich das Haus ewig durchsuchen, ohne das Telefon zu finden. Ich wollte 9-1-1 wählen, der Polizei die ganze Angelegenheit schildern und mich dann sofort in die Sicherheit der nebligen Felder zurückziehen. Vielleicht sollte ich zu Cooleys Haus fliehen und mich zwischen den Hunden unter der Veranda verkriechen.

Ich fand die Lampe und knipste sie an. Nichts geschah. Ich versuchte es noch einmal, doch außer einem leisen Klicken, das die bedrückende Stille brach, erreichte ich nichts. Als ich überlegte, ob die Elektrizitätswerke wegen unbezahlter Rechnungen oder jemand anderes aus völlig anderen Beweggründen den Strom abgestellt hätte, bekam ich eine Gänsehaut. Chablis schob ihr Köpfchen aus meiner Jacke und gab ein leises, warnendes Knurren von sich.

Ich hatte keine andere Wahl. Ich musste das Telefon im Dunkeln finden. Mit vorsichtigen Handbewegungen tastete ich auf dem Tisch danach. Dann machte ich winzige Babyschritte und tastete mich schlurfend die Wand entlang; auf keinen Fall wollte ich über ein Möbelstück stolpern und beim Fallen Lärm verursachen.

Ich hatte den Raum halb umgangen, als ich mit dem Fuß gegen ein weiches Hindernis stieß. Ich scharrte vorsichtig und entdeckte überrascht, dass das Hindernis bebte. Ich kauerte mich nieder und begann es behutsam zu untersuchen. Kaum hatten meine Finger es berührt, zuckte es und wand sich. Die Bewegung erfolgte so unerwartet, dass ich beinahe aufschrie, als ich mich nach hinten fallen ließ.

»Polyester!«, fluchte ich.

Chablis sprang aus meiner Jacke und begann zu knurren und zu bellen. Das Ding auf dem Fußboden hörte auf, sich zu bewegen, und machte ärgerliche, drängende Laute.

Ich tastete es ab und fühlte Fußgelenke, die mit einem Seil gefesselt waren, dann Schenkel. Als ich mich weiter hinauftastete, spürte ich Brüste – ein unbehaglicher Augenblick –, dann langes Haar und einen Knebel.

»Ich weiß nicht, wer Sie sind, aber ich nehme Ihnen jetzt den Knebel ab, und Sie bleiben lieber still«, warnte ich. »Irgendwo da draußen läuft eine Frau mit einem Gewehr herum, und sie scheint in der Stimmung zu sein, es zu benutzen.«

Dann löste ich den Knebel.

»Na, wenn das nicht Kusine Sarah Booth ist«, hörte ich Sylvia Garretts kultivierte Stimme leise sagen. »Sie sollten sich beeilen, von hier zu verschwinden, bevor er zurückkommt und Sie auch noch ergreift.«

»Sylvia?« Ich hockte mich auf die Fersen.

»Wenn Sie nicht verschwinden wollen, könnten Sie mir die Hände losbinden«, flüsterte sie. »Ich weiß nicht, wo er ist, aber weit kann er nicht sein.«

Irgendwo im Zimmer stöhnte noch jemand. Ganz ehrlich, mir stellten sich dabei die Nackenhaare auf. Chablis verschwand in der Dunkelheit und begann wieder zu knurren.

»Das ist Millie«, erklärte Sylvia, während sie sich das Seil, das ich aufgebunden hatte, von den Händen schüttelte.

Es konnte nicht Millie sein; sie saß schließlich mit dem Schrotgewehr im Wagen. Erneut hörte ich das Stöhnen, und ich kroch über den Fußboden, bis ich wieder gegen einen Frauenkörper stieß; diese Frau weinte.

»Es ist schon okay«, sagte ich, während ich sie befreite.

Sie schüttelte den Kopf und erschwerte es mir, den Knoten zu lösen. Kaum hatte ich ihr den Knebel abgenommen, holte sie tief Luft. »Wir sind in Gefahr. Er muss noch in der Nähe sein.« Es war tatsächlich Millie.

»Meine Sicherheit ist jedenfalls nicht Ihre oberste Priorität gewesen«, wandte Sylvia ein. Sie klang vollkommen vernünftig und überaus verärgert. »Sie haben mich dazu gebracht, mit Ihnen hierher zurückzukommen. Sie sagten, Hamilton sei hier.«

»Ich musste tun, was ich tun musste«, entgegnete Millie. »Ich hatte keine andere Wahl.« Ihr brach die Stimme. »Sie sagten, sie wollten mir alles über Janice erzählen. Ich wusste zwar immer, dass sie ihr etwas angetan haben, aber ich habe gehofft, sie wenigstens zu finden.« Nun versagte ihr vor Trauer fast die Stimme. »Er tauchte bei mir zu Hause auf, und ich glaubte, ich müsste auf der Stelle einen Herzanfall bekommen. Er versprach, mir zu verraten, wo Janice steckt, wenn ich Sylvia aus Glen Oaks holen würde. Bitte verzeihen Sie mir, Sylvia. Weil Sie mich schon einmal gebeten hatten, Sie hierher zu bringen, habe ich nicht begriffen, dass es diesmal eine Falle war.« Millie schluchzte schwer und rau. »Er behauptete, Janice sei glücklich, sie habe einen guten Mann gefunden und eine Familie gegründet. Er sagte, sie habe drei Kinder, zwei Mädchen und einen Jungen.«

Sylvia antwortete mit tiefer, zorniger Stimme. »Und das haben Sie ihm geglaubt? Welcher Luxus, mit fünfzig noch so naiv zu sein! Ich war siebzehn, als ich die hässliche Wahrheit erfuhr über die Leute, denen zu vertrauen man mich gelehrt hatte.«

Sylvia Garrett war vielleicht nicht verrückt, doch auf jeden Fall von Bitterkeit verzehrt. Ich kroch an Millie vorbei zu der Stelle, an der ich das Telefon vermutete. Dem Wortwechsel hatte ich recht gut folgen können, nur eine

Frage blieb offen. Ich kroch langsamer und fragte: »Millie, wer hat dir denn aufgetragen, Sylvia zu holen?«

»Das war ich.« Die unerwartete Männerstimme wurde vom Aufblitzen einer Taschenlampe begleitet, die mir direkt in die Augen strahlte. Ich war geblendet und riss die Hände hoch, um mich vor dem grellen Lichtschein zu schützen.

»Wer zum Teufel sind Sie?«, wollte ich wissen und kämpfte gleichzeitig die Furcht nieder, die mit der Erkenntnis in mir aufflackerte, dass der Besitzer der Stimme die ganze Zeit über in Delos Lehnstuhl gesessen und uns belauscht hatte.

»Na, wenn das nicht Sarah Booth Delaney ist. Als ich dich zum letzten Mal sah, da warst du noch ein kleines Mädchen mit Rattenschwänzchen und bist mit deinem Daddy ins Courthouse gekommen und hast dort herumgetollt. Schön, dass du vorbeischauen konntest.«

Zuerst glaubte ich, den Verstand verloren zu haben, aber ich erkannte Pasco Walters an der Stimme, und er hatte absichtlich genau die richtige Erinnerung heraufbeschworen, *damit* ich ihn erkannte. Er lebte und saß keine drei Meter von dem Fleck entfernt, wo ich auf dem Boden hockte. Ich hörte den Sessel knirschen, dann Schritte; das Licht der Taschenlampe kam näher.

»Du konntest dich einfach nicht um deine eigenen Angelegenheiten kümmern, was?«, fragte er, ohne dass Zorn in seiner Stimme zu erkennen war – nur Belustigung. »Mit deinen Leuten war es nie leicht. Merkwürdiger Menschenschlag, hab ich immer gesagt, mischen sich immerfort in Dinge, die sie nichts angehen.«

Ich wollte sagen, dass ich geglaubt hätte, er sei tot, doch obwohl die Überraschung mein Talent für bissige Erwiderungen sehr beeinträchtigt hatte, konnte ich mir wenigstens diese unnötige Bemerkung verkneifen. Tatsächlich war ich zu beschäftigt, um zu reden. Endlich war es meinem Verstand gelungen, sämtliche Puzzleteile zu einem Gesamtbild anzuordnen. Pasco hatte Guy Garrett und vermutlich auch Veronica ermordet, darüber hinaus Veronicas Lalique-Sammlung gestohlen und nach langer Zeit begonnen, die Stücke zu verkaufen.

Mir kam ein weiterer Gedanke: Als ich mich hinter der Hecke versteckte und Hamilton belauschte, hatte der andere Mann gesagt, er habe ebenfalls seinen Vater verloren. Dieser andere Mann konnte nur Gordon Walters gewesen sein. Er und Hamilton hatten eine Art höllisches Bündnis geschlossen.

»Für eine neugierige Frau bist du ganz schön still«, meinte Pasco.

»Ich bekomme schließlich nicht jeden Tag Gelegenheit, einem Zombie zuzuhören«, entgegnete ich. In all meinen Psychologievorlesungen hatte ich keine Taktik gelernt, wie man mit jemandem redet, der von den Toten auferstanden ist.

»Eins kann ich dir sagen«, antwortete Pasco glucksend, »das Leben nach dem Tode ist wunderbar. Die letzten achtzehn Jahre sind großartig gewesen. Was Besseres kann man sich einfach nicht wünschen.«

Ich wollte sein Gesicht sehen. Ich bewegte mich und hörte, wie der Hahn eines Revolvers gespannt wurde. Der Taschenlampenstrahl folgte mir. »An deiner Stelle würde ich lieber keine plötzlichen Bewegungen machen«, warnte er mich.

»Was haben Sie mit uns vor?«, fragte Sylvia mit gewohnt

kühler, beherrschter Stimme. Sie klang so sehr wie Hamilton, so unwillig, Furcht und andere Empfindungen zu zeigen, die ihr als Schwächen ausgelegt werden konnten. Mir sank das Herz in die Hose.

Pasco schien sich inzwischen entschieden zu haben. »Dich werde ich behalten, damit dein Bruder sich benimmt. Ich glaube nicht, dass ich die letzten beiden Garretts beseitigen könnte, ohne Verdacht zu erwecken.« Er machte eine Kunstpause. »Was die anderen betrifft ...« Diesen Satz ließ er ausklingen, und weil ich sein Gesicht nicht sehen konnte, vermochte ich nicht zu sagen, was das heißen sollte. Mein Unterleib schwieg ausnahmsweise, aber mein Magen sagte mir, dass Pascos Andeutung nichts Gutes bedeuten konnte. »Ich glaube, die wissen einfach zu viel«, schloss er schließlich mit falschem Bedauern in der Stimme.

Er wollte uns also töten, und ich musste ihm Recht geben; er hatte sich die Sache sehr gut überlegt. Indem er Sylvia am Leben ließ, bekam er Hamilton in die Gewalt. Die Sicherheit seiner Schwester war Hamiltons Achillesferse. Sylvia konnte ruhig auf einen ganzen Stapel Bibeln schwören, sie sei von Pasco Walters entführt worden, man würde nur glauben, sie wäre doch noch ein wenig verrückter als ursprünglich angenommen. Nach fünf Sekunden säße sie schon wieder in Glen Oaks, diesmal nicht freiwillig, sondern auf richterliche Anordnung.

»Sie haben das Geld genommen, stimmt's?«, fragte ich. »Sie haben es Mr. Garrett abgenommen, nachdem Sie ihn ermordet hatten.«

»Mein Gott, war das ein himmlischer Anblick«, antwortete er in prahlerischem Ton. Ich benötigte kein Licht, um zu sehen, wie sein Ego anschwoll, bis es den ganzen Raum erfüllte. »Als ich diesen Aktenkoffer öffnete und die vielen neuen Hundertdollarscheine erblickte, wusste ich, dass sich mein Leben für immer verändert hatte.«

Meine Ausbildung zum Daddy's Girl schaltete sich ein; ich hatte eine Gelegenheit erkannt. »Ein brillanter Plan«, lobte ich. »Sie bekamen das Geld und konnten ein neues Leben anfangen, ohne dass irgendjemand daran dachte, nach Ihnen zu fahnden. Einfach genial.«

Pasco lachte glucksend. »Der Plan war perfekt. Absolut perfekt. Ich hab das eine Leben hinter mir gelassen und bin ins nächste getreten. Achtzehn Jahre lang hab ich gelebt wie ein König. Aber auch eine Million Dollar ist irgendwann zu Ende. Wir mussten ein bisschen von diesem Nippes verkaufen, und dann erfuhren wir, dass Delo die ganze Zeit über einen anderen Sack Geld versteckt gehalten hatte. Der alte Mistkerl war uns zuvorgekommen. Da beschlossen wir, ihm einen Besuch abzustatten und uns den Rest zu holen.«

Also war Pasco das Geld ausgegangen, und er hatte begonnen, den Schmuck zu verkaufen. Das war der erste Fehler, den er begangen hatte. Der zweite bestand darin, dass er zurückgekommen war, um sich noch mehr Geld zu holen. Neben mir stieß Millie ein raues Schluchzen aus, und mir kam es vor, als machten meine Gedanken einen Satz vorwärts. Wenn Millie neben mir auf dem Boden saß ..

»Wer hat Millies Wagen gefahren?«

Wie um diese Frage zu beantworten, ertönte rechts von mir eine Frauenstimme. »Da wir nun alle hier versammelt sind, glaube ich, können wir Licht machen. Ich habe die Sicherung wieder eingeschaltet.«

Neben mir hörte ich scharrende Geräusche auf dem Boden, und die Lampen gingen mit blendender Grelle wieder an – gerade in dem Moment, in dem Sylvia auf die Beine gekommen war und sich auf die Frau stürzen wollte, die mit einem Schrotgewehr im Anschlag in der Tür zu Delos Küche stand.

»Du gottverdammtes Miststück«, zischte Sylvia und ging in die Hocke. »Achtzehn Jahre lang träume ich nun von diesem Augenblick. Mit bloßen Händen werde ich dich erwürgen.«

Veronica Garrett lachte so kühl wie Wasser aus einer eisigen Quelle. »Du hast schon immer zu überzogener Dramatik geneigt, Sylvia. Das habe ich stets an dir verabscheut – dass du unabänderlich danach gestrebt hast, im Mittelpunkt der Aufmerksamkeit zu stehen.« Sie richtete das Schrotgewehr auf ihre Tochter. »Du bist wohl kaum in der Lage, etwas zu unternehmen.«

»Ich habe gewusst, dass du nicht tot bist.« Sylvia keuchte vor Zorn. »Ich habe es immer gewusst. Ich habe gesagt, dass du noch lebst, und man hat mich für verrückt gehalten. Als ich deine Leiche sehen wollte, hielt man mich für verrückt *und* morbid. Aber ich wusste immer, dass nicht du in diesem Auto umgekommen bist. Welches arme Geschöpf musste sterben, damit du ein neues Leben beginnen konntest?«

Millie heulte jammervoll auf. Ich legte ihr eine Hand auf die Schulter und versuchte, sie zu trösten, doch nichts vermochte die Schwere ihres Schmerzes zu lindern. Nach achtzehn Jahren hatte sie endlich erfahren, was ihrer Schwester zugestoßen war.

Ich musste handeln – aber wie? Sylvia wäre es zuzutrauen gewesen, dass sie sich trotz der Waffe, mit der wir bedroht wurden, auf ihre Mutter stürzte, ich hingegen fühlte mich wie unter einem Zauberbann: Veronica hatte mich erstarren lassen.

Die Frau mir gegenüber musste fast fünfzig sein, aber sie sah keinen Tag älter aus als fünfunddreißig. Ihr Gesicht zeigte keine einzige Falte, und ihr mondschimmerndes blondes Haar, das sie ihrer Tochter vererbt hatte, fiel ihr in langen, üppigen Wellen auf die Schultern. Sie trug einen schwarzen, eng geschnittenen, modischen Hosenanzug, und an ihrer Schulter funkelte eine prächtige, wie ein Kolibri geformte Brosche. Von Lalique. Ich blickte ihr wieder ins Gesicht. Es wollte mir unmöglich erscheinen, dass sie Hamiltons Mutter sein sollte.

Sie verharrte in der Küchentür, und Pasco, dem sein Alter deutlich anzumerken war, nahm am Esstisch Platz. Wir waren zwischen ihnen gefangen.

»Janice ...«, schluchzte Millie. »Sie war doch noch ein Kind, nur ein fröhliches Kind.«

»Der Tod des Mädchens war ein glücklicher Unfall«, sagte Veronica, indem sie ihren Blick auf Millie richtete. »Ich hatte sie nicht absichtlich überfahren. Aber da sie nun einmal da lag und ohnehin sterben musste, kam mir die Idee, dass ich ein neues Leben beginnen könnte, wenn jeder glaubte, ich wäre bei einem Autounfall umgekommen.«

Bis zu diesem Augenblick hatte ich noch nie echtes, bis ins Mark schneidendes Entsetzen erlebt. Als ich jedoch begriff, dass Veronica und Pasco eine verletzte junge Frau hinter das Steuer von Veronicas Jaguar gesetzt und den Wagen mit genügend Tempo gegen den Baum hatten fahren lassen, um ihren Körper durch die Windschutzscheibe zu katapultieren, erkannte ich, dass kaltblütiger Mord für diese beiden zu einer Art Gewohnheit geworden war. Es blieb noch die nebensächliche Frage zu beantworten, wessen Leiche eigentlich an Pasco Walters' Stelle im Sarg lag.

Obwohl ich mir der Gefahr bewusst war, in der wir alle schwebten, beeindruckten Pascos und Veronicas kriminelle Energie und Raffinesse mich gegen meinen Willen. Fel Harper hätte es niemals gewagt, Pascos Urteil infrage zu stellen, dass Veronica bei dem Autounfall ums Leben gekommen war. Deshalb hatte es nie eine Autopsie gegeben, keine Untersuchung, ob der entstellte Leichnam tatsächlich Veronica Garrett gehörte. Ein meisterhaft ausgeklügelter Plan.

»Die Geschichte von der durchtrennten Bremsleitung haben Sie sich ausgedacht«, sagte ich und blickte Pasco an. »Als Sheriff konnten Sie alles behaupten. Damit haben Sie Hamilton und Sylvia belastet und den Verdacht auf die beiden gelenkt.« Sein Grinsen verriet mir, dass meine Schlussfolgerung der Wahrheit entsprach. »Und die Waffe, mit der Delo ermordet wurde? Sie gehörte Sylvia. Auch das war Schiebung.«

Veronica nickte. »Hamilton sollte sein Haus unbedingt sorgfältiger abschließen. Er hat es immer als gegeben angesehen, dass die Welt sich nach seinen Vorstellungen dreht. Anzustrengen brauchte er sich nie; er war ja mit einem silbernen Löffel im Mund auf die Welt gekommen. Ich dagegen, ich hätte mir für den Rest meines Lebens jeden Krümel von ihm erbetteln müssen.«

»Damit kommt ihr nicht durch«, sagte Sylvia, und ihre Augen funkelten vor verzehrendem Hass. »All die Jahre habe ich abgewartet, bis ich euch fand. Ich habe die Kunstmagazine im Auge behalten, und es war mir egal, ob die Leute mich für übergeschnappt hielten. Ich wusste genau, dass du deine kostbare Lalique-Sammlung mitgenommen hattest. Selbst als du für tot gelten wolltest, warst du zu gierig, um sie zurückzulassen. Es muss dir das Herz gebrochen haben, ›Die Rosa Dame‹ auf Knob Hill zurückzulassen. Vater hat sie mir geschenkt, aber du warst immer hinter ihr her.«

»Ganz gewiss wird dein Bruder es zu arrangieren wissen, dass sie mir zugeht«, entgegnete Veronica, von Sylvias Wut völlig ungerührt. »Du kehrst als verurteilte Mörderin nach Glen Oaks zurück. Sobald Hamilton begreift, dass jeden Augenblick jemand in diese Anstalt spazieren und dich im Schlaf besuchen könnte, wird er mir alles geben, was ich von ihm verlange. Und er wird seinen Mund halten.«

Das klang überhaupt nicht nach dem Hamilton, den ich kannte, aber ich wollte nicht riskieren, Veronica irgendeinen Hinweis zu geben.

Pasco rutschte unruhig auf dem Stuhl hin und her; ich ahnte, dass ihm die Plauderstunde allmählich langweilig wurde. »Wo also ist der Rest vom Geld?«, fragte er unwirsch.

»Sie haben doch die Million –«, begann ich.

Sylvia fiel mir ins Wort. »Delo hat es vergraben. Sie haben sich für so klug gehalten, dabei waren Sie so dumm. Sie sind davonmarschiert und haben eine halbe Million Dollar auf einem Maisfeld liegen gelassen.« Sie lachte ihm ins Gesicht.

Pasco erhob sich langsam. Ich blickte Veronica an. Von beiden war sie mit Abstand die gefährlichere. Sie hasste ihre Tochter.

»Wo ist es?«, fragte Pasco allzu leise.

»Ich werde sterben, bevor ich es Ihnen verrate«, sagte Sylvia abfällig, beinahe spöttisch.

Jawohl, dachte ich, sie wird sterben, denn es gibt kein

weiteres Geld. Isaac Carter hatte von einer Million gesprochen, und obwohl er so etwas wie Moral wahrscheinlich noch nicht einmal erkannt hätte, wenn sie ihm ins Gesicht gesprungen wäre, war er doch ein Mann, der genau zu sein pflegte, wenn es um Finanzangelegenheiten ging. Diese ›vergessene‹ halbe Million Dollar war der Köder, den Sylvia für ihre Falle ausgelegt hatte – in welche wir alle miteinander getreten waren.

Nachdem die ersten Stücke aus der Lalique-Sammlung in den Kunstmagazinen angeboten worden waren, hatte Sylvia ihr Netz gespannt, die Gerüchte um das ›vergessene‹ Geld in Umlauf gebracht und Hamilton aus Europa in die alte Heimat gerufen. Ihr erster Ausbruch aus Glen Oaks und ihre gespenstische nächtliche Vorstellung auf dem Maisfeld – alles nur inszeniert, um Pasco und Veronica aus dem Versteck zu locken. Und ihr meisterlicher Plan hatte wie gewünscht funktioniert; nur dass nun die Verbrecher die Waffen in der Hand hielten und direkt auf uns richteten.

»Sylvia weiß überhaupt nicht, wo das Geld ist«, warf ich rasch ein. »Aber ich. Wenn Sie versprechen, mich laufen zu lassen, verrate ich Ihnen, wo es liegt.«

»Das wirst du uns auch sagen, ohne dass wir irgendwas versprechen«, entgegnete Pasco und suchte in der Tasche nach Zigaretten. Er entzündete eine davon, reichte sie Veronica und steckte sich selbst ebenfalls eine an. Dann hielt er uns das Päckchen hin. »Auch eine rauchen, Ladys? So will es die Tradition.«

»Ich nehme eine«, sagte ich schnell. Ich hatte gelesen, dass Geiseln, die eine Bindung zu ihren Entführern aufbauen, eine größere Überlebenschance besitzen. Pasco zündete eine weitere Zigarette an und reichte sie mir.

»Wo ist das Geld?«, fragte er. Seine Augen blickten völlig kalt.

»Das kann ich nicht beschreiben. Ich muss Sie an die Stelle führen.«

»Wenn du ein Spielchen mit mir treiben willst, Sarah Booth, dann zerschieß ich dir die Knie und lass dich hierher zurückkriechen. Wenn du daran zweifelst, dann denk mal an Delo. Der wollte mir auch nicht sagen, wo das Geld ist.«

Vielleicht war meine Idee doch nicht so gut. Andererseits hatte ich keine andere Wahl. »Ich werde Ihnen doch keinen Unsinn erzählen, Pasco. Ich zeige Ihnen, wo das Geld ist. Delo hat es mir verraten.« Die Lüge war noch besser als die Geschichte mit dem Bücherschreiben. Und ich sah keine andere Möglichkeit, um Pasco und seinen Revolver aus dem Haus zu locken.

»Dieser dumme alte Mann«, sagte Veronica. »Bis zuletzt behauptete er, von nichts zu wissen. Er hat nicht geglaubt, dass wir ihn töten würden. Wie viel Zeit wir mit ihm verschwendet haben.«

Pasco stand auf. »Gehen wir«, befahl er und richtete die Waffe auf mich.

Ich erhob mich langsam. »Sie müssen mir versprechen, dass Sie mich nicht töten werden«, forderte ich. »Geld brauchen Sie mir keins zu geben, versprechen Sie mir nur, mich laufen zu lassen.«

Ich bemerkte, wie Millies Unglaube angesichts meines Verrats in Abscheu umschlug. Ich erhaschte auch einen Blick auf Chablis, die unter dem Sofa hockte und das Näschen zwischen den Rüschen hervorstreckte.

»Wo ist das Geld?«, fragte Pasco. Bei Verhandlungen schien er nicht sonderlich viel Geduld aufzubringen.

»Versprechen Sie's?«

»Um Himmels willen, nun versprich es ihr schon!«, rief Veronica.

»Also gut, wir holen das Geld, und dann lass ich dich laufen.« Er bemühte sich nicht einmal um einen glaubwürdigen Tonfall.

Doch auf noch mehr durfte ich nicht hoffen. Ich hatte so viel Zeit geschunden wie nur möglich. Meine einzige echte Hoffnung bestand darin, dass Tinkie, Tammy und James irgendwie erahnen oder schlussfolgern würden, wo wir steckten, und Hilfe schickten.

»Im Hundezwinger«, sagte ich. »Das hat Delo mir verraten. Mr. Garrett hatte ihm einen der Jagdhunde geschenkt, deshalb hat Delo das Geld im Hundezwinger vergraben. Er sagte, es klebe Blut daran, und deshalb könnte es nur Unglück bringen.« Das ergab gerade genügend Sinn, dass Pasco mir die Geschichte abkaufte.

»Ich hole einen Spaten«, sagte er. Er kam zu mir und packte mich an der Schulter. Seine Finger gruben sich tief in die Sehne. »Du kommst mit.«

»Ich passe auf sie auf«, sagte Veronica, und mir lief es kalt über den Rücken, als ich sah, wie sie ihre Tochter anblickte. Wenn Veronica ihren Willen bekam, dann würde Sylvia nicht mehr lange über Gottes Erde wandeln.

Pasco schob mich in die Nacht hinaus, und Chablis schoss unter dem Sofa hervor, überholte mich und verschwand in der Finsternis. Der Regen hatte aufgehört, doch der Nebel war so dicht, dass ich kaum die Hand vor Augen sah. Ich kannte mich auf dem Hof nicht aus, und Pasco ebenso wenig. Wir stolperten umher und suchten nach dem Werkzeugschuppen, dann gelangten wir an den Hundezwinger.

Pasco ließ das Taschenlampenlicht über den Boden streifen und drückte mir die Schaufel in die Hand. »Du gräbst.«

»Das dauert doch ewig«, klagte ich. »Es ist recht tief vergraben.«

»Grab schon. Wir haben die ganze Nacht Zeit.«

Mir gefiel gar nicht, was sein Ton implizierte, doch Pasco hatte die geladene Waffe in der Hand. Als ich zu graben begann, bemerkte ich, dass ich mir eine sehr gute Stelle ausgesucht hatte, um gerettet zu werden – wenn nur jemand die Kavallerie gerufen hätte.

Ich begann, mit zaghaften, flachen Spatenstichen das Erdreich auszuheben. Schon bald würde Pasco mein Tempo zu gemächlich werden, und dann musste er selber graben.

»Schneller«, befahl er mit einer Schärfe, die mir verriet, dass ich ihm den letzten Nerv raubte.

Ich tat so, als würde ich gehorchen. Ein Bellen drang gedämpft und verzerrt durch den Nebel. Ich dachte an Chablis. Welche bittre Ironie, dass ich ausgerechnet durch den Diebstahl dieses Hündchens in solchen Schlamassel geraten war. Und nun war das Ende der Angelegenheit in Sicht – zumindest das Ende der Rolle, die ich darin spielte –, und ich machte mir noch immer Sorgen um den verdammten Pelzball.

Das Bellen schien näher zu kommen, und Pasco trat zur Seite, um den Kopf zur Zwingertür hinauszustrecken und sich umzusehen. Offenbar erblickte er nicht mehr als ich – nämlich dichten Nebel. Wieder hörte ich das Klicken; er hatte den Hammer seines Revolvers erneut gespannt. Pasco musste mit der Geduld beinah am Ende sein. Es konnte nur noch Augenblicke dauern, bis er mich umbrachte.

Ein tiefes, makabres Heulen ertönte keine fünf Meter

weit entfernt in der Finsternis. Pasco grunzte und trat vorsichtig einen Schritt zurück, um die Umgebung des Zwingers zu inspizieren. Hinter dem Werkzeugschuppen heulte es tief und kehlig, ein langer, blutgieriger Laut.

»Du gräbst weiter«, befahl Pasco und trat weiter von mir zurück. Er kehrte mir den Rücken zu und spähte in die Dunkelheit. Ich ließ den Spaten in Schlaghaltung sinken und holte Luft, dann wollte ich meinen Zug machen.

Aus dem Nebel stürzte sich eine riesige haarige Ratte auf Pascos Füße. Das Vieh biss ihm ins Bein und klammerte sich an die Wade. Pasco kreischte auf und begann auf einem Bein zu tanzen. Er ließ den Revolver sinken, aber er konnte nicht abdrücken, ohne Gefahr zu laufen, sich in den eigenen Fuß zu schießen.

»Chablis!«, schrie ich, eilte aus dem Zwinger und zog Pasco Walters den Spaten über den Kopf. Das nachhallende Scheppern, mit dem das Metallblatt auf seinen Schädel krachte, befriedigte mich zutiefst.

Pasco geriet ins Torkeln und drehte sich langsam zu mir um. Er hob den Revolver und richtete ihn auf meine Brust. Ich hatte ihm einen Schlag versetzt, der einen Ochsen gefällt hätte, aber er weigerte sich, zusammenzubrechen. Er trat heftig mit dem Bein aus; dadurch schüttelte er Chablis ab und schleuderte sie in den Nebel.

»Du dämliche Schlampe«, sagte er. Er lallte beim Reden, als wäre er betrunken.

Ich durchforstete mein Gehirn nach einem Stoßgebet, doch der Schrecken löschte jeden Gedanken aus meinem Verstand.

Chablis kläffte wild, und dann schälte sich eine große Gestalt aus der Nacht. Sie war schlank und langgliedrig und stürzte sich mit solcher Gewalt auf Pasco, dass sie ihn, als sie gegen seine Schulter prallte, rücklings in den Schlamm warf. Der Revolver flog ihm aus der Hand.

Bevor er wieder auf die Beine kommen konnte, schoss ich vor und knallte ihm die Schaufel noch einmal vor die Stirn. Pasco erschlaffte, und ich schlug ein weiteres Mal zu, um ganz sicherzugehen. Zitternd stand ich über ihm, dann spürte ich die kalte Nase und die feuchte Zunge eines von Delos Hunden, der mir die Hand leckte.

»Rache ist süß«, sagte ich zu dem Hund. Ich hob Pascos Taschenlampe auf und ging in die Richtung, in die Chablis geschleudert worden war. Ich fand ihren kleinen Körper neben dem Hundezwinger.

»Chablis«, sagte ich, von Trauer überwältigt. Sie war so empfindlich gewesen. Sie konnte sich die Vorderbeine brechen, wenn sie vom Sofa sprang. Pasco hatte sie getreten, als sei sie ein Fußball. Sie war einfach nicht zäh genug, um einen Kampf mit einem Mann wie ihm zu überleben.

Ich bückte mich und hob sie auf, denn ich wollte sie nicht in dieser kalten Nacht im Schlamm liegen lassen. Als ich sie in die Arme nahm, spürte ich, wie sie zitterte. Dann knurrte sie tief in der Kehle, und bevor ich sie davon abhalten konnte, schnappte sie mit ihren kleinen Kiefern nach meinem Kinn und verbiss sich darin.

»Chablis«, sagte ich so deutlich, wie man sprechen kann, wenn man eine sechs Unzen schwere Furie am Kinn hängen hat. »Chablis, ich bin's doch, Sarah Booth.«

Endlich durchdrang meine Stimme ihre Wut, und sie öffnete das Maul. Ich betastete mich an der malträtierten Stelle. Ich spürte zwar keine klaffende Wunde, aber es schmerzte höllisch.

»Gutes Mädchen«, lobte ich sie und küsste sie auf ihr behaartes, kampflustiges Gesicht. Ein Biss ins Kinn war ein geringer Preis für mein Leben.

Ich las Pascos Revolver auf und ging zum Haus zurück.

Von weitem näherte sich das klagende Jaulen einer Sirene. Irgendwo im Nebel begannen die Hunde zu heulen. Zu meiner Überraschung stimmte Chablis, die sich in meine Arme kuschelte, in den Chor mit ein.

29

Weil meine bisherige Erfahrung mit Schusswaffen bei Wasserpistolen aufhörte und meine Knie sich plötzlich weich und unzuverlässig anfühlten, wartete ich die Ankunft der Kavallerie ab.

Als Erster stieg Sheriff Coleman Peters aus dem Streifenwagen, vom Beifahrersitz sprang Hamilton. Seine Blicke wanderten an mir hoch und runter, und ich spürte, wie Wärme mich übermannte. Tinkie und Tammy kletterten von der Rückbank.

Im zweiten Streifenwagen fuhr Gordon Walters ohne Begleitung.

Hamilton eilte auf mich zu, aber Tinkie schlug ihn im Rennen.

»Mein Schätzchen«, rief sie und nahm mir Chablis aus den Armen. »Sarah Booth, ist alles in Ordnung mit dir?«

»Sylvia und Millie sind noch drinnen«, antwortete ich. »Und …« Mir graute davor, es auszusprechen, doch schlimmer als meine Worte wäre ihr unvorbereiteter Anblick. »Und Veronica. Sie ist nicht tot, Hamilton.«

»Ich weiß«, entgegnete er und legte mir tröstend die Hand auf die Schulter. »Sylvia hat nie geglaubt, dass sie umgekommen ist. Und ich habe schon sehr lange daran gezweifelt.«

»Veronica hat deine Schwester und Millie.« Ich wusste, dass ich so erbärmlich klang wie ein geprügelter Hund. Ein unpassender Abschluss, nachdem ich Pasco Walters eigenhändig – nun, mithilfe der beiden Hunde – den Schädel eingeschlagen hatte. Ich riss mich zusammen und grinste ihn an. »Pasco Walters liegt vor dem Hundezwinger. Der macht für eine Weile keinem mehr Ärger.« Zum Dank sah ich, wie Gordon Walters seine Dienstwaffe aus dem Holster zog.

»Guter alter Daddy. Ich wusste, er ist zu gemein, um zu sterben«, sagte Gordon, während er das Magazin überprüfte.

Obwohl ich die starke Frau markierte, hätte ich mich am liebsten Hamilton an die Brust geworfen; dieser Drang entsprang nicht etwa der taktischen Schulung der Daddy's Girls, sondern einem simplen menschlichen Bedürfnis. Für einen Moment wollte ich bei jemandem zur Ruhe kommen, der in der Lage war, die Zügel in die Hand zu nehmen. Doch Hamilton strich mir nur fest über die Oberarme und ging dann mit Coleman ans Haus.

»Nehmen Sie die Hintertür«, befahl der Sheriff.

Tinkie und Tammy duckten sich hinter den Streifenwagen. »Oscar wird der Schlag treffen, wenn ich ihm davon erzähle«, sagte Tinkie. »Als Sie mir von dem dunklen, gefährlichen Mann erzählten, meinten Sie also gar nicht Hamilton. Es ging die ganze Zeit um Pasco.«

»Ich hatte Angst, es wäre Pasco«, verbesserte Tammy. »In meinen Träumen habe ich ihn mit einem Schrotgewehr auf dem kahlen Maisfeld gesehen. Da befürchtete ich, er könnte noch am Leben sein«, erwiderte Tammy. »Millie erwähnte beiläufig, dass Sylvia den beiden eine Falle stellen wollte. Sie brachte Delo dazu, mitzuspielen, aber sie hätte nie geglaubt, dass ihm etwas zustoßen könnte.«

Gordon starrte auf den Hundezwinger. »Ich kümmere mich um meinen Vater.«

Ich ging ihm hinterher. Pasco war meine Trophäe.

»Mrs. Garrett!«, rief Coleman in die Nacht. »Sie sind umzingelt. Pasco haben wir in Gewahrsam, also kommen Sie lieber freiwillig raus!«

Das Haus lag schweigend und in Dunkelheit da, und ich folgte Gordon Walters in den Nebel. Er blickte mich über die Schulter an. »Wissen Sie, dass Sie eine echte Plage gewesen sind?«, fragte er. »Hamilton und ich haben geglaubt, dass man Sie in Fetzen schießen würde, bevor die Nacht vorbei ist, aber Sie ließen sich ja durch nichts, was wir versuchten, davon abhalten, Ihre Nase in die Sache zu stecken.«

»Danke«, entgegnete ich. In gewisser Weise hatte er mir ein Kompliment ausgesprochen.

Er trat an die reglose Gestalt seines Vaters und blieb stehen. Dann stieß er ihn mit der Stiefelspitze an. Pasco schlug blinzelnd die Augen auf.

»Hallo, Daddy«, sagte Gordon, dann bückte er sich und ließ die Handschellen zuschnappen. Er zerrte seinen Vater hoch, und ich folgte ihnen zurück zum Haus.

Scheinwerferkegel schufen einen matten Lichtkranz im Nebel, als sich ein weiteres Auto näherte. Ich fragte mich, ob diese Woche Familientreff an Delos altem Haus sei, und war nicht im Geringsten überrascht, Harolds Lexus zu erkennen. Die Scheinwerfer richteten sich auf die Eingangstür. Harold stieg aus, ohne die Lampen auszuschalten. Mein Daumen meldete sich mit einem schwachen Kitzeln, und ich wartete, dass Harold zu mir kam. Ich war einfach zu erschöpft, um mich zu bewegen.

»Bleiben Sie zurück«, forderte Coleman ihn auf. Der Sheriff stand vor der Haustür. Gerade, als er sie eintreten wollte, öffnete sie sich langsam. Dann stürmten Millie und Sylvia hinaus und flohen in den Vorgarten.

»Sylvia!«, brüllte Harold. Er rannte an mir vorbei und schloss sie in die Arme. »Sylvia«, wiederholte er und drückte sie an sich. Tinkie, an deren Brust Chablis schlummerte, und Tammy nahmen Millie in die Mitte und zogen sie in den Schutz des Streifenwagens.

Ich stand einsam und verlassen im Vorgarten und hielt einen Revolver in der Hand, von dem ich nicht wusste, ob ich damit umgehen konnte. Der Mann, der mir die Ehe angeboten hatte, tröstete gerade eine andere. Das überraschte mich nicht einmal.

Hamilton war offensichtlich durch die Hintertür ins Haus gelangt. »Wir kommen hinaus«, rief er aus dem Dunkeln. »Sie ist jetzt unbewaffnet.«

Coleman zog sich von der Tür zurück, und Hamilton und seine Mutter traten in das Licht der Scheinwerfer. In einer Hand hielt Hamilton lässig das Schrotgewehr.

Veronica erinnerte mich an die Hauptdarstellerin eines Schwarzweißkrimis. Sie richtete sich auf, warf die Schultern zurück und starrte uns alle nieder.

»Sie gehört ganz Ihnen«, sagte Hamilton zu Coleman, stolzierte an seiner Mutter vorbei und gesellte sich zu Sylvia und Harold. »Vielen Dank fürs Kommen, Harold. In den letzten achtzehn Jahren warst du der einzige Bewohner dieser Stadt, von dem Sylvia mit nennenswerter Zuneigung gesprochen hat. Ich dachte, wenn es hart auf hart käme, dann würde sie vielleicht auf dich hören.«

»Als du mir sagtest, dass Sylvia in Gefahr schwebt,

erkannte ich, was sie mir bedeutet«, entgegnete Harold. »Ich bin froh, dass wir es hinter uns haben.«

Die drei stiegen in Harolds Lexus und fuhren ohne ein weiteres Wort davon.

Ich beobachtete, wie Coleman Veronica Handschellen anlegte und sie in seinen Streifenwagen setzte. Gordon schob Pasco in den anderen. Tinkie und Tammy hatten Millie auf den Rücksitz des Cadillac gelegt. Anscheinend war ich die Einzige, die nicht wusste, wohin sie gehen oder was sie tun sollte.

Als Coleman mich ansprach, versuchte ich zu lächeln, wusste jedoch gleichzeitig, dass ich ziemlich verkrampft wirken musste.

»Ich sollte dir einen Vortrag darüber halten, dich nicht in eine gefährliche Situation zu bringen«, sagte er, »aber trotzdem ...« Er umarmte mich fest mit beiden Armen. »Gute Arbeit, Sarah Booth. Außer dir kenne ich keine Frau, die dermaßen in der Scheiße rühren könnte, ohne auch nur einen Spritzer abzubekommen.«

»Danke, Coleman«, antwortete ich und empfand den überwältigenden Drang zu heulen. Natürlich tat ich das nicht. Drüben am Caddy hörte ich Tinkie und Tammy aufgeregt plappern, um Millie zu beruhigen.

»Kannst du mich nach Hause fahren?«, fragte ich den Sheriff.

»Na klar. Ich will nur vorher die Gefangene absetzen. Trinken wir einen Kaffee zusammen?«

Ich besaß keinen Grund, eilig nach Hause zurückzuwollen. Jitty würde mich auf jeden Fall erwarten, wann immer ich heimkehrte, Harold war mit Sylvia beschäftigt, und Hamilton war gegangen, ohne sich zu verabschieden.

»Das wäre nett«, sagte ich, weil ich mich ganz einfach nicht der Tatsache stellen wollte, dass ich in meiner größten Stunde als Privatdetektivin beide Männer verloren hatte, die mir etwas bedeuteten.

»Erzähl noch mal, wie du Pasco eins mit der Schaufel übergezogen hast«, sagte Jitty. Sie hatte die Füße auf das Verandageländer gelegt und trug weiße Go-go-Stiefel, weiße hüftenge Shorts mit einem breiten Lackledergürtel und eine hellgrüne Polyesterbluse. Auf der Veranda herrschte eine Temperatur um null Grad, doch Jitty war für die Kälte unempfindlich.

Ich nippte an meinem Glas Moonshine und berichtete es ihr erneut. Ich wusste natürlich, dass sie mich nur von meinem Herzschmerz ablenken wollte, und begrüßte ihre Bemühungen. Dergleichen passte gar nicht zu ihr und konnte nicht lange anhalten.

Das erste Morgenlicht kroch über den Horizont, und ich empfand eine gewisse Befriedigung darüber, dass ich immerhin die Nacht überstanden hatte, ohne in Tränen auszubrechen.

»Heute ist der erste Tag vom Rest deines Lebens, Sarah Booth«, sagte Jitty.

Ich blickte sie an. »Etwas Dümmeres habe ich noch nie gehört. Ich habe kein Leben in dem Sinne. Mein Leben besteht aus Pflichten und Verantwortung – hat aber keinen Inhalt.«

»Ich will dir mal das Dümmste sagen, was ich je gehört hab. Ein Mädchen reitet auf zwei Pferden und wird von beiden abgeworfen. Hör auf, dich im Selbstmitleid zu suhlen, schnapp dir dein Lasso und fang dir ’nen anderen Gaul ein!«

Aha, die echte Jitty war wieder da. Ich stellte meine Füße auf den Boden und erhob mich. Zeit, ins Haus zu gehen und zu überlegen, wie es weitergehen sollte. Schlaf wäre vielleicht die ideale Antwort auf meine Probleme gewesen, aber ich fühlte mich nicht schläfrig, obwohl ich müde war bis auf die Knochen. Vermutlich lag das an den sechs Tassen Kaffee, die ich mit Coleman getrunken hatte, während er mir minutiös den Zerfall seiner Ehe schilderte. Das Elend liebt Gesellschaft, und wenigstens hatte er meine Gedanken für eine Weile von Hamilton abgelenkt.

Irgendwo im Unterbewusstsein erkannte ich sogar die Richtigkeit der Beziehung von Harold und Sylvia. Seit sie Hamilton einmal auf der Dorsett Military Academy besucht hatte, war Harold in Sylvia verliebt. Ich erinnerte mich, wie er von ihr gesprochen hatte. Außerdem hatte er darauf hingewiesen, dass Sylvia anders sei als ich.

Obwohl wir uns äußerlich nicht ähnelten, hatte Harold sich zu mir hingezogen gefühlt, weil sie und ich sehr viel gemeinsam hatten, eine gewisse Direktheit, einen Mangel an Fassade, den er als reizvoll empfand. Wir waren beide im Reich der Daddy’s Girls aufgewachsen, und dennoch war keine von uns zu einem geworden.

»Schau, Sarah Booth«, sagte Jitty in jenem knirschenden, an die Vernunft appellierenden Ton. »Das dicke Ende kommt immer zum Schluss.«

»Wenn du noch eine weitere Binsenweisheit vorträgst, dann …« Mir wollte keine Drohung einfallen, die schrecklich genug gewesen wäre.

»Du hast Harold nie wirklich gewollt, obwohl ich immer

noch der Meinung bin, dass er der Richtige für dich wäre, und er hätte dir eine gesicherte Zukunft garantiert. Was ich sagen will: Jetzt, wo er fort ist, kannst du nicht hingehen und rumjammern.«

»Da irrst du dich«, widersprach ich und begann, die Veranda abzuschreiten. »Ich kann so viel jammern, wie ich will. Ich habe nicht einmal Chablis«, erklärte ich. Nachdem Tinkie sie wieder in die Arme geschlossen hatte, konnte ich kaum verlangen, dass sie mir das Hündchen überließ.

»Schau dich mal im Spiegel an, Sarah Booth. Du bist nicht gerade der Typ Frau, der sich mit 'nem Froufrou-Hundi abgibt. Ich bin sicher, dass James dir einen von Delos Hunden überlässt, wenn du ihn fragst. Dieser kleine Staubwedel hat dir ins Kinn gebissen! Vergiss das bloß nicht. Du siehst aus, als wärst du von 'nem kurzsichtigen Vampir überfallen worden.«

»Das verheilt schon wieder«, sagte ich. »Es geht nicht darum, dass ich keinen Hund bekommen könnte, es geht darum, dass ich den Hund nicht bekommen kann, den ich haben will.«

»Ach, jetzt kapiere ich«, sagte Jitty und klapperte mit den verdammten Armreifen an ihrem Handgelenk. »Du willst Hamilton noch immer.«

»Da hast du verflixt noch mal Recht.« Ich wollte ihn wirklich. Und diesmal würde ich mir von meiner Gebärmutter keine Befehle erteilen lassen.

»Ich mag's eigentlich, wie es ist, mit uns beiden hier«, entgegnete Jitty.

»Wie schön für dich.« Nun vermochte ich nur noch kindische Banalitäten von mir zu geben.

»'türlich ist noch nicht alle Hoffnung verloren.«

Ich beschrieb einen Halbkreis und stellte mich ihr gegenüber. Die aufgehende Sonne badete ihr Gesicht in goldenem Licht, und langsam zeigte sich darauf ein Lächeln. »Es besteht immer noch die Chance, dass du den Erben der Garretts in dir trägst – und eben auch den letzten der Delaneys.«

Meine Hände fuhren an meinen Bauch. Sie hatte Recht. Ich hatte mit Hamilton geschlafen, ohne mich zu schützen. Obwohl ich die begierigste Gebärmutter auf der ganzen Welt besaß, schenkte ich ihren Zyklen nie sonderlich viel Beachtung.

»Ich bin nicht schwanger«, behauptete ich, vollkommen entschlossen, dass es so sein müsse. Jitty sehnte sich vielleicht nach einem Delaney-Erben, bei dem sie spuken konnte, ich hingegen wollte kein Kind von einem Vater, der nicht jede Nacht neben mir im Bett lag.

»Na, das solltest du aber sein – aber ich fürchte, auch er ist noch nicht so weit«, sagte sie und begann, in dem heller werdenden Morgenlicht zu verblassen.

Kaum war sie verschwunden, hörte ich einen Wagen heranfahren. Hamiltons Mercedes bog in die Einfahrt ein, und er stieg aus und kam auf die Veranda. Er war ein gut aussehender Mann.

»Ich bin gekommen, um mich zu entschuldigen«, begann er. »Billie bringt bereits ein Ersatzrad an deinem Wagen an. Ich hatte gehofft, ich könnte dich damit aus Schwierigkeiten heraushalten, aber am Ende war es wohl doch gut, dass du dort gewesen bist. Pasco hätte Sylvia ermordet und Millie wahrscheinlich ebenfalls. Er hat gestanden, einen Stadtstreicher aus Memphis umgebracht und die Leiche in den Fluss geworfen zu haben. Noch ein Leichnam mit falscher Identität.«

Weil es um so vieles einfacher war, über den Fall zu sprechen als von irgendetwas anderem, stellte ich eine Frage. »Die halbe Million, nach der Pasco suchte – Sylvia hat sie erfunden, nicht wahr?«

Hamilton verlagerte sein Gewicht auf das Verandageländer. »Ja. Pasco und Mutter hatten von Anfang an das ganze Geld. Sylvia setzte Gerüchte in Umlauf, und Tammy, James und Delo spielten widerwillig mit. Sie ist schon immer fest davon überzeugt gewesen, dass Mutter noch lebte. Ihre Lalique-Haarkämme fehlten an der Leiche, doch Mutter ist niemals irgendwohin gegangen, ohne sie zu tragen. Als ich das Autowrack entdeckte, war die Leiche so verstümmelt, dass ich unmöglich sagen konnte, es sei jemand anderes als Mutter. Und Sylvia wurde nicht gestattet, sich den Leichnam anzusehen.«

Er drehte sich um, legte die Hände auf das Geländer und schaute auf die Felder hinaus, ein wunderbarer Anblick, den er genoss. »Ich habe Sylvia nicht geglaubt. Ich wollte ihr nicht glauben. Aber es war leichter, sie ihren Willen haben zu lassen. Und sie hatte Recht, verdammt noch eins. Achtzehn Jahre lang hat sie Recht gehabt. Sie wusste genau, dass am Ende die Habgier Pasco und Mutter aus dem Versteck locken würde. Sie konnten einfach nicht der Versuchung widerstehen, zurückzukommen und sich noch mehr Geld zu holen.« Als er sich wieder zu mir umdrehte, stand ihm grimmige Genugtuung ins Gesicht geschrieben.

Ich empfand unerklärliche Wut. »Ihr habt beide achtzehn Jahre damit verschwendet, auf den Tag der Rache zu warten. Deine Schwester hat ihr halbes Leben in einer Nervenheilanstalt verbracht!«

Meine ungezügelte Gefühlsaufwallung ließ ihn einen

Schritt zurückweichen. »Auf manche Dinge lohnt es sich eben zu warten, Sarah Booth. Wenn du das jetzt noch nicht verstehst, so wird es dich das Leben noch lehren.«

»Rache gehört nicht dazu«, widersprach ich ihm bitter. Ganz gleich, über welches Thema wir sprachen, Hamilton und ich schienen zum Streiten verdammt zu sein – es sei denn, wir lagen zusammen im Bett.

»Ich habe mein Leben keineswegs verschwendet«, entgegnete er geduldig.

Ich fragte mich, weshalb er sich gedrängt fühlte, auf meinen Wutausbruch zu reagieren. »Und was ist mit Sylvia?«, konterte ich, entschlossen, den Streit zu Ende zu führen.

»Sie hat ihre eigene Wahl getroffen. Jetzt ist sie vielleicht so weit, dass sie einige Entscheidungen revidieren kann. Ich habe nicht gewusst, was Harold für sie empfindet, aber ich glaube, sie hat in ihm einen Anker gefunden, der ihr Halt gibt.«

Ich wusste nur zu gut, welch eine Stütze Harold sein konnte. »Ich glaube, er liebt sie schon seit langem«, sagte ich.

»Er hat mir gesagt, er liebe auch dich.«

Ich blickte auf, schockiert über Hamiltons Offenheit. »Das glaubt er nur, weil ich ihn an deine Schwester erinnere.«

Hamilton bewegte sich so rasch, dass ich keine Zeit hatte, zurückzuweichen. Er packte mich bei den Schultern. »Du bist völlig anders als Sylvia. Wenn du wärst wie sie, müsste ich mir ernste Sorgen um mich machen.«

Ich hob den Kopf, um seinen Kuss entgegenzunehmen. Seine Lippen verlangten nach mir, und ich stellte mich auf die Zehenspitzen. Nichts wollte ich lieber, als seine Arme um mich und seine Lippen auf den meinen zu spüren. Na ja, und vielleicht noch ein wenig mehr. Ich war so sicher gewesen, ihn verloren zu haben, und nun war er hier und stand mit mir auf der Veranda von Dahlia House.

Ich wollte gerade seine Hand ergreifen und ihn ins Haus führen, als er einen Schritt von mir zurücktrat.

»Ich bin gekommen, um dir Auf Wiedersehen zu sagen«, erklärte er und ließ seine Hände auf meinen Schultern, um mich zu stützen. »Ich muss nach Europa zurück. Mein Leben dort liegt nur auf Eis.«

Ach ja, sein Leben in Europa. Er hatte behauptet, die zurückliegenden achtzehn Jahre keineswegs verschwendet zu haben. Vermutlich war er verheiratet, hatte wahrscheinlich fünf Kinder, einen Herrensitz und ein Landhaus sowie eine Frau, die wie Gwyneth Paltrow aussah und dünn, blond und intelligent war.

Eine Möglichkeit hatte ich noch – ich konnte ihn anflehen zu bleiben. Doch aus irgendeinem Grund wusste ich bereits, dass mir diese Worte niemals über die Lippen kämen.

»Wirst du jemals wieder Zinnia besuchen?«, fragte ich.

Anstelle einer Antwort erklärte er: »Sylvia zieht auf Knob Hill ein. Sei ihr eine Freundin, Sarah Booth. Sie wird Freunde bitter nötig haben.«

Ich nickte.

»Ich werde wiederkommen. Ich weiß noch nicht, wann. Wir haben nie so viel Geld besessen, wie die Leute glaubten, und es hat unsere Rücklagen erschöpft, Knob Hill zu unterhalten. Aber ich habe immer gewusst, dass Sylvia eines Tages wieder zu Hause einziehen würde. Wir haben beide viele gute Erinnerungen an Knob Hill, nicht nur schlechte.«

Ich empfand ein seltsames Pochen im Unterleib und fragte mich, ob da etwa ein kleiner Garrett emsig mit der Zellteilung beschäftigt war.

Hamilton zog eine Karte aus der Tasche und reichte sie mir. »Hier, meine Privatnummer. Wenn du etwas benötigst, ruf mich an.«

Also durfte ich mich im Notfall mit ihm in Verbindung setzen. Kein Geplauder am Telefon, keine Briefe, keine Versprechen, sich bald zu treffen. Er war gekommen, um Adieu zu sagen.

Ich nahm die Karte. »Ich stehe im Telefonbuch«, sagte ich.

»Eine Frau wie dich habe ich nie zuvor kennen gelernt, Sarah Booth. Du wirst mir fehlen.« Er beugte sich zu mir nieder, wie um mich zu küssen, doch diesmal strichen mir seine Lippen nur über die Wange.

»Du mir auch«, sagte ich und hielt die Karte mit beiden Händen fest, um mich davon abzuhalten, ihn mit den Armen zu umschlingen.

»Viel Glück mit deiner neuen Privatdetektei.« Er trat zurück. »Gib auf dich Acht.«

»Du auch.«

Er lächelte und stieg die Stufen hinunter. Hoch aufgerichtet ging er mit langen Schritten zu seinem Wagen, stieg ein und fuhr davon.

Ich blieb auf der Veranda stehen und umklammerte die Karte. Von diesem Augenblick an wusste ich, was es bedeutet, wenn jemand von einem gebrochenen Herzen spricht. Ich spürte, dass Jitty hinter mir stand, und drehte mich zu ihr um. »Er ist fort. Zurück nach Europa.«

»Er kommt zurück«, meinte Jitty nüchtern. »Sobald ein

Mann einmal eine Delaney-Frau gekostet hat, kann er nicht mehr von ihr lassen. Das liegt euch im Blut.«

Ein kitzelndes Gefühl der Kälte lief mir über den Arm, und ich begriff, dass Jitty mich dort berührt hatte. »Machen wir uns Frühstück«, schlug ich vor, denn plötzlich war ich hungrig.

Als wir zur Tür gingen, läutete das Telefon. Ich hob ab und grinste, als ich die Begeisterung in Ceces Stimme bemerkte.

»Sarah Booth, du kommst auf der Stelle zu mir in die Redaktion. Du hast immer noch meinen Schlüssel, und heute Morgen musste ich den Hausmeister rufen, um in mein Büro zu kommen. Außerdem will ich die Einzelheiten wissen – und zwar alle. Coleman Peters bezeichnet dich als eine Heldin. Tinkie Bellcase Richmond behauptet, du hättest das Geheimnis der Garrett-Morde aufgedeckt, und sie würde dich bereits für alle Ermittlungen vormerken, die sie in Zukunft anstellen will. Kincaid Maxwell hat mir – streng vertraulich – gestanden, du hättest ihren guten Namen vor einem Skandal gerettet, dessen Natur sie nicht einmal anzudeuten gedachte. Du musst auf der Stelle hierher kommen und mir ein Interview geben. Nach allem, was ich höre, bist du im Augenblick die gefragteste Detektivin diesseits des Mississippi.«

Angesichts unserer geografischen Lage ging Cece auf Nummer sicher. Doch dann kam es mir in den Sinn, dass auch Hamilton sich über meine ›neue Detektei‹ geäußert hatte, und zwar durchaus mit einem gewissen Maß an Stolz. Ich blickte Jitty über das Telefon hinweg an. »Soll ich?«

»Du wärst töricht, wenn du's sein lassen würdest«, flüsterte sie und lächelte dann. »Wahrscheinlich wirst du mehr Klienten bekommen, als dir lieb ist.«

»Ich bin um zehn bei dir«, versprach ich Cece.

»Und vergiss bloß nicht die Plunderteilchen, Süße«, ermahnte mich Cece. »Wenn man einer guten Story auf der Spur ist, wird man schnell hungrig.«

Ich legte auf und blickte Jitty an. »Vor zwei Wochen mussten wir noch fürchten, Dahlia House zu verlieren. Ich war arbeitslos und hatte Männer und Verstand bereits abgeschrieben.«

»Süße, drei von vieren geschafft ist auch nicht schlecht«, meinte Jitty und klirrte mit ihren Armreifen, während sie mir in die Küche voranging, wo das Frühstück auf uns wartete.

ENDE

Über die Autorin

Carolyn Haines wurde im amerikanischen Bundesstaat Mississippi geboren und kam als Fotojournalistin zum ersten Mal mit dem Delta in Berührung, als sie an einer Artikelserie über das Staatsgefängnis von Mississippi bei Parchman arbeitete. Sie ist die Autorin von *Am Ende dieses Sommers* und *Fluss des verlorenen Mondes.*

Ein Gespräch mit Carolyn Haines, Autorin von »Wer die Toten stört«

Auf Bitten der Zeitungskolumnistin Cece Dee Falcon erklärte sich die Schriftstellerin Carolyn Haines einverstanden, eine Reihe von Fragen zu ihrer Arbeit, ihren Romanfiguren und der Zukunft der Kleinstadt Zinnia, Mississippi zu beantworten. Obwohl ursprünglich Cece das Interview führen wollte, bestand Jitty darauf, mit der Autorin zu sprechen. Wegen des schönen Wetters in Mississippi trafen sich Carolyn und Jitty zu ihrem Plausch auf der Vorderveranda von Dahlia House.

Jitty: Bevor dieses Interview beginnt, möchte ich eins mit aller Deutlichkeit klarstellen: Ich bin nicht für Sarah Booth' Taten verantwortlich, jedenfalls nicht für alles, was sie tut. Das Mädchen ist so dickköpfig, wenn die mal ertrinkt, dann muss man nach ihrer Leiche flussaufwärts suchen. Wie Sie das Buch schreiben, will's einem manchmal so vorkommen, als hätte ich irgendwelchen Einfluss auf Sarah Booth. Aber das stimmt nicht. 'ne Delaney lässt sich von keinem beeinflussen. Behalten Sie das nur im Gedächtnis, wenn Sie wieder über uns schreiben. Aber jetzt, wo das geklärt ist, können wir anfangen.

Carolyn: An welche Art Fragen hatten Sie eigentlich gedacht?

Jitty: Na ja, ich finde, Sie könnten mir und allen anderen ein bisschen verraten, wie's in Zukunft weitergehen soll, wo Sie doch die Autorin sind. Ich meine, Sarah Booth hat ihren Verehrer verloren, aber 'ne Gelegenheit erhalten, ihr eigenes Detektivbüro aufzumachen. Außerdem besteht die Möglichkeit, dass sie den Erben von Dahlia House im Schoß tragen könnte. Was also hält die Zukunft für uns bereit.

Carolyn: Ich verstehe schon, Sie wollen, dass ich ausplaudere, was demnächst passiert. Als Krimiautorin muss ich jedoch darauf hinweisen, dass so etwas gegen die Regeln verstößt.

Jitty: Jetzt kommen Sie mir bloß nicht kess, Missy! Ich hab fast hundertfünfzig Jahre auf dem Buckel. Also bin ich ja wohl doch ein bisschen älter als Sie, obwohl ich ja genau genommen nicht mehr älter werde. Hat Ihre Mama Ihnen denn nicht beigebracht, dass man nicht frech ist zu älteren Leuten?

Carolyn: Meine Mutter konnte nicht ahnen, dass ich einmal mit Leuten wie Ihnen und Sarah Booth verkehren würde. Meine Eltern glaubten, aus mir würde mal was Respektables werden, eine Journalistin zum Beispiel.

Jitty: Wollen Sie mich auf den Arm nehmen?

Carolyn: Nun, ein bisschen vielleicht. Wenn ich ehrlich sein soll, dann muss ich zugeben, dass ich noch nie von einer Romanfigur interviewt worden bin. Deshalb möchte ich Ihnen eine Frage stellen, die mich schon seit längerem beschäftigt. Als Sie das erste Mal in die Seiten meines Buches traten, trugen Sie dieses scheußliche Siebzigerjahre-Outfit. Weshalb ausgerechnet die Siebzigerjahre? Schlechte Kleidung. Schlechte Musik. Wieso?

Jitty: Nachdem ich so viele Jahrzehnte durchlebt habe, besitze ich eine historische Perspektive, die euch jungem Volk abgeht. Sarah Booth stand kurz davor, alles zu verlieren, was ihr je am Herzen gelegen hat, einschleißlich *unseres* Hauses. Sie haben ja selbst gemerkt, dass Sarah Booth alles andere als geschickt ist, wenn es darum geht, die Männer im Zaum zu halten. Deshalb musste ich eben was unternehmen, und ich dachte, wenn sie schon keinen Mann für immer an den Haken bekommt, dann kann sie uns doch wenigstens einen Erben beschaffen. Die Siebzigerjahre sind die Epoche, in der die Frauen ihre sexuelle Befreiung erklärt haben. Ich dachte, damit könnte ich Sarah Booth einen kleinen Stoß in die richtige Richtung geben, sprich: auf das Baby, das wir beide brauchen.

Carolyn: Aha, ich verstehe. Dann war es also nur eine leere Drohung, als Sie sagten, Sie würden Sarah Booth bis in alle Ewigkeit heimsuchen, wenn sie nicht für Erben sorgte, bei denen Sie spuken können?

Jitty: Das weiß ich selber nicht so genau. Jedenfalls wollte keine von uns beiden das Risiko eingehen. Und nun Ruhe, ich stelle hier die Fragen.

Carolyn: Entschuldigung. Ich bin eben auch neugierig.

Jitty: Mag sein, aber der Verleger hat nicht Ihnen den Platz in diesem Buch zugestanden, damit Sie ein Interview führen. Dieser Platz gehört mir. Und deshalb stelle ich die Fragen. Sie können schließlich machen was Sie wollen, solange Sie schreiben. Aber diese viertel Stunde, die gehört mir, und deshalb halten Sie sich besser zurück.

Carolyn: Ja, du meine Güte, ich will mir Mühe geben.

Jitty: Das hoffe ich für Sie. Vielleicht möchten Sie was zu trinken? Wir Gespenster haben's ja nicht viel mit Alkohol, aber Sarah Booth nimmt hin und wieder ganz gern 'nen Minzjulep. Da, bitte, und nun machen Sie's sich in Ihrem Schaukelstuhl bequem. Los geht's. Ich habe wichtigere Fragen als Sie. Sarah Booth hat Hamilton nach Paris entkommen lassen. Er wäre ein großartiger Fang gewesen, aber weg ist er. Könnten Sie nicht für Harold ein gutes Wort einlegen? Ich meine, er ist solide und verlässlich, und eine ganze Weile lang war Sarah Booth seine Flamme. Könnten Sie als Autorin dieses Feuer nicht wieder neu entfachen?

Carolyn: Harold ist anderweitig beschäftigt. Was ist mit Sylvia Garrett? Soll ich sie etwa einfach umbringen?

Jitty: Also, Ihre Frechheit kennt wirklich keine Grenzen, was? Ich hab Sie doch nicht drum gebeten, gleich jemanden über die Klinge springen zu lassen. Könnten Harold und Sylvia sich nicht einfach trennen? So schwer kann das doch nicht zu schreiben sein.

Carolyn: Ich weiß nicht recht, Jitty. Sarah Booth hat Harold schon einmal den Laufpass gegeben. Irgendwie mag ich ihn, und ich finde, ich sollte ihn dieser Kränkung nicht noch einmal aussetzen.

Jitty: Was? Hab ich richtig gehört? Als ich das letzte Mal hinguckte, da war Harold ein Mann! Eine Kränkung wird er ja wohl verkraften können!

Carolyn: Sie klingen da ziemlich sexistisch, Jitty. Vielleicht baue ich einige Kurse in Sensitivity-Training für Sie ein.

Jitty: Sie erinnern mich wirklich sehr an Sarah Booth. Beide seid ihr dickköpfig und habt den Teufel im Leib. Aber lassen wir die Männer mal. Weiter im Text: Wird Sarah Booth wirklich eine richtige Privatdetektivin?

Carolyn: Das nötige Talent besitzt sie jedenfalls. Und ich kann Ihnen bereits sagen, dass sie im nächsten Buch eine neue Klientin oder einen neuen Klienten haben wird. Ich mache mir allerdings gewisse Sorgen. Sie verstehen, was es zur Folge haben würde, wenn sie als Privatdetektivin Erfolg hätte: Sarah Booth müsste sich zwischen Familie und Karriere entscheiden.

Jitty: O nein! Stellen Sie Sarah Booth nur nicht vor die Wahl, entweder Dahlia House zu retten oder sich 'nen Mann zu angeln. Lassen Sie das bloß sein!

Carolyn: Aber so ist das im Leben, Jitty. Heutzutage müssen die Frauen jonglieren und abwägen. Nur weil Sarah Booth eine erfundene Gestalt ist, braucht sie deshalb nicht zugleich eine erfolgreiche Detektivin und eine perfekte Ehefrau und Mutter zu sein.

Jitty: Mädchen, ich hab auf Sie gezählt, dass Sie mir helfen, Sarah Booth ein bisschen Vernunft einzureden. Was sie sich in den Kopf setzt, das schafft sie auch, und an oberster Stelle sollte für sie stehen, sich 'nen guten Mann zu angeln und ein bisschen Spaß mit ihm zu haben. Ich glaube nicht, dass Sie in dieser Hinsicht einen guten Einfluss auf sie ausüben. Und ich sehe überhaupt nicht ein, dass immer nur ich auf Sarah Booth einwirken soll, sich auf das Wichtigste zu konzentrieren – auf die Familie.

Carolyn: Ich weiß nicht, ob mir Ihr Gesichtsausdruck gefällt. Woran denken Sie gerade, Jitty?

Jitty: Sie haben Ihre Geheimnisse, und ich hab meine. Vergessen Sie nicht, ich bin schon sehr, sehr lange auf der Welt. Wenn Sie mir zuvorkommen wollen, dann müssen Sie schon verdammt früh aufstehen.

Carolyn: Ich muss ohnehin früh aufstehen, um mein Schreibpensum erledigt zu bekommen. Und wo wir uns schon gegenseitig unsere Fehler vorwerfen, was ist mit den Nächten, in denen Sie mich geweckt haben? Haben Sie das für amüsant gehalten, mir im Traum zu erscheinen und mich zu veranlassen, aufzustehen und zu schreiben?

Jitty: Das ist mein Job. Wo wären Sie denn ohne mich?

Carolyn: Wo auch immer, auf jeden Fall hätte ich ausgeschlafen, so viel steht fest. Sind Sie jetzt zufrieden?

Jitty: Ich gebe Ihnen einen guten Rat: Hören Sie auf damit, Fragen zu stellen. Sie sind wie einer der schlechten Gäste in so 'ner Talkshow. Wenn Sie einmal anfangen, wollen Sie von nichts anderem mehr reden als von sich selbst.

Carolyn: Jitty, die Sonne geht bald unter. Verzeihen Sie meine Offenheit, aber ich beabsichtige auf keinen Fall, nach Einbruch der Nacht in Gesellschaft eines Gespenstes auf der Veranda von Dahlia House zu sitzen. Wenn Sie noch mehr wissen wollen, dann sollten Sie fragen.

Jitty: Sie schreiben noch viele andere Sachen. Bekomme ich von Ihnen überhaupt die Aufmerksamkeit, die ich vediene?

Carolyn: Auf jeden Fall. Das versteht sich von selbst. Sarah Booth, Harold, Hamilton, Tinkie, Tomeeka, Millie – ihr alle bekommt, was euch zusteht.

Jitty: Das ist gut zu wissen. Noch ein paar Fragen. Sind Sie ein Daddy's Girl gewesen?

Carolyn: Nur in dem Sinne, dass ich ein Einzelkind bin. Aufgewachsen bin ich im Südosten des Bundesstaates Mississippi, in einer Kleinstadt namens Lucedale. In diesem Teil des Bundesstaats gab es nie irgendwelche Plantagen. Es besteht aus fichtenbewachsenem Ödland, das zumeist den Papierfabriken gehört, und kleinen Farmen. Aber ich habe ein paar Daddy's Girls gekannt. Eine interessante Kultur, die im Verschwinden begriffen ist. Wie alles andere verändert sich auch der Staat Mississippi.

Jitty: Was fasziniert Sie so sehr am Delta?

Carolyn: Das ist endlich einmal eine gute Frage. Als Mississippi-Delta bezeichnet man das riesige Dreieck Land, das im Westen vom Lauf des Mississippi und im Osten von einer Bergkette begrenzt wird. Es heißt, der fruchtbare Boden sei dort zweieinhalb Meter tief. Damals, zu Ihrer Zeit, befanden sich dort die Plantagen des Staates Mississippi, und in unserem Jahrhundert erlebte das Delta die Geburt des Blues. Es heißt, die Baumwollfelder seien so ausgedehnt gewesen, dass die Sklaven einander über weite Entfernung zurufen mussten, um sich zu verständigen oder Lieder zu singen. Deshalb ist der Call-back, die zurückgerufene Zeile, so sehr zum Bestandteil des Blues geworden.

Jitty: Der Blues, das ist eindringliche Musik. Mein Mann Coker, der konnte singen, sag ich Ihnen. Manchmal vermiss ich ihn wirklich. Hey, vielleicht können Sie mir ja 'n neuen Mann geben.

Carolyn: Wenn ich einen Mann für Sie finde, verlassen Sie am Ende noch Sarah Booth.

Jitty: Nein, ich drück mich doch nicht um meine Pflichten, aus keinem Grund. Ich kann nämlich Karriere und Privatleben unter einen Hut bringen. Aber zurück zum Thema. Wo mischt sich Sarah Booth denn als nächstes ein?

Carolyn: Ich bin nicht Madame Tomeeka und kann die Zukunft nicht vorhersagen, aber weil ich mit dem nächsten Buch schon begonnen habe, vermag ich immerhin eine Andeutung zu geben. Ein berühmter Literat wird ermordet und Sarah Booth engagiert, um den Täter zu finden.

Jitty: Bringen Sie mein Mädchen nur nicht in Gefahr!

Carolyn: Aber schließlich ist sie Privatdetektivin, Jitty.

Jitty: Spielt Harold in dem Buch mit?

Carolyn: Aber sicher. Und Tinkie, Tomeeka, Cece, Chablis und die anderen Bewohner von Zinnia. Natürlich wird es einige neue Figuren geben. Was glauben Sie, ob Sarah Booth wohl gern einen nicaraguanischen Künstler kennenlernen würde? Ein sehr charmanter Mann.

Jitty: Das ist doch nicht etwa der Mörder, oder?

Carolyn: Ich habe das Buch noch nicht fertig. Da müssen wir abwarten, bis Sarah Booth den Fall gelöst hat.

Jitty: Sie hat schon genug Probleme mit Männern, und jetzt kommen Sie bloß nicht an und schreiben, dass sie sich auch noch mit 'nem Mörder einlässt. Und dazu einem, der nicht mal aus Mississippi kommt! Ich halte das für keine gute Idee. Was soll ich denn machen, wenn Sarah Booth beschließt, mit irgendeinem Kerl nach Nicaragua zu ziehen? Geben Sie ihr doch lieber noch 'ne Chance bei Harold.

Carolyn: Das sehen wir dann.

Jitty: Kommen Sie, mir können Sie's doch verraten! Wer ist der Mörder?

Carolyn: Da werden Sie sich gedulden müssen, Jitty, so wie wir alle.

Jitty: Glauben Sie bloß nicht, dass ich mich so einfach abspeisen lasse. Ich weiß am besten, was gut ist für Sarah Booth, und es sieht mir ganz danach aus, als müsste ich gegen euch beide ankämpfen, damit sie es von Ihnen bekommt. Aber ich habe einen Plan.

Carolyn: Ach du je. Was für einen Plan denn?

Jitty: Ich will nur so viel verraten: Ich hab mich 'n bisschen mit dieser Psychologie beschäftigt, die Sarah Booth immerfort zitiert. Ich bin fest entschlossen, beim nächsten Mal einen besseren Einfluss auf sie auszuüben. Ich werde ihr ein Vorbild sein, auf das sie stolz sein kann. Vielleicht bekomme ich sogar meine eigene Fernsehsendung – ›Fragen Sie Miss Jitty‹.

Carolyn: Weshalb jagen mir diese Worte wohl einen Schauder über den Rücken?

Jitty: Gute, solide Werte. Familiengefühl. Das hat Sarah Booth am nötigsten. Es war nett, mit Ihnen zu plaudern, Miss Autorin, aber jetzt muss ich mich wieder an die Arbeit machen. Sie schreiben schön weiter, Mädchen, und wir sehen uns dann in Ihren Träumen.

Neuer Lesestoff für alle MARTHA GRIMES Freunde!

Der verkrümmte Leichnam einer Siam-Katze und die des dazugehörigen Besitzers. Das ist Meredith Mitchells erster Eindruck von dem kleinen Städtchen Westerfield, wo sie eigentlich nur an der Hochzeit ihrer Nichte teilnehmen wollte; nun aber wird sie in einen komplizierten Mordfall verwickelt und beginnt auf eigene Faust zu ermitteln – sehr zum Mißfallen von Inspektor Markby, einem geschiedenen Mann mittleren Alters, der sich nicht nur beruflich für Meredith interessiert.

MORD IST ALLER LASTER ANFANG ist der Auftakt einer Reihe von Kriminalromanen im klassisch englischen Stil um das liebenswert-exzentrische Detektivpaar Meredith Mitchell und Alan Markby.

ISBN 3-404-12966-0

Mitchell und Markbys zweiter Fall

Meredtih Mitchell kehrt nach turbulenten Zeiten in das idyllische Bamford zurück, um sich dort von ihren Einsätzen im diplomatischen Dienst zu erholen. Ein unerwartet freundliches Willkommen bereiten ihr Chefinspektor Markby, der offensichtlich gerne an Vergangenes anknüpfen möchte, sowie ihre neue Nachbarin Harriet – ein beeindruckend streitbarer Rotschopf. Doch kaum, daß sie sich kennengelernt haben, wird Harriet Opfer eines Unfalls bei der traditionellen Bamforder Weihnachtsjagd. Meredith selbst ist Zeugin eines Sabotageaktes, der für ihre neue Freundin tödlich endet. Unfall oder Mord? Das inzwischen eingespielte Team Markby und Mitchell bekommt einen neuen Fall beschert ...

ISBN 3-404-14321-3

Nr. 92021

Carolyn Haines

AM ENDE
DIESES SOMMERS

Sommerferien – eine herrliche Zeit für die dreizehnjährige Rebekka. Auch als sich auf einmal eine geheimnisvolle Sekte im Dorf niederläßt, eine weiß verschleierte Frau durch die Nacht irrt und ein Baby verschwindet, glaubt sie immer noch an ein einziges großes Abenteuer. Doch aus dem abenteuerlichen Spiel wird bald tödlicher Ernst … Ein stimmungsvoller Roman über das Erwachsenwerden, der die staubig-schwüle Hitze eines Mississippi-Sommers ebenso einzufangen versteht wie den Zauber, der über allem Kindlichen liegt.